D'UN SILENCE À L'AUTRE
est le trois cent soixante-deuxième livre
publié par Les éditions JCL inc.

Catalogage avant publication de Bibliothèque et Archives Canada

Duff, Micheline, 1943-

D'un silence à l'autre

ISBN 2-89431-362-4 (v. 1)

I. Titre.

PS8557.U283D86 2006   C843'.6   C2006-941529-3
PS9557.U283D86 2006

© **Les éditions JCL inc., 2006**
Édition originale : septembre 2006

D'un silence à l'autre

TOME I

DE LA MÊME AUTEURE :

Jardins interdits, Chicoutimi, Éditions JCL, 2005, 380 p.

Un coin de paradis, collectif, Une île en mots, Éditions Brève, Laval, 2005.

Les Lendemains de novembre, Chicoutimi, Éditions JCL, 2004, 320 p.

Liberté sans frontières, collectif, Brèves littéraires, Société littéraire de Laval, 2004, numéro 67.

Mon grand, Chicoutimi, Éditions JCL, 2003, 236 p.

Plume et Pinceaux, Chicoutimi, Éditions JCL, 2002, 252 p.

Clé de cœur, Chicoutimi, Éditions JCL, 2000, 440 p.

Les éditions JCL inc.
930, rue J.-Cartier Est, CHICOUTIMI (Québec, Canada) G7H 7K9
Tél. : (418) 696-0536 – Téléc. : (418) 696-3132 – www.jcl.qc.ca
ISBN 10 : 2-89431-362-4
ISBN 13 : 978-2-89431-362-6

MICHELINE DUFF

D'un silence à l'autre

TOME I

Roman

LES ÉDITIONS JCL

Nous reconnaissons l'aide financière du gouvernement du Canada par l'entremise du Programme d'aide au développement de l'industrie de l'édition (PADIÉ) pour nos activités d'édition. Nous bénéficions également du soutien de la SODEC et, enfin, nous tenons à remercier le Conseil des Arts du Canada pour l'aide accordée à notre programme de publication.

Gouvernement du Québec – Programme de crédit d'impôt pour l'édition de livres – Gestion SODEC

À tous ceux de ma famille qui ont prêté leurs prénoms aux personnages fictifs de ce roman.

On ne saurait aborder en même temps
des deux côtés de la rivière.
Il faut risquer de perdre une rive à jamais,
pour un jour toucher l'autre.

Gilles Vigneault, *L'Armoire des jours*

Vaut-il mieux se taire quand ce qu'on a à dire
risque de trop parler?

Danielle Goyette, *L'Absent*

Le Temps des orages

Chapitre 1

Florence tirait l'aiguille en s'arrachant les yeux. Décidément, cette nouvelle lampe à huile de porcelaine dépolie éclairait mal. Peinte à la main, elle faisait davantage office de bibelot que de source lumineuse. «Dire qu'à Montréal on s'éclaire à l'électricité, paraît-il. Avant qu'ils installent cette merveille ici, j'ai le temps de devenir grand-mère!» se disait-elle. Elle s'imaginait difficilement qu'on puisse illuminer une maison en posant simplement le doigt sur un commutateur. Malgré ses paupières brûlantes, elle s'acharnait à terminer la broderie de sa taie d'oreiller parsemée de petites fleurs rouge vif et de tiges vertes que, inspirée par une page de calendrier, elle avait elle-même dessinées à la main. Après tout, pour remplir son coffre d'espérance, son trousseau se devait d'être parfait et à son goût.

En début de soirée, elle était montée à l'étage pour présenter son travail à sa mère alitée. La malade avait froncé les sourcils devant la nature des fleurs.

«Un peu trop petites pour des coquelicots, quoique...»

Ah oui? Au fond, Florence s'en fichait un peu. Elle n'avait jamais vu de coquelicots, ces fleurs éclatantes qui tapissent les champs du pays de France, et elle n'en verrait sans doute jamais. Mais les piquer sur son oreiller la faisait rêver et emportait son esprit vers l'Europe lointaine et ces recoins de Normandie d'où étaient venus les premiers Coulombe quelque cent ans auparavant, selon les dires de son père. Elle imaginait les vieux bourgs moyenâgeux aux murailles de pierre, les ruelles étroites et sombres dont les chaumières basses abritaient des habitants vêtus à l'ancienne, comme elle en avait vu dans son livre d'histoire. Des champs remplis de coquelicots s'étalaient à perte de vue derrière les bâtiments. À cette époque-là, d'énormes voiliers remplis de familles quittaient le bord de mer marécageux en partance pour l'Amérique. Sur l'un de ces bateaux, elle imaginait son arrière-grand-père Onil Coulombe et sa bien-aimée Éva se tenant debout à la poupe, bien droits, la tête pleine de rêves, prêts à commencer une vie nouvelle et à défier les embûches que le destin ne manquerait pas de leur ménager. Se doutaient-ils que, dans leur lignée, une petite Florence assurerait leur descendance? La jeune fille n'en espérait certainement pas moins!

Un fil rouge pour les pétales, un fil noir pour le cœur de la fleur, un fil vert pour la tige, puis un autre fil rouge plus soutenu... Et tire l'aiguille, et remplit les coquelicots de sang et de lumière, comme si l'avenir dépendait de ces gestes précis et pourtant combien inutiles. Comme si la délicatesse et la beauté de ces fleurs garantissaient le bonheur futur de ceux et celles qui allaient poser leur tête sur cette taie d'oreiller. Futilité, chimère que tout cela! Mais il fallait bien rêver. Quoi d'autre que des fantasmes pour meubler ces interminables soirées quand on court sur ses dix-sept ans? Cet hiver ne finirait-il donc jamais? Quand les ombres s'allongent depuis trois mois, dès la fin de l'après-midi, et rassemblent les silhouettes autour des poêles de fonte, dans l'humidité froide des obscures demeures, pourquoi ne pas rêvasser un peu et laisser fureter son imagination, s'inventer des lendemains lumineux égayés par des ribambelles d'enfants joyeux pour ne pas perdre le goût du bonheur et cette grande capacité d'illusion propre à la jeunesse?

Encore tant de jours et tant de semaines avant que les corneilles ne déchirent le silence hivernal de leurs croassements annonciateurs de résurrection. Dieu merci, depuis quatre ans, Florence ne retournait chez elle que pour les vacances et les longs congés de Noël et de Pâques, écoulant la majeure partie de son temps au pensionnat des sœurs de Berthier. Sinon, elle croupirait d'ennui dans cette maison sans histoire et trop calme à son goût, malgré le va-et-vient de sa mère d'habitude active et dynamique, malgré la présence enjouée de sa sœur Andréanne et celle, fort turbulente, de ses deux jeunes frères, malgré l'existence du piano sur lequel elle jouait dès qu'elle avait des moments libres. Quant au père, menuisier de profession, on le voyait peu, la plupart du temps affairé à son travail. Les jours d'été, sa présence se résumait en d'inlassables coups de marteau répétés à l'infini par l'écho derrière la maison, mais l'hiver ramenait le silence en même temps que la froidure. Maxime Coulombe écoulait ses jours dans son atelier, mais il n'en détenait pas moins l'autorité familiale, une autorité sévère, exigeante, intransigeante même. Et, chose certaine, incontestable.

Depuis presque une heure, Andréanne, derrière la porte refermée du salon, piochait sur le piano et s'acharnait sur un arpège en butant hardiment sur la même note *ad nauseam*. Le père, perdu sur la table de la cuisine dans ses calculs de longueur de planches et de madriers, releva la tête et retint un sacre.

«Arrête, Andréanne, tu vas nous rendre fous!

— C'est l'arpège de si bémol. Je n'arrive pas à trouver le doigté.

— Bien, tu le trouveras demain matin, ma fille! Moi, je ne suis plus capable d'entendre ce vacarme! Et tu empêches sûrement ta pauvre mère de dormir là-haut. Bon, je rentre quelques bûches et on monte tous se coucher. Allez, les enfants, Guillaume, Alexandre, au lit!»

Florence ne put s'empêcher de conseiller à sa sœur, à travers la porte vitrée, d'utiliser ses quatrièmes doigts pour amorcer l'arpège. Pour elle, les gammes et les arpèges, et même les rythmes compliqués, n'avaient plus de secrets. Depuis l'achat du piano, voilà déjà plusieurs années, la musique avait révolutionné sa vie et occupait une grande partie de ses temps libres.

Elles se rappelait l'arrivée de l'instrument, un matin de grisaille, dans la petite gare de Mandeville. Le train du Canadien Pacifique avait surgi dans un grincement infernal avec quelques minutes de retard. Bien long-temps avant que la lumière de l'engin ne se pointe à l'horizon, la terre s'était mise à vibrer imperceptible-ment. Puis le monstre noir, énorme, toussant et crachant un jet de fumée épaisse et goudronnée, était apparu au tournant du chemin de fer et était entré lentement en gare pour s'arrêter devant le quai. Tant de force et de puissance avait médusé la fillette de douze ans. Elle avait glissé sa main dans celle de son père. Même ses frères, s'ils voulaient jouer les braves, s'étaient tout de même rapprochés de lui, mine de rien. Leur sœur Andréanne, retenue à la maison par la fièvre, n'avait pu venir malgré ses cris de protestation. Elle n'avait jamais pardonné à Florence d'avoir pris possession la première de l'instru-ment, privilège de celle que les rhumes et les bronchites atteignaient rarement, privilège aussi de l'aînée.

À la vérité, Florence n'était pas véritablement l'aînée de la famille. Deux garçons l'avaient précédée. Mais la grippe espagnole de 1918 les avait emportés alors qu'elle avait trois ans. Chaque année, à l'anniversaire de leur mort, toute la famille se rendait au cimetière pour une prière sur la petite tombe commune. Camille, la mère, ne manquait jamais de verser une multitude de larmes et cela impressionnait toujours la fillette qui n'avait conservé aucun souvenir de ces deux grands frères.

En sautant hors de la charrette, aux abords de la gare,

14

elle n'avait pu s'empêcher de sourire intérieurement à la pensée du colis qu'on allait leur livrer. Un véritable cadeau! Elle en parlait à ses parents depuis si longtemps! Au début, il ne s'agissait que d'une lubie, une extravagance. «Une folie!» prétendait son père. Mais l'idée avait fait son chemin, et s'était concrétisée enfin.

Sur le quai de la gare, ils s'étaient mis à six, le père assisté du postillon et du serre-frein, le chef de gare, le conducteur du train et son acolyte, pour transférer du wagon jusque dans la charrette, à l'aide de cordes et de bouts de planche, l'énorme caisse de bois largement estampillée en lettres bleues: *Archambault*.

Dans sa tête d'enfant, Florence avait imaginé recevoir son piano assemblé, tout prêt à jouer. Elle fut déçue d'apprendre qu'il lui faudrait attendre encore quelques heures avant de tirer des sons de l'instrument dûment installé contre le grand mur du salon.

Ce jour-là, elle ignorait que quelque chose d'important venait de commencer. Bien plus qu'un loisir, jouer du piano avait comblé un besoin, une nécessité même, et constituait maintenant un lieu privilégié où se réfugier et écouler le trop-plein de ses émotions et de ses rêves, comme une rencontre avec elle-même où rien d'autre n'existait plus. La musique qui émanait alors de ses mains portait sur ses méandres les confidences et les prières d'une jeune fille simple, au cœur pur et sensible, en mal d'amour et de tendresse. Une religieuse lui donnait ses leçons au couvent où elle s'exerçait une heure ou deux par jour, parfois davantage. À chacun de ses retours à Saint-Didace, elle retrouvait avec plaisir son cher instrument, témoin secret de ses chagrins et de ses espoirs. Beethoven et Mozart étaient devenus ses amis, ces mystérieux absents toujours vivants à travers les divins accents de leur musique. Sœur Sainte-Thérèse n'en revenait pas des progrès rapides de son élève.

Andréanne, quant à elle, préférait jouer à l'oreille

des airs connus ou des chansons apprises à l'école ou à l'église en y ajoutant sa touche personnelle, au lieu de décortiquer des partitions compliquées. Elle ne prisait guère l'enseignement de la musique classique donné par sa sœur, pas plus que les devoirs et les leçons imposés à l'école. D'ailleurs, elle n'envisageait pas d'aller au couvent l'année suivante sur les traces de son aînée.

«Moi, je déteste l'école. Pas besoin de diplômes pour devenir une femme heureuse!

— Moi aussi, j'ai bien l'intention de me marier, Andréanne, mais j'aurai un métier pour gagner ma vie. On ne sait jamais ce que l'avenir nous réserve. Et puis, j'adorerai faire la classe aux enfants, je le sens!»

Florence aimait bien sa sœur de deux ans plus jeune, et elle admirait secrètement sa désinvolture. Andréanne ne s'en faisait jamais avec rien, elle jouissait d'un optimisme naturel et d'une incomparable joie de vivre. Cependant, elle supportait difficilement les contraintes imposées, les balises, les cadres rigides. À la voir virevolter à droite et à gauche sans jamais se fixer, sa mère Camille la surnommait sa «petite hirondelle».

On disait les deux sœurs fort jolies mais d'un genre différent: la plus jeune, blonde aux yeux rieurs, l'aînée, brunette à l'air sérieux. Elles s'entendaient assez bien et s'alliaient souvent contre la sévérité de leur père ou pour obtenir une faveur de leur mère. Le partage des tâches domestiques allait de soi, mais ce qu'accomplissait Florence sans trop regimber horripilait Andréanne qui ne comprenait pas quel plaisir on pouvait éprouver à fabriquer du savon ou à étendre le linge sur la corde. Quant aux corvées automnales dans la cuisine pour préparer confitures, marinades et ketchups, l'aînée y échappait à cause de ses séjours prolongés au couvent et s'en remettait à sa sœur exaspérée.

Un jour, quelque prince charmant se présenterait et ferait sérieusement la cour à l'une ou à l'autre des deux jeunes filles. Andréanne lorgnait déjà du côté des voisins et, même si elle refusait de l'admettre, Florence avait remarqué le faible de sa sœur pour Simon Prud'homme, l'aîné des garçons. Il le lui rendait bien d'ailleurs, avec ses brins de jasette sur le perron de l'église et ses courbettes à n'en plus finir. L'automne dernier, lors du ramassage du foin, elle les avait aperçus, à quelques reprises, en grande conversation par-dessus la clôture. Il était même question que son père, Maxime Coulombe, le prenne comme apprenti ébéniste dans son atelier. Il n'en fallait pas plus pour qu'Andréanne se mette à fabuler et à formuler des rêves d'avenir. Pourquoi pas? Elle allait bientôt avoir seize ans, après tout!

Florence aussi rêvait d'amour dans son for intérieur. En brodant les fleurs écarlates sur ses taies d'oreiller, elle avait l'impression un peu folle d'amorcer, d'une certaine manière et de façon concrète, l'histoire d'amour qui serait la sienne. Mais quelle histoire d'amour, au fait? Nul prétendant ne lui faisait la cour! «Pas encore, mais ça viendra!» se disait-elle avec le sentiment de connaître déjà celui qui dormirait, un jour, sur ses faux coquelicots. Elle n'avait jamais osé en parler, mais au moins l'espoir ne manquait pas. Le soir, avant de s'endormir, elle prononçait silencieusement le nom béni dans le but de forcer le destin. Adhémar Vachon... Quel drôle de nom! Cette appellation ne lui plaisait guère, mais cela avait-il vraiment quelque importance? Ce jeune homme quasi parfait avait au moins droit à un défaut! Elle trouverait vite un sobriquet pour le beau don Juan de dix ans son aîné, récemment arrivé dans la région avec les siens. «Un rapporté», avait prétendu sa sœur sans doute un peu jalouse. Avec son père, le bel Adhémar tenait le magasin général du village voisin, Saint-Charles-de-Mandeville, racheté à l'ancienne propriétaire maintenant trop âgée pour continuer à s'en occuper.

Depuis ce temps, Florence se portait continuellement volontaire pour se rendre, en charrette ou sur sa bécane, au comptoir du seul commerçant à la ronde, situé à quelques kilomètres de la maison. Maman manquait-elle de fil à coudre ou d'épices pour ses tourtières? Papa disposait-il d'une quantité suffisante de clous ou de papier à sabler? Les garçons n'avaient-ils pas besoin d'encre ou de cahiers neufs?

Dès le premier instant où elle avait aperçu le bel Adhémar, derrière son comptoir, en train de mesurer pour une cliente la farine et le sucre sur la grande balance, elle avait su qu'elle aimerait cet homme à la stature imposante et au regard pénétrant. Elle avait tout de suite décelé un fond de mystère derrière ces yeux verts, peut-être même une trace de détresse malgré la moustache joyeuse et le rire communicatif. Son intérêt n'avait pas échappé à celui qu'on disait célibataire endurci et coureur de jupons par surcroît. Il accueillait toujours Florence avec un empressement qui ne laissait pas d'équivoque. Cette réputation fâcheuse, sans doute surfaite, n'avait guère impressionné la jeune fille. Tant mieux s'il avait de l'expérience! Mieux valait faire sa vie de garçon avant le mariage qu'après!

Un jour, Adhémar Vachon deviendrait son homme, elle n'en doutait pas, d'autant plus que les occasions pour le rencontrer se multiplieraient avant longtemps. En effet, Maxime Coulombe avait soumis la candidature de sa fille à son ami le commissaire d'école pour solliciter le poste d'enseignante dans le rang de la Rivière-Maskinongé, à mi-chemin entre Saint-Didace et Saint-Charles, suite au départ prochain de la vieille institutrice. Après tout, la place revenait d'emblée à Florence pour l'automne suivant, puisqu'elle avait maintenant l'âge requis pour enseigner. À la fin des classes, elle deviendrait la seule du canton à détenir un diplôme supérieur du pensionnat. Il s'agissait donc d'une question de mois tout au plus.

Elle avait toujours souhaité devenir institutrice, non

seulement parce que les enfants l'attiraient, mais aussi pour le plaisir de leur communiquer ses minces connaissances. Et puis, le statut de maîtresse d'école lui conférerait une certaine autonomie. Emprisonnée dans la maison paternelle, elle ressentait impérieusement le besoin de voler de ses propres ailes et d'exercer d'autres activités que les tâches ménagères. Et... il n'y avait pas loin du magasin général à l'école du rang de la Rivière-Maskinongé! Vivement que défilent les saisons!

« Allons, les enfants, je monte me coucher.

— Oui, papa. Bonne nuit, papa. »

C'était le signal. Soumission, obéissance, oppression. Il suffisait que le père tire sa révérence pour que toute la famille soit obligée de se mettre au lit. Va pour les garçons de neuf et onze ans, mais pour les deux grandes, franchement, à cette heure!... Florence et Andréanne haussèrent les épaules et se lancèrent une moue de contestation. Mais elles se gardèrent bien de protester tout haut et ramassèrent consciencieusement leurs affaires. Les filles Coulombe étaient des filles bien élevées et obéissantes.

« Et prenez garde de ne pas faire de bruit dans l'escalier, au cas où votre mère dormirait déjà. »

À cette époque, Camille Coulombe n'en menait pas large et devait constamment garder le lit. Comme la précédente, cette grossesse, ponctuée de saignements, s'était avérée difficile dès le début. La dernière fois, une hémorragie massive avait failli l'emporter, et elle avait perdu son bébé, un fœtus de sexe masculin, après cinq mois de gestation. Bien sûr, le médecin lui avait fortement déconseillé de retomber enceinte, mais les prêches du curé prônant la famille à tout prix l'avaient sans doute emporté, puisqu'à la fin de l'été les nausées caractéristiques avaient de nouveau donné le signal d'une autre gestation. Cette fois aussi les choses allaient de mal en pis, et la pauvre femme, les jambes et les extrémités enflées, menacée de fausse couche encore une fois, avait dû prendre le lit.

Et voilà que, depuis quelque temps, l'enflure devenue générale l'empêchait complètement de bouger. Le docteur Vincent avait froncé les sourcils et prescrit un régime sans sel et le repos absolu, dans l'immobilité totale. Il revenait chaque matin visiter la malade en recommandant de l'appeler aussitôt, à la moindre complication. On avait retiré Andréanne de l'école pour vaquer aux travaux de la maison, traire l'unique vache et soigner les poules. Florence prenait la relève le samedi et le dimanche grâce à la dispense obtenue des religieuses pour quitter le couvent chaque fin de semaine. Trêve de complications, monsieur Coulombe travaillait présentement à terminer l'intérieur d'une grange à plusieurs milles de Saint-Didace, et il ne rentrait à la maison qu'à tous les deux ou trois jours, les chemins étant devenus impraticables à cause du mauvais temps.

Un léger mieux était tout de même survenu, ces derniers jours, et tous avaient poussé un soupir de soulagement. Du haut de sa chambre, Camille avait recommencé à diriger la maisonnée et à prodiguer ordres et conseils à ses filles. Il suffisait de tenir le coup encore quelques semaines, et l'enfant viendrait au monde à terme. Tout finirait par se tasser et rentrer dans l'ordre. Avant longtemps, on entendrait vagir un nouveau-né dans le ber déjà prêt, en haut de l'escalier.

Du coin de l'œil, Florence regarda sa sœur refermer avec regret le couvercle du piano. «Chère Andréanne, pas bonne pour les gammes, mais tellement débrouillarde et remplie de talents!» Elle sentit monter une bouffée d'affection pour sa petite sœur, mais se garda bien de la montrer. Les marques tangibles et physiques de tendresse n'existaient pas chez les Coulombe. Elle préféra se pencher prestement à la fenêtre en écartant le rideau, non sans réprimer un pincement de cœur à la pensée de leur mère dont l'état semblait s'aggraver de nouveau.

«Tiens! il recommence à neiger!»

Chapitre 2

5 février 1932

Un piano... Ça possède une âme, un piano! Ça remplit toute la place, et pas seulement l'espace physique! Dieu que j'aime ça m'enfermer dans le salon et laisser glisser mes mains sur les touches! J'adore tous ces sons, du registre grave comme les pas d'un éléphant balourd jusqu'aux sons aigus qui évoquent le clignotement des étoiles et le chant des oiseaux. Et entre les deux, mille chansons cachées sous les petits rectangles d'ivoire, surtout les chansons d'amour! Je pourrais passer des jours à les découvrir une à une et à les recréer. Ou encore, à laisser mes doigts danser sur le clavier au rythme des rondes et des gigues entendues dans les fêtes au village ou dans la cour de récréation. Que dire des chansons françaises apprises à l'école, La Route de Louviers, Le Pont d'Avignon, Sous les ponts de Paris... *J'ignore où ça se trouve, ces endroits-là. Ma sœur Florence sortirait immédiatement ses cartes si je le lui demandais, et elle en profiterait pour me donner une leçon de géographie. Au fond je m'en fiche un peu. L'important, c'est de connaître ces mélodies et de savoir les jouer par cœur, sans partition.*

Sur l'ordre de notre mère, Flo me répète, à chacune de ses visites, les leçons de solfège et d'interprétation du répertoire reçues au pensionnat. «Pour donner une bonne base à ta sœur!» ne cesse de clamer maman. Cela m'oblige à répéter des gammes et des arpèges, puis à lire les notes dans son grand cahier. Pouah! Je n'ai pas besoin de ça, moi, pour bien jouer du piano! Mademoiselle peut bien interpréter ses chefs-

d'œuvre, si elle aime ça, c'est son affaire! Mais que sert de peiner durant des heures au-dessus du clavier pour arriver, au bout du compte, à présenter une ennuyeuse sonate ou un petit menuet compliqué qui ne paye pas de mine. Pas ça qui va faire danser la compagnie et réchauffer les esprits lors d'une fête! Très peu pour moi, la virtuosité! Bien sûr, à cause d'elle, je fais mes devoirs de musique et travaille scrupuleusement ma technique chaque jour. Toutefois, dès que ma sœur reprend le chemin du couvent, je pousse un soupir de soulagement et me laisse enfin aller sur mon cher instrument. Là, je peux m'amuser et donner libre cours à mon imagination. Après mes exercices, bien sûr! Ça, c'est de la vraie musique!

Je dois avouer, cependant, que les moments passés en compagnie de Florence sur le banc du piano me sont précieux. Comme si la musique jetait par terre toutes les barrières dressées entre nous. Disparues la domination de l'aînée et ses manipulations de mauvaise foi, disparus la soumission de la benjamine et ses sentiments d'envie inavoués, disparus les désaccords et les incompatibilités de caractères. Devant le piano, ma grande sœur m'appartient tout entière et n'a d'yeux que pour moi. Je deviens son centre de l'univers. Nous nous transformons alors en complices et grandes amies. Des vraies sœurs, quoi! Je l'écoute religieusement en la dévorant des yeux. De continuer à m'exercer comme elle le demande constitue pour moi une façon bien personnelle de lui démontrer combien je l'aime et l'admire. Sinon, je ne trouverais pas les mots…

L'autre jour, j'ai composé une chanson dédiée au fils aîné du voisin: Bonjour Simon. Ça parlait de deux amoureux qui se cherchent des raisons pour s'embrasser: en arrivant, en dansant, en se félicitant, en riant, en se minouchant, en se quittant. Je la trouvais jolie comme tout et fort bien rythmée en plus. Mais Florence n'a pas eu l'air de l'apprécier. M'a regardée d'un air sévère et recommandé de trouver des sujets plus décents!

Pas toujours jojo, la grande sœur! Aucun brin de folie… Elle n'a jamais compris que Scarlatti et Clementi m'ennuient à mourir. Même si je l'aime plus que tout au monde, il m'arrive parfois de la détester. On dirait que chez nous il n'y en a que pour elle! Elle est celle dont on ne dit que du bien, celle qui joue divinement du piano, celle qui réussit à l'école et « qui a de l'avenir »... Comme si moi, je n'en avais pas! Pas facile de vivre à côté de la plus mature, la plus fine, la plus raisonnable de la famille. « Ma Flo d'or », comme dit maman. Elle, le soleil, et moi, l'hirondelle, peuh! Elle a la permission de se mêler aux conversations des grands et de se coucher plus tard que moi, on la laisse porter les belles robes de ma cousine Lise, on l'invite chez des voisins pour garder les enfants, elle a le droit de se rendre au village d'à côté sur la bicyclette de papa. Elle peut préparer son trousseau, elle! Pas moi! Pas encore...

Moi, je ne suis bonne qu'à faire la vaisselle et à aider maman à plier le linge quand ce n'est pas torcher mes deux sacripants de frères! Moi, l'enfant du milieu, l'oiseau de rien du tout, celle qu'on oublie facilement à l'ombre des trois autres. Évidemment, je n'ai pas de longs travaux scolaires pour occuper mes congés et me dispenser des travaux ménagers, moi! Voilà des années qu'elle nous rebat les oreilles avec ses maudites études, la sœur! Qu'elle en finisse et nous fiche donc la paix avec ça! « Enseigner, faire la classe », elle n'a que ces mots-là à la bouche!

À vrai dire, je ne la trouve pas si pire que ça, ma grande fouine. La plupart du temps, elle se montre gentille envers moi. Ainsi, l'autre jour, elle a insisté auprès de maman pour m'amener au village, à la fête des Récoltes. Ça m'a permis de revoir mon cher Simon, le beau voisin d'à côté. Il m'a d'ailleurs fait les yeux doux et cela m'a mise dans tous mes états. Je pense qu'il me trouve de son goût. Ah!... merci mon Dieu! De retour à la maison, ce soir-là, j'ai joué Parlez-moi d'amour sur le piano. Tout le monde a semblé s'émouvoir, mais personne n'a deviné à qui s'adressait ma musique. « Redites-moi des choses tendres... » Ah! quel merveilleux secret m'habite! Moi, je ne brode pas de taies d'oreiller encore, mais, dans le fond de mon cœur, quelque chose se prépare, *quelque chose de beau et de grand, et cela me fait peur. Très peur.*

Depuis qu'elle est confinée au lit avec son gros ventre, maman me demande parfois de jouer pour elle. Cela lui procure un peu de distraction, la pauvre. Du haut de sa chambre, elle peut m'entendre clairement à travers la porte entrebâillée. Je lui joue alors tout ce qui me passe par la tête, surtout des mélodies très douces de ma propre composition. De celles que je n'oserais jamais jouer devant ma sœur. Maman affirme que c'est beau, que je dois tenir mon talent de son frère, mort en bas âge. Il manipulait le violon comme un virtuose. Un oncle à qui je ressemble, paraît-il. Parfois, je l'imagine derrière moi, ce grand barbu au regard mélancolique comme sur la photo de famille du salon. Il me semble l'entendre mêler le chant de son violon aux accents de mon piano. Maman a raison, c'est beau, la musique, c'est divin. Je ne connais rien de plus merveilleux au monde.

Tiens! je vais lui faire une surprise et composer une berceuse pour l'enfant qui s'en vient. Pauvre mère! L'autre nuit, je l'ai entendue pleurer. Espérons que tout se passera bien, cette fois, et qu'elle ne perdra pas son bébé comme l'an dernier.

Chapitre 3

Mars aurait dû apporter du temps plus doux, mais le géant refusait de lâcher prise. Les humains enserrés dans leurs crémones avaient beau lever le nez en l'air à la recherche d'une vague tiédeur, la bise, féroce et moqueuse, ne manquait pas de leur mordre cruellement les joues. L'hiver n'avait pas encore dit son dernier mot, et c'est au milieu d'une tempête de neige que Camille Coulombe subit, en fin de grossesse, une magistrale crise d'éclampsie.

L'œdème avait repris de plus belle, la veille au soir, et la pauvre femme se plaignait de douleurs abdominales et de maux de tête insupportables. Son agitation fut telle, au cours de la nuit, que Maxime n'arriva pas à fermer l'œil. Quand, le visage enflé, elle se mit à grimacer et à se tordre avec des mouvements saccadés et incontrôlés en prétendant d'une voix pâteuse voir des mouches autour d'elle, il prit panique et alla réveiller Florence.

« Ta mère ne va pas bien, il faut aller chercher le docteur.

— À quatre heures du matin?

— Fais ce que je te dis et ne pose pas de questions. Vite, ça presse! »

La jeune fille ne prit pas la peine de s'habiller et enfila son manteau par-dessus sa robe de nuit. Elle traversa en courant les trois rues qui la séparaient de la belle demeure du docteur Vincent. En réalité, le jeune médecin s'appelait Vincent Chevrier, mais tout le monde l'appelait «docteur Vincent» tant ses relations avec les villageois s'avéraient cordiales et chaleureuses, voire familières. Comme il était entièrement dévoué à ses patients, on se demandait où il prenait le temps de s'occuper de sa femme et de ses deux petites filles qu'on entrevoyait à peine, à l'occasion, à la messe du dimanche, quand elles ne se trouvaient pas à Montréal.

Florence grimpa péniblement les marches camouflées sous un amoncellement de neige et faillit perdre pied en marchant sur sa robe de nuit. La bonne, une dame d'un certain âge qui dormait au rez-de-chaussée, vint enfin ouvrir après plusieurs minutes de martèlements frénétiques sur la grande vitre plombée de la porte d'entrée.

«On se calme, on se calme, mademoiselle. Il n'y a pas le feu que je sache!

— Il y a pire: ma mère est en danger. Il faut réveiller le docteur. Vite, je vous en prie! Je vous en prie!»

La femme monta l'escalier d'un pas pesant et alangui. Florence retint un sanglot. Laissée seule dans la pénombre, elle avait peur, là, tout à coup, dans ce portique étranger. Appuyée sur le chambranle, elle resserra son manteau à peine attaché, incapable de retenir son souffle. S'il fallait qu'elle perde sa mère, elle ne pourrait pas le supporter. Camille représentait tout ce qu'il y avait de solide et de rassurant dans sa vie de jeune fille. Elle tenait lieu de clé de voûte, le pilier qui la soutenait, la seule personne au monde capable de la comprendre et de l'encourager. De la consoler, surtout. Grâce à sa mère et à son intercession auprès de Maxime, elle avait pu poursuivre de coûteuses études supérieures qu'il désapprouvait au départ. Et si l'idée du piano s'était concrétisée, naguère, c'était aussi grâce à elle. Bien plus, si la famille n'avait pas émigré aux États-Unis «pour aller chercher le magot», comme disait l'oncle André en cette période de crise économique, c'était parce que Camille résistait et refusait de se laisser déraciner et d'abandonner son coin de pays. Sans sa mère, Florence avait l'impression qu'elle-même cesserait d'exister. Elle se mit à pleurer, l'implorant secrètement de ne pas l'abandonner.

Le médecin, le visage encore fripé, jeta à la jeune fille un sourire réconfortant et l'entoura chaleureusement.

« T'en fais pas, je vais m'en occuper, moi, de ta mère! »

Il chaussa ses bottes de cuir à la hâte et, après avoir endossé son « capot de chat », il s'empara de la valise noire déposée sur la crédence. Sur le perron, il tendit le bras à la jeune fille.

« Agrippe-toi, ma grande. »

Elle eut l'impression que ses pieds ne touchaient pas à terre tant les enjambées du colosse la portaient haut et loin. Soudain, il s'arrêta pile au milieu du pont et enleva sa pelisse.

« Mais tu grelottes, toi! Tiens! mets ça par-dessus ta tête. »

L'espace d'un bref instant, il pressa Florence contre lui, puis il repartit de plus belle sans s'arrêter davantage.

Rue Saint-Joseph, les choses s'étaient envenimées. Camille, la figure bouffie et les yeux hagards, n'émettait plus un son. Elle semblait prise de convulsions, son corps et ses membres secoués d'affreux soubresauts. Le médecin fouilla dans sa trousse et administra immédiatement un sédatif dans le bras de la malade maintenue immobile avec difficulté par une Florence vacillante et son père totalement désemparé. Le médicament ne mit pas de temps à agir et la respiration, si elle resta bruyante, redevint régulière et plus calme. Petit à petit, le corps ballonné de Camille s'apaisa et seules quelques dernières secousses agitèrent encore ses mains et dessinèrent sur son visage quelques rictus passagers.

Le docteur s'empara alors de son stéthoscope et

l'appuya vivement sur le ventre de la mère, à la recherche du moindre signe de vie du bébé. Sa main se déplaçait d'un mouvement rapide, d'un point à l'autre de l'immense surface de peau gonflée et bleutée, comme s'il avançait les pions d'un jeu d'échecs. Ce simple geste semblait capter et hypnotiser tous les assistants. Le duel de la vie et de la mort se tramait ici, en ce moment même. Le combat de l'espoir et du désespoir... Florence eut l'impression que les enjeux extrêmes de l'existence, de deux existences, celle de sa mère et celle, si fragile, d'un futur petit frère ou d'une éventuelle petite sœur, se jouaient ici, en ce moment même, dans le va-et-vient magnétisant du tube de caout- chouc agité par le médecin.

Malgré les chuchotements assourdis d'Andréanne et des deux garçons au fond de la cuisine, le silence de la chambre de la malade sembla tout à coup palpable et terrifiant, comme si les êtres et les choses s'étaient ralliés pour laisser à la plus mince pulsion de vie, au plus faible battement d'un cœur de nourrisson, la chance ultime de vaincre la fatalité et d'émettre un minime signe de victoire de la vie sur la mort.

Mais le médecin n'entendit rien. Après plusieurs minutes d'acharnement, il releva la tête, vaincu.

« Il n'y a plus de vie là-dedans. Il faut maintenant sortir le bébé de là. Normalement, après une telle crise, le travail de l'accouchement se déclenche par la force des choses et l'expulsion s'effectue naturellement.

— Sauvez ma femme, docteur! Sauvez ma femme...

— Je vais faire de mon mieux, mon bon monsieur. »

Pourquoi le médecin secouait-il inconsciemment la tête sous forme de négation en affirmant cela? Florence jeta un œil sur son père. Il paraissait voûté et passable- ment ébranlé. Au milieu de son visage blême et livide, ses grands yeux bruns roulaient dans l'eau. Pour la pre- mière fois, elle voyait son père comme un être humain réel, faible et démuni devant l'épreuve. Disparus, le port altier et le regard de feu; éteints, le magnétisme, la force qui émanaient de cet être supérieur et autoritaire; finie, la suprématie sur son entourage. Fondue, la glace... Cette fois, Maxime Coulombe se faisait tout petit et courbait l'échine devant les forces du destin. Comme tous ses semblables, il devait se soumettre. La femme de sa vie se trouvait dramatiquement en péril...

Camille se mit tout à coup à gémir et porta les mains à son ventre. Elle semblait reprendre lentement ses esprits.

« Docteur, le bébé s'en vient, je le sens.

— Oui, ma petite dame. Il va falloir rassembler vos énergies et votre courage, et pousser de toutes vos forces.

— Et mon bébé... il va bien?

— Pour l'instant, je préfère ne pas me prononcer. Gardez votre calme et prenez de grandes respirations. C'est tout ce que je vous demande. Et surtout, restez réveillée, de grâce, restez réveillée! Allez! donnez-moi la main, on va pousser ensemble. »

Le médecin craignait sans doute le coma qui aurait pu être fatal à la mère. Mais les contractions utérines, accompagnées de grands cris de douleur et de halètements bruyants, ne se firent pas attendre. Florence crut qu'elle allait défaillir, mais le docteur ne lui en laissa pas le temps.

« Vite, ma grande, conduis tes frères chez le voisin et ramène sa femme. Et dis à ta sœur d'aller chercher le prêtre. Quant à vous, monsieur Coulombe, allez faire bouillir de l'eau à la cuisine. Vite, ça presse! »

Florence frémit en entendant le médecin requérir le prêtre. Dieu du ciel! L'état de sa mère avait-il encore empiré? Elle accourut chez les Prud'homme sur des jambes molles et vacillantes, et sans prendre la peine de mettre son manteau. Incapable de lui fournir des explications, elle hurla à la voisine de traverser en vitesse.

Une heure plus tard, Camille, après avoir reçu l'extrême-onction, assista en pleine conscience à la naissance de son fils mort-né, le deuxième en l'espace de vingt mois. Elle vit, sans réagir, le prêtre ondoyer le bébé dans l'espoir que son âme n'ait pas encore quitté son corps et que Dieu, dans sa miséricorde, l'accueillerait au paradis plutôt que dans les limbes, ce lieu où s'entassent les bébés souillés du péché originel et morts sans avoir reçu le sacrement du baptême. Florence imaginait ce lieu comme une immense pouponnière où s'alignaient des milliers de petits lits blancs.

Totalement épuisée, la malade se mit à sangloter en silence, et Florence se dit qu'il eût été plus facile de supporter la douleur de sa mère si elle s'était mise à crier sa révolte à tue-tête. Elle vit, sans broncher, la voisine envelopper le petit corps bleu dans un drap propre et le remettre dans les bras de Maxime qui resta de marbre.

Avant son départ, le docteur Vincent se retourna hargneusement vers le curé et prononça, d'une voix ferme et autoritaire, en haussant le ton pour que tous les témoins l'entendent sans équivoque:

«Cette femme ne doit plus mettre d'autres enfants au monde. Plus jamais et pour aucune raison. Pour aucune raison, est-ce clair? Me suis-je bien fait entendre, messieurs?» Ce «messieurs» évoquait évidemment Maxime, que Florence vit s'incliner sans répondre, mais aussi le curé qui feignit de n'avoir rien entendu, occupé à enlever de ses mains toute trace de saint-crème.

Le médecin ne demanda pas son reste et dévala l'escalier à la hâte, après avoir déposé une fiole de médicament à prendre toutes les quatre heures et assuré qu'il reviendrait en fin de journée.

La jeune fille s'approcha spontanément de sa mère exténuée qui, le visage boursouflé, versait des larmes désespérées et muettes. Elle ne put résister à l'envie de la prendre dans ses bras.

«Maman...»

Elle chercha une parole de réconfort mais n'en trouva guère. Quelle souffrance fallait-il donc pour que les gestes et les mots tant retenus puissent enfin se déverser et écouler leur flot de tendresse? Elle demeura prostrée, agenouillée à côté du lit, la tête collée dans la moiteur du giron maternel et le bras autour du ventre tiède. Elle n'arrivait pas à se ressaisir, obsédée par le souffle court et irrégulier de sa mère, ce signe incontestable de vie tout à coup devenu fragile et précaire. «Tiens bon, maman, tiens bon!» La mère, pâle comme une morte et totalement anéantie, se contentait de jouer légèrement, du bout des doigts, dans la chevelure de sa fille.

À l'étage inférieur, on pouvait entendre Andréanne et ses frères babiller dans la cuisine en dévorant des tartines de cretons. Florence se demanda pourquoi un tel gouffre la séparait soudainement de sa sœur. Sans doute l'adolescente, malgré ses prétentions, maintenait-elle encore un pied dans l'enfance et préférait-elle rester inconsciente de la gravité du drame qui venait de se dérouler dans l'espace contigu de cette chambre. Elle aurait dû monter l'escalier à grandes enjambées pour s'informer de ce qui se passait là-haut. Pour partager avec sa sœur et son père ce moment de grand désarroi. Au lieu de cela, Florence l'entendait rire indifféremment avec les garçons. Elle se mordit les lèvres, submergée par un immense poids de solitude, et ne trouva l'apaisement que dans la promesse de retour du médecin le soir même.

C'est Maxime qui vint la tirer de sa torpeur d'un geste maladroit dénué de douceur.

«Va te recoucher, ma fille. Ta mère s'est rendormie. T'inquiète pas, je vais veiller à ses côtés.»

Chapitre 4

31 mars 1932

*Je ne voulais pas que maman meure, je ne voulais pas!
Ce visage enflé, ces cris là-haut, comme des hurlements de
loup... Je ne pouvais pas supporter ça! Je ne cessais d'inter-
peller mon frère: «Vas-y, mon Guillaume, lance la balle sur
ton échafaudage de blocs!» C'est comme ça que toute une vie
peut se briser. En une seule petite fraction de seconde. Vlan!
Une mère meurt et toute une famille s'effondre. «Allons,
Alexandre, continue de faire du bruit!» Il fallait bouger,
sauter, crier, mettre plus de vie dans cette damnée maison!
Il fallait conjurer le sort pour que la mort s'éloigne, loin,
loin de chez nous! Oh! si loin... Surtout ne pas pleurer.
«Tiens bon, maman, tiens bon!»*

*On m'avait reléguée à la cuisine, avec l'ordre de rester en
bas. «Trop jeune!» a dit papa. Pourtant, je suis montée sur
la pointe des pieds et j'ai bien vu, à travers la porte entrouverte. Pourquoi est-ce donc si difficile de mettre un enfant au
monde? Écarter les jambes et pousser, pousser jusqu'à l'éclate-
ment, la rupture des entrailles pour se vider de cette énorme,
de cette affreuse masse. Une masse inerte et sans vie. Un bébé
mort! Pauvre maman... Et moi, je ne connaîtrais jamais ce
petit frère. Mort! mort! mort! Moi aussi, je voulais mourir.
Mais personne ne le savait.*

*Tout est de ma faute. J'ai attiré la malédiction sur notre
maison avec mon péché d'impureté. Je n'aurais pas dû, c'était
mal, c'était grave et défendu. Pourtant, ce n'était pas laid.
Non, pas laid... Je n'arrive pas à y croire! La semaine der-*

nière, quand Simon Prud'homme a glissé sa main sous ma blouse et caressé mes seins, j'ai aimé ça. Et j'aurais voulu que ça ne s'arrête pas. J'aurais voulu qu'il me prenne toute, qu'il me déshabille en continuant à m'embrasser à pleine bouche. Ça me faisait tout drôle et tout doux... Où se trouvait le mal là-dedans? Nous ne nuisions à personne, nous éprouvions seulement du plaisir. Pourtant, monsieur le curé l'a dit, l'autre jour, à la retraite du carême : les caresses et les gestes obscènes, c'est péché. Péché mortel! Moi, Andréanne Coulombe, j'ai commis un péché mortel et je mérite l'enfer. Pour me punir, Dieu a mené maman au seuil de la mort et tué mon nouveau frère. Si je n'éprouvais pas de regrets, immédiatement, là, dans la cuisine, elle allait mourir, je le sentais.

Ah! je suppliais Dieu de ne pas venir la chercher! J'en serais morte de chagrin et de remords! Que serions-nous devenus, tout seuls avec papa? Il ne sait rien faire dans la maison! Je priais de toute mon âme : «Je ne recommencerai plus, mon Dieu, je te le promets! Je ne retournerai plus dans le hangar avec Simon. Je me tiendrai loin de lui, je le fuirai comme la peste, même si j'aime ça quand il me prend dans ses bras et me serre contre lui. Personne ne m'a jamais manifesté autant d'affection, mais j'y renoncerai, je t'en fais le serment, ô Seigneur...»

Je me demande si papa et maman font cela aussi? Quand on est mariés, tout est permis. Mais je n'ai jamais vu mon père toucher à ma mère, même pas du bout des doigts. Les baisers, on n'en parle pas! Ils doivent faire ça la nuit, à la noirceur. Ils doivent se mettre tout nus sous les couvertures... Oh là là! Je n'arrive pas à les imaginer! Dire que cela aboutit à produire un bébé... Tu parles d'un mystère!

Moi, je n'aurai pas de bébé. Je n'ai pas envie de souffrir comme ma mère! Ça, non, jamais! Très peu pour moi, les accouchements, la belle grosse famille et les travaux ménagers! Florence, elle, désire plusieurs enfants. Il faudrait d'abord qu'elle se trouve un mari, la pauvre! Elle ne songe qu'à son école. Une vraie future vieille fille! Quelle tristesse...

Ce matin-là, donc, j'ai vu le docteur et ma sœur descendre l'escalier en courant. Ce qu'il est beau, cet homme-là! Un vrai dieu! Et quelle stature! Un géant... Bien sûr que j'irais chercher monsieur le curé! Ils allaient voir à quelle vitesse j'allais monter la côte! Soudain, je m'arrêtai net... Pourquoi le prêtre? Oh! non! Oh! non... Était-ce aussi sérieux, docteur? Maman était-elle sur le bord de trépasser? Elle avait besoin du prêtre? Après tout, j'avais bien le droit de savoir, moi aussi. À quinze ans, je ne suis plus une enfant. Quand donc va-t-on me considérer comme une grande?

Je ne voulais pas perdre maman. Au secours, mon Dieu! « Venez, monsieur le curé, venez vite! » J'étais coupable de tout ce mal. J'avais presque commis le péché de la chair avec Simon, et c'était ma mère qui payait. « Pardonnez-moi, Seigneur, je vous en prie, pardonnez-moi! Monsieur le curé, j'ai péché, mais comment vous le dire, là, au milieu de la cuisine, en présence de mes frères, de mon père, du docteur, de la voisine, de ma sœur? » Je me jurais d'aller me confesser, dès le lendemain à la première heure, et le prêtre me donnerait l'absolution. Demain. Demain, je lui dirais tout. Dans la noirceur du confessionnal, il me serait plus facile de réciter la formule et de m'accuser de ma faute. D'affirmer mon ferme propos de ne plus recommencer. Mais, même à travers la grille, comment parler de ces choses-là à cet homme dont le regard sévère me paralyse, ce grand maigrichon flottant dans sa longue robe noire qui sent mauvais. Il semble toujours me regarder de haut avec ses lunettes à double foyer. On dirait un juge. Il m'intimide sans bon sens!

Puis, j'ai vu les adultes remonter là-haut, dans la chambre. Je suppliai mes frères de me faire rire avec leurs pitreries, sinon, j'allais me mettre à hurler! « Venez, les gars, on va jouer au tic tac toc! » Maman sembla se calmer tout à coup. Plus de cris, plus de hurlements qui vous arrachent le cœur. J'ai entendu le docteur parler très fort, puis, plus rien. Monsieur le curé est redescendu sans dire un mot, suivi de la voisine et de papa. Ils n'ont pas eu un seul regard pour moi.

Papa tenait un paquet blanc dans ses bras et il l'a remis au curé qui a parlé de la cérémonie des anges pour le lendemain matin. Le petit frère mort... Je ne l'aurai même pas vu! Je me demandais pourquoi je n'entendais plus maman. Et si elle aussi?... Oh! non! je ne voulais pas, je ne voulais pas! Dieu que j'avais peur!

Je grimpai les marches quatre à quatre. Après tout, il s'agissait de ma mère! Ils n'avaient pas le droit de me tenir ainsi à l'écart. Je voulais voir, je voulais savoir. Du palier, en entrouvrant la porte de la chambre, je pus apercevoir Flo appuyée contre maman qui ne bougeait pas. Est-ce que?...

«Maman? Maman?»

Maman se retourna vers moi et je vis une larme briller. Ouf! Elle était vivante: les morts ne versent pas de larmes! Elle et ma sœur pleuraient dans les bras l'une de l'autre. Et moi? Et moi, est-ce que je pouvais me joindre à elles? Jamais je n'ai osé m'approcher autant de ma mère, mais, ce matin-là, il devait bien y avoir une place pour moi à leurs côtés? Même si c'était de l'autre bord du lit. Même si ce n'était qu'au pied du lit. Après tout, moi aussi j'ai failli te perdre, maman. Moi aussi, j'ai failli devenir orpheline... Et je ne savais plus si j'étais une grande fille, ou bien une toute petite fille perdue...

Je ne suis pas restée collée longtemps à ma mère et à ma sœur. Le silence me paraissait trop pesant. Quasi insuppor-table.

Maintenant, tout semble rentré dans l'ordre, Dieu merci! Demain... ou peut-être bien la semaine prochaine, j'irai à confesse.

Chapitre 5

Camille Coulombe mit du temps à se remettre de ce coup dur, tant moralement que physiquement. Comme il ne restait que quelques mois à Florence pour terminer son cours supérieur, on décida de retirer plutôt Andréanne de l'école du rang pour aider à la maison, du moins jusqu'à la fin de l'année, d'autant plus que Maxime n'avait pas encore terminé un contrat de construction à l'extérieur du village. Après tout, la jeune fille avait presque complété neuf années d'étude. On verrait plus tard, s'il y avait lieu, à lui faire réintégrer les bancs de l'école. Elle ne s'en plaignit pas, trop contente de se débarrasser des ennuyeux devoirs et leçons qu'elle détestait.

Pour l'instant, il s'agissait de soigner la mère qui dut garder le lit pendant plusieurs semaines avant de pouvoir vaquer de nouveau à ses occupations. Le médecin se montrait soucieux devant la trop lente récupération de sa patiente. La vie aurait dû la reprendre depuis longtemps, mais le moral n'y était plus. Elle pleurait sans cesse la perte de ce dernier enfant, et l'interdiction formelle de procréer une fois de plus y était sans doute pour quelque chose. Comment concilier les recommandations du docteur, les consignes de l'Église, les appétits sexuels de son mari et son désir de mettre au monde un autre fils normal?

« À trente-huit ans, je suis une femme finie.

— Mais voyons, maman, on est là, nous, et on a

37

besoin de toi! Quatre enfants vivants, ce n'est pas rien, tout de même!

— Quatre enfants au lieu de huit tu veux dire... C'est affreux!»

La femme se tournait vers sa fille et lui lançait, l'espace d'une seconde, des regards humides et hargneux. Puis son œil redevenait vitreux, vide de sens. Elle retournait se balancer nonchalamment sur la vieille berceuse de la galerie pendant des heures, l'esprit emporté vers quelque point secret de l'horizon, totalement indifférente à ce qui se passait autour d'elle. Lorsque Maxime rentrait du travail, elle se contentait de le saluer d'un vague signe de tête et poursuivait son pèlerinage intérieur sans lui concéder plus d'attention.

Ce vendredi-là, Florence rentra du couvent par le train du soir. Elle appréhendait toujours de retrouver encore la mère éplorée qu'elle avait laissée non sans remords, en début de semaine, entre les mains de sa jeune sœur. Elle entrouvrit la porte le cœur serré. La maison baignait dans l'obscurité presque totale.

«Que se passe-t-il ici d'dans?

— Rien de grave. L'huile à lampe nous fait simplement défaut grâce aux bons soins de ta sœur!»

Recroquevillée dans un coin, Andréanne ne disait mot. Malgré sa bonne volonté, l'adolescente multipliait les maladresses. Le poêle s'éteignait sans cesse, on manquait souvent de farine, et il n'était pas rare de voir les garçons partir pour l'école sans leur lunch ou habillés de vêtements tachés, trop légers ou trop chauds. Souvent, les légumes du pot-au-feu cuisaient trop longtemps quand ils n'avaient pas bêtement collé au fond du chaudron. Il arriva même une fois qu'elle oubliât de préparer le repas! De toute évidence, la sœurette paraissait dépassée par la tâche.

Dieu merci, l'année scolaire achevait. Florence pourrait elle-même prendre en main la maisonnée, durant l'été à tout le moins, car en septembre, c'était maintenant officiel, elle occuperait le poste d'institutrice à l'école du rang de la Rivière-Maskinongé, située à mi-chemin entre Saint-Didace et Saint-Charles-de-Mandeville, juste dépassé la voie ferrée et un peu avant la grande courbe qui mène au village. Enfin son rêve de toujours se concrétisait!

Grâce à un contrat avec la municipalité, le travail de Maxime consistait justement, depuis quelques semaines, à installer une rallonge à la petite maison de bardeaux qui, adossée à la forêt, servait d'école depuis des années. Florence y habiterait durant les jours de classe. Elle aurait souhaité que Camille la conseille sur le nouvel aménagement de la cuisine, l'installation des rideaux, bref qu'elle remplisse son rôle de mère. Mais la femme demeurait silencieuse et prostrée, complètement désintéressée. Vivement, que sa mère retrouve ses forces et sa bonne humeur! Et que la vie ordinaire reprenne son cours normal!

Pour l'instant, la jeune fille n'en attendait pas davantage de l'existence, désarçonnée par des états d'âme oscillant dramatiquement entre la désolation et le bonheur de réaliser enfin son grand rêve.

**

Quand on troqua la feuille de calendrier du mois d'août pour celle de septembre, quelques semaines plus tard, la petite école fraîchement repeinte de blanc et de vert avait fière allure. Proprette, pimpante, accueillante. Florence se promit qu'au printemps suivant, elle accrocherait quelques boîtes de fleurs sous les fenêtres à carreaux. Sur le côté de la bâtisse, trois chênes centenaires montaient la garde. Elle pressa son père d'installer des balançoires sous les branches les plus basses.

« Des enfants, il faut que ça s'amuse!

— Ils ne viennent pas à l'école pour jouer, ma fille!»

La rentrée fut prévue pour la fin du mois à cause des récoltes tardives cette année-là. Quatorze élèves se trouvaient inscrits à tous les niveaux entre la première et la septième année. La jeune fille se demandait bien comment elle arriverait à s'occuper de tout ce monde-là en même temps. Évidemment, les sœurs l'avaient bien préparée à cette tâche mais tout de même! Si la crainte de l'isolement et du manque de ressources l'effleurait parfois, elle s'empressait de chasser ces idées sombres qui l'empêchaient de dormir. Tant de responsabilités, du jour au lendemain, sur ses jeunes épaules... Non! tout irait bien, elle ne devait pas en douter.

Elle songeait à la vieille demoiselle Yvette, sévère et plutôt sèche, qui lui avait jadis enseigné. Pour rien au monde elle ne voudrait lui ressembler. Les coups de règle pleuvaient sur les doigts, et les caprices de la grammaire s'absorbaient sans plaisir sous l'égide de la peur et la contrainte de multiples devoirs. Pas surprenant de voir les absences se multiplier pour le moindre prétexte. Pas surprenant, non plus, que personne n'ait eu envie de poursuivre ses études au-delà du primaire. Pas surprenant, surtout, que nul prétendant n'ait réclamé les grâces de la frigide célibataire qui s'était forcément endurcie avec les années. Mademoiselle Yvette lui avait pourtant transmis l'amour de la musique et de la lecture et, si Florence refusait de la prendre pour modèle à certains égards, elle lui gardait néanmoins au fond de son cœur une immense reconnaissance. Mais loin d'elle les méthodes austères et contraignantes de l'ancienne maîtresse d'école! La jeune fille, elle, ferait aimer l'étude aux enfants, elle développerait leur soif de connaître et le plaisir de découvrir le monde à travers les livres. Évidemment, elle ne possédait pas toutes les connaissances de l'univers. Toutefois, ce qu'elle avait appris, elle le partagerait avec largesse.

Dans l'organisation de son horaire, elle donnerait

certes la primauté au travail, et il y aurait place aussi pour la détente, pour s'amuser intelligemment, pour apprendre la peinture, les arts plastiques, la musique. Elle ne disposait pas d'instruments de musique pour ses élèves, et son piano lui manquerait assurément, mais sœur Sainte-Thérèse lui avait offert, en cadeau de fin d'année, le livre de *La Bonne Chanson*, recueil de chants folkloriques hérités de France. Pour sûr qu'elle s'en servirait avec les enfants! Et ils apprendraient à danser le rigaudon et la gigue par surcroît! Chaque année, elle monterait un spectacle de fin d'année avec eux, et les parents n'en croiraient pas leurs yeux. À partir de maintenant, les enfants du rang de la Rivière-Maskinongé viendraient avec plaisir à l'école, et ils auraient hâte d'y revenir le lundi matin.

Avec l'assentiment du commissaire et un petit budget consenti par la Commission scolaire régionale, Maxime Coulombe avait agrandi, pour sa fille, l'appartement minuscule situé à l'arrière de l'école. Florence avait tout lavé jusqu'au fin fond des tiroirs de la commode pour en chasser «l'odeur de vieille fille». La cuisinette paraissait bien équipée, mais Camille, dans un de ses moments de lucidité, avait insisté pour ajouter quelques ustensiles et de la literie dans les bagages de sa fille.

«Laisse ton coffre d'espérance à la maison. Tu n'y toucheras qu'au moment de ton mariage. J'ai de quoi te fournir pour le moment.»

Son mariage... Son mariage avec qui? Florence se le demandait bien! Ce n'était pas demain la veille qu'un digne mâle poserait sa sublime tête sur ses coquelicots brodés! Adhémar Vachon tardait trop à se déclarer, ce n'était pas de bon augure. Après deux ou trois visites prometteuses au magasin général, elle s'était imaginé que l'homme l'avait remarquée et s'arrangerait pour la rencontrer «par hasard» au cours de l'été. Mais il n'en fut rien.

Ainsi, pour l'épluchette de blé d'Inde organisée par la paroisse de Saint-Didace dans le cadre des fêtes de fin d'été, Florence avait revêtu sa robe la plus jolie, la bleu poudre, ornée d'un frison de dentelle. Avec l'aide de sa sœur, elle avait même élaboré une nouvelle coiffure fort savante, avec des fleurs rouges piquées dans le chignon. Toutes les deux riaient sous cape en se disant qu'Adhémar Vachon n'y verrait que du feu! Tous les habitants des alentours, dont ceux de Saint-Charles-de-Mandeville, avaient été conviés, et Florence avait bon espoir d'y croiser le beau commerçant.

À la dérobée, elle avait guetté son arrivée du coin de l'œil. Sa sœur, devant son excitation à peine voilée, s'était gentiment moquée d'elle.

« Le beau prince se fait désirer?

— Fiche-moi la paix, vieille sorcière! »

Finalement, Adhémar ne s'était pointé qu'en fin de soirée, flanqué de deux compagnons aussi éméchés que lui. C'est à ce moment précis qu'on avait fait l'appel pour un « set carré ».

« Les femmes au centre, les hommes autour, et que tout l'monde danse! »

Constatant que les trois compères s'alignaient pour entrer dans la ronde, Florence s'empressa de rejoindre le groupe de femmes au milieu, avec le secret espoir qu'aux consignes du crieur, le cercle des hommes s'arrêterait pile devant elle avec le bel Adhémar tout prêt à lui conter fleurette.

« Choisissez vot'compagnie, et swing la bacaisse dans l'fond d'la boîte à bois! »

En effet, Adhémar se trouva par hasard à proximité d'elle, mais il n'eut d'yeux que pour la fille d'à côté, la grande Danielle Plourde, la catin du canton. Il s'empara d'elle et se mit à tournoyer en riant à gorge déployée. Il ne sembla même pas avoir remarqué la présence de Florence malgré sa belle robe, malgré son sourire le plus aguichant, malgré ses œillades pas trop discrètes.

Elle avait misé sur cette veillée pour déclencher des fréquentations convoitées depuis des mois, et dut en prendre son parti, la tête basse. Tant pis! Elle continua de danser et relégua à plus tard ses projets de conquête amoureuse. Un jour, il viendrait bien la chérir, ce fameux prince charmant! Pour l'instant, elle se consola en songeant que, dans quelques jours, elle occuperait enfin sa nouvelle fonction d'enseignante.

En ce début d'automne, Camille semblait prendre un léger mieux et recommençait petit à petit à vaquer à ses tâches ménagères. Il fut décidé qu'Andréanne resterait à la maison pour l'assister. Florence pouvait partir tranquille en autant que ses parents ne se mettent pas en frais de fabriquer un autre bébé. Il restait toutefois, dans l'attitude de la mère, des relents de tristesse et de mélancolie, Florence le sentait. Elle la trouvait souvent immobile, son beau visage amaigri appuyé contre la fenêtre, le regard perdu au loin.

«À quoi songez-vous, maman?

— Oh! à rien de précis, ma fille. Les temps sont durs, ton père trouve de moins en moins d'ouvrage. La crise économique a fini par nous atteindre, nous aussi, les gens de la campagne.

— Ne vous inquiétez donc pas! Mon salaire d'institutrice va nous sauver, vous le savez bien.

— Dieu t'entende, mon enfant.»

Florence soupirait légèrement, un peu effarée à l'idée de devenir soutien de famille. Maxime lui avait installé une large table de travail sous la fenêtre de la chambre donnant derrière l'école. Assise pendant des heures à cet endroit, face à l'orée du bois, elle préparerait ses leçons du lendemain et rédigerait son journal à la tombée de la nuit. De là, chaque matin, elle verrait arriver ses élèves dans la cour de récréation. En visitant les lieux, Andréanne s'était écriée, non sans une pointe d'envie mal dissimulée :

« Dis donc, sœurette, tu parles d'une place pour travailler ! Tu n'as pas peur de t'ennuyer dans un endroit pareil, toute seule durant les soirs d'hiver ? Bien sûr, tu vas gagner de l'argent, toi... Ça aide à tenir le coup, je suppose !

— Euh... non, l'argent n'a rien à voir. Et je ne vais pas m'ennuyer.

— Moi, en tout cas, j'aurais peur.

— Pas moi ! J'aurai tant de travail que je ne verrai pas le temps passer. Et puis, je retournerai chez nous à toutes les fins de semaine par le train qui circule entre chaque village. Tu seras là pour me changer les idées, n'est-ce pas, ma chère ? »

À vrai dire, Florence ne songeait pas plus à la peur qu'à la solitude et l'ennui inhérents à sa profession. Elle savait que l'institutrice devait se montrer rigoureusement impeccable en tous points et impitoyablement consacrée tout entière à son rôle. Pas de place pour les réceptions, les visites amicales, encore moins les fréquentations amoureuses dans la prison dorée de l'école, c'était clairement écrit dans les règlements. Le décret stipulait même que la maîtresse d'école ne devait pas être mariée. Il s'agissait donc, en quelque sorte, d'une vocation à mi-chemin entre la vie religieuse et le célibat. Florence entretenait naïvement l'illusion que, si jamais des perspectives sérieuses de mariage se présentaient pour elle dans quelques années, on amenderait sûrement le règlement pour la garder malgré son nouveau statut, à cause de ses services trop précieux et indispensables. Rien de moins ! De toute manière, elle verrait bien en temps et lieu. Florence Coulombe tenait loin de ses pensées le risque de devenir la prochaine vieille fille du coin. Elle avait bien d'autres vues sur son avenir !

Justement, quelques jours avant le début des classes,

elle s'était rendue au magasin général de Saint-Charles et, bien décidée à ne plus lui faire de minauderies, elle avait croisé froidement l'ancien objet de ses fantasmes. Après un moment de surprise, le jeune homme avait manifesté un plaisir évident de la revoir. «Tiens! tiens!» se dit-elle, non sans contentement. Comme s'il ne l'avait pas vue depuis des siècles! Comme s'il venait tout juste de se rappeler son existence! Florence fit montre de quelque indépendance et fureta, mine de rien, dans la boutique sans lui porter attention. L'ensorceleur avait mordu à l'hameçon.

«Si ce n'est pas ma maîtresse d'école préférée! Vous allez déménager dans notre coin, à ce qu'on dit?

— Euh... oui, la semaine prochaine. L'école commence dans quelques jours et j'ai bien hâte.»

À sa grande exaspération, Florence s'était sentie rougir jusqu'à la racine des cheveux. Comme cet homme lui plaisait avec son allure désinvolte, ses larges épaules et ses cheveux ondulés et portés long, ce qui lui conférait un air de bohème, l'air de celui qui ne s'en fait pas avec la vie et sait planer au-dessus des futilités. Une âme de poète, sûrement! Un cœur d'enfant sous la carapace d'un homme mûr de vingt-sept ans... À côté de lui, les autres partis ne faisaient pas le poids: infantiles, immatures, un peu bébêtes, laids... Ah! Adhémar le beau, le grand, le fort, le mystérieux, l'aguicheur la faisait rêver! L'homme...

«Cela veut-il dire qu'on vous verra plus souvent dans les parages, mademoiselle?

— Eh oui! Je viendrai certainement m'approvisionner dans votre magasin.

— Pour vous, ma chère, je ferai même des livraisons spéciales.»

Des livraisons spéciales? Florence frissonna. Elle ignorait que le magasin général offrait un service de livraison. Avec l'avènement du téléphone dans la région, bien des changements se produisaient. De plus en plus d'habitants se dotaient de cet appareil magique qui transmettait à l'oreille la voix de personnes situées à plusieurs milles à la ronde. On pouvait maintenant faire sa commande par téléphone. Florence n'en avait jamais fait l'expérience, mais elle brûlait d'envie de l'essayer. «Ce serait chouette si mon père abonnait notre famille et qu'on installe un appareil à l'école», se prenait-elle à rêver. Elle pourrait communiquer avec les siens durant la semaine et qui sait si, sous n'importe quel prétexte, elle ne pourrait pas converser avec le beau marchand. Si seulement cette crise économique pouvait finir...

Bien sûr, à cause de la rigidité du règlement, il n'était pas question de laisser Adhémar pénétrer dans l'école, ne serait-ce que pour livrer des marchandises, mais ils trouveraient bien un lieu pour se rencontrer. Pourquoi s'en faire? «Quand il ne restera que cela à régler...» se rassura-t-elle, trop contente de constater qu'elle plaisait encore au jeune homme.

La famille Vachon avait emménagé à Saint-Charles-de-Mandeville depuis bientôt un an et occupait le logement situé au-dessus du magasin général, sur la rue Principale. Elle se composait des parents, plutôt âgés, et de trois adolescents. Les grandes sœurs avaient préféré demeurer en ville plutôt que de s'expatrier «chez les habitants». Sans doute le père avait-il l'intention de remettre éventuellement les clés du commerce à son fils aîné quand le benjamin âgé de quatorze ans serait casé.

La présence d'Adhémar auprès de ses parents intriguait les villageois. À son âge, il aurait dû se trouver déjà marié, à tout le moins engagé dans un métier rentable ou établi quelque part sur une terre. Il n'avait pas une tête à devenir le bâton de vieillesse de ses parents, et ses allures d'éternel adolescent ne plaisaient guère aux commères qui n'en finissaient pas de spéculer sur son compte. Peut-être fuyait-il un passé ténébreux? Peut-être était-il venu à la campagne pour s'éloigner des tentations de la ville? Peut-être n'aimait-il pas les femmes, ou souffrait-il d'impuissance? Pourtant, il ne cessait de flirter avec tout ce qui portait un jupon au magasin. Et s'il s'agissait d'un ex-prêtre ou d'un ex-frère? Ou, pire, d'un ex-détenu? Le mystère restait entier.

Mais le sourire épanoui du jeune homme et sa gentillesse naturelle dissipaient rapidement les méfiances. En réalité, on le voyait plutôt rarement au magasin de son père, et cela suscitait les curiosités et animait les mauvaises langues. En quoi et comment cet adorable vieux garçon occupait-il son temps, ce don Juan dont rêvaient secrètement toutes les filles du coin, à commencer par la nouvelle maîtresse d'école?

Adhémar avait lui-même fixé minutieusement le lourd colis derrière la bicyclette de Florence.

«Voilà, chère demoiselle! Vous ne voulez pas que je le porte pour vous à votre école? Certain?

— Certain!»

Elle avait fait non d'un geste, mais son cœur criait oui à tue-tête. C'était le 15 septembre 1932, neuf jours avant l'entrée en fonction officielle de la maîtresse d'école du rang de la Rivière-Maskinongé.

À partir de ce moment, Florence devint rêveuse. Elle avait cru se tourner entièrement et totalement vers son enseignement, et voilà que ses pensées n'avaient de cesse de la porter ailleurs, à quelques kilomètres plus loin, dans l'arrière-boutique d'un certain lieu d'approvisionnement encombré de denrées dont certaines lui paraissaient des plus délectables.

Chapitre 6

Florence n'arrivait pas à dormir. Les grands vents d'automne rugissaient à sa fenêtre et secouaient rageusement les arbres autour de l'école, dispersant les feuilles mortes avec des grincements sinistres. Avant longtemps, l'hiver installerait son cortège de splendeurs, mais aussi ses longs moments de froidure et de mauvais temps, avec cette force, cette puissance démesurée qui ramenait les humains à leur dimension la plus fragile et la plus vulnérable.

Déjà, des élèves avaient commencé à s'absenter pour des rhumes et des otites, ou simplement à cause de la température peu clémente. Au fond, les parents n'avaient pas tort de les garder à la maison. Pourquoi imposer à des enfants une marche de deux ou trois milles sur des chemins tortueux et impraticables pour aller apprendre des rudiments de français, de mathématiques, d'histoire et de géographie si peu utiles à leur vie de paysans?

Bien sûr, Louis XIV et Napoléon avaient existé, et Voltaire et Balzac. Et Abraham et Moïse. Il fallait le savoir... Et, bien sûr, il valait mieux en connaître plus long sur la Première Guerre mondiale, la grippe espagnole, et maintenant la crise économique et la Dépression. Bien sûr, les découvertes scientifiques se multipliaient et, avec elles, l'apparition de nouvelles technologies dont l'électricité installée maintenant un peu partout. Et aussi le téléphone et la radio, véritables merveilles de la communication. Mieux valait comprendre comment tout cela

49

fonctionnait. L'oncle André ne cessait de parler, dans ses lettres, des usines qui poussaient dans toute l'Amérique. Bien sûr, il fallait aller à l'école pour apprendre et connaître tout cela, c'était essentiel à la culture. Bien sûr, bien sûr... Mais qui se préoccupait de Victor Hugo et des ondes électriques quand il s'agissait de trouver de quoi manger? Quand il fallait gratter les fonds de tiroir pour s'offrir le luxe d'une croûte de pain et d'un peu de thé?...

Ce matin, précisément, on se souciait fort peu d'éducation et de culture devant la pluie drue qui fouettait méchamment les petits visages. Six élèves seulement s'étaient présentés. Et l'hiver n'avait pas encore commencé! Comment respecter un programme bien structuré et un calendrier scolaire dans de telles conditions? Et l'inspecteur qui s'était annoncé pour la semaine suivante! Décidément, cette session serait dure et longue...

Mais le principal objet d'angoisse de Florence ne se trouvait pas à ce niveau. Le souvenir déconcertant de la visite reçue au milieu de l'après-midi, en pleine heure de classe, la troublait bien autrement. Évidemment, elle n'avait pu réprimer un sourire de contentement en voyant apparaître le bel Adhémar dans l'entrebâillement de la porte de l'école. Oh! elle avait bien protesté pour la forme.

«Je suis désolée, monsieur Vachon, vous n'avez pas le droit de pénétrer dans l'école. Je... le règlement...

— Même pour les livraisons spéciales?

— Livraisons? Vous avez quelque chose à me livrer?

— Ceci...»

L'homme s'était approché et avait furtivement déposé un baiser sonore sur la bouche de l'institutrice interloquée, au grand amusement des enfants.

«Adhémar, je vous en prie, vous n'avez pas le droit!

— C'est tout! Je me sauve! Et mille excuses, mam'selle!»

Florence était restée abasourdie, complètement pétrifiée par le geste sans-gêne et peu banal du garçon. Quel effronté tout de même! Et devant tout le monde en plus! Tout le monde, c'était beaucoup dire! Les quatre petits de troisième année n'iraient sûrement pas porter plainte au sujet de la scène dont ils venaient d'être témoins! Quant au grand Tardif et à sa sœur, ces deux niais toujours perdus dans les nuages, Florence, afin d'éviter qu'ils aillent répandre la nouvelle dans tout le village, leur avait bien expliqué qu'il s'agissait simplement d'une farce.

Elle avait regardé disparaître, aussi subitement qu'elle était apparue, la vieille Morris Oxford bringuebalante au tournant du chemin. À vrai dire, elle aurait dû éprouver de la colère envers Adhémar pour avoir agi de la sorte et mis en péril sa réputation de femme respectable et respectée. Désormais, elle ne tolérerait plus de telles incartades. Elle fermerait la porte de l'école à clé durant les heures de classe et, si l'intrus se manifestait de nouveau, elle le laisserait moisir dehors. Encore, s'il avait réellement eu quelques marchandises à lui présenter, cela aurait pu sauver les apparences! Mais non! Ce baiser...

Couchée sur le dos, les mains sous la tête et les yeux grand ouverts dans la noirceur opaque de la nuit, elle effleura ses lèvres du bout des doigts et se sentit encore rougir. Si le plus séduisant garçon de la région voulait la fréquenter, il n'avait qu'à s'y prendre selon les règles du jeu, en bonne et due forme. Pourquoi ne pas utiliser son vélo ou sa bagnole et venir lui rendre visite le dimanche, à Saint-Didace, quand elle se trouvait chez ses parents?

La pluie avait repris de plus belle. Quelle heure pouvait-il être? Minuit? Une heure du matin? Elle n'arrivait pas à dormir. N'en pouvant plus de tournoyer dans son lit, elle finit par se lever pour remettre quelques bûches dans le poêle. «Mieux vaut ne pas laisser le froid envahir la place. S'il fait enfin beau temps demain, les enfants vont revenir en foule.»

Elle jeta un œil distrait à travers la fenêtre. Avait-elle rêvé ou une ombre avait-elle bougé dans l'obscurité? «Tu as des hallucinations, ma fille! Va te recoucher et tâche de te rendormir. À cette heure et sous cette pluie, pas une âme qui vive n'a dû sortir à cent milles à la ronde.» Et elle ne croyait ni aux fantômes, ni au diable, ni aux voleurs de grand chemin. Au moment de remonter dans son lit, elle laissa tout de même la bougie allumée devant la statue de la Vierge, dans un coin de la chambre.

Elle n'avait pas aussitôt posé la tête sur l'oreiller qu'elle entendit nettement trois coups brefs frappés à sa porte, suivis d'appels étouffés. Cette fois, elle n'avait pas rêvé. Tremblante de peur, elle enfouit sa tête sous l'édredon.

«Mademoiselle Coulombe, c'est moi, Adhémar! Vite! ouvrez-moi!»

Florence s'arrêta de respirer. Quoi! Adhémar encore ici au milieu de la nuit? Il devait certainement s'agir d'une urgence. Oui, c'était ça! Quelque chose de grave avait dû survenir à la maison et il venait l'avertir. Sa mère peut-être? Elle ne semblait pas trop en forme la semaine dernière. Mais pourquoi avait-on chargé Adhémar de cette mission? Comment cela était-il possible? L'école se trouvait à mi-chemin entre leurs villages respectifs. Soudain, elle comprit. L'idée d'un appareil téléphonique installé au magasin général expliquait tout: son père avait dû téléphoner du presbytère ou du bureau de poste et laisser un message au magasin pour elle.

Une main couvrant sa poitrine et l'autre tenant la bougie, elle s'en fut à la hâte ouvrir la porte. À peine eut-elle le temps d'entrevoir le profil du visiteur que le vent, s'engouffrant dans l'ouverture, éteignit la petite flamme.

«C'est vous, Adhémar? Bon Dieu! Vous m'avez fait peur! Que faites-vous ici, à cette heure?»

L'homme fit un pas en avant et referma la porte derrière lui. Il dégageait une forte odeur d'alcool qui n'échappa pas à la jeune fille. Elle tentait désespérément de trouver les allumettes pour rallumer la bougie pendant qu'Adhémar restait appuyé contre le mur sans prononcer une parole.

«Pour l'amour du ciel, partez d'ici! À moins que vous ne m'apportiez un message?»

Le garçon se mit à ricaner et posa une main lourde sur l'épaule de Florence brusquement prise de panique.

«Ne crains rien, ma belle princesse. Je suis juste venu te dire que j'ai envie de toi. Tu me rends fou, le savais-tu?

— Ne me touchez pas, Adhémar, je vous en prie, ne me touchez pas! Vous devriez repartir. Vous avez bu, n'est-ce pas?

— Tu ne vas pas me mettre à la porte comme ça, ma princesse? J'ai parcouru tout ce chemin à pied et sous la pluie pour te voir!

— Vous ne savez plus ce que vous faites.

— Mais oui, je le sais! Et je sais ce que je veux! Je suis venu pour t'aimer, ma belle chérie.»

Le garçon porta son autre main sur Florence qui recula d'un pas, morte de peur.

«On s'en reparlera demain, voulez-vous? Ou plutôt dimanche, tiens! Pourquoi ne viendriez-vous pas à Saint-Didace, dimanche prochain, après la leçon de catéchisme de monsieur le curé?»

L'homme se montra intéressé, et Florence poussa un imperceptible soupir, convaincue d'avoir trouvé un filon vers le salut.

«Tu... tu m'invites chez toi, ma princesse?

— Dans ma famille, oui, pourquoi pas? Venez dimanche, on reparlera de tout ça. Je vous attendrai avec plaisir.

— O.K.! Je vais venir. Tu vas m'attendre, hein? Tu l'as dit, là! Tu l'as promis!»

Adhémar tenait à peine sur ses jambes. Florence réussit finalement à craquer une allumette, et la flamme précisa les yeux hagards et la bouche empâtée sur le visage de l'homme. Elle se mit à reculer doucement en ébauchant un vague sourire.

«Oui, oui, je vais vous attendre, je vous donne ma parole. Maintenant, il faut partir et rentrer chez vous bien sagement. Comme je vous le demande.

— Puisque tu le demandes, ma princesse. Ce que femme veut... Mais pas avant de t'avoir embrassée!»

Cette fois, il ne se contenta pas d'un rapide baiser comme durant l'après-midi. Il s'empara plutôt de la jeune femme et, tenant sa tête entre ses mains, il posa délicatement ses lèvres sur les siennes. Ce chaste baiser déconcerta Florence et apaisa sa méfiance. Elle aurait pu s'attendre à plus de violence et d'emportement, elle ne reçut que douceur et suavité. Adhémar reprit ses baisers de plus belle avec autant de velours. Elle ferma les yeux et entrouvrit les lèvres, soudainement offerte. Cette langueur, cette volupté, cette peau chaude et ensorcelante... Elle ne pouvait croire qu'elle se trouvait enfin désirée par l'homme convoité depuis tant de mois.

Elle finit par s'abandonner entre les bras du beau charmeur complètement saoul. Quand il posa sa main sur son sein nu sous la robe de nuit, elle se raidit intempestivement.

«Non, pas ça, Adhémar! C'est mal, c'est péché, je ne veux pas. Oh! partez, partez, je vous en prie!

— Oui, tu as raison, il faut rester sages. Si je pars, belle princesse, c'est uniquement parce que tu le veux. La sagesse, moi, tu sais... Pis... le bon Dieu itou!»

Il partit finalement, sans se retourner et non sans avoir manqué de trébucher sur la dernière marche de la galerie, ce qui déclencha un rictus amer sur le visage de la jeune fille. Elle ne ralluma pas la chandelle encore une fois éteinte par le vent et se contenta, ivre à son tour, d'appuyer son front contre la vitre. Aucun bruit de moteur ne vint troubler le silence, et elle supposa que son visiteur était réellement venu à pied ou à vélo. Mais comment être certaine qu'il ne reviendrait pas dans un instant? Elle ne ferma pas l'œil jusqu'au matin.

Adhémar ne reparut pas de la semaine, et Florence se garda bien de se rendre au magasin général. Elle préféra se priver de fournitures plutôt que de se retrouver nez à nez avec celui qui n'avait semé en elle que malaise et confusion. Tantôt elle lui en voulait pour son culot et son arrogance, tantôt elle se languissait de lui, encore ébranlée par l'ardeur de ses baisers et l'étreinte à la fois ferme et tendre de ses bras. Quant à la main tripotant son sein, elle préférait ne pas y songer, cela la rendait folle. Folle de honte, mais aussi folle du désir de sentir cette main aller plus loin, la pétrir, la caresser avidement, la fouiller jusqu'au tréfonds d'elle-même. «Mauvaises pensées!» aurait dit le prêtre, derrière la grille du confessionnal. Et cela, Florence ne le voulait pas. Jamais elle n'arriverait à avouer à un homme, tout curé fût-il, cette attirance coupable, cette sorte d'élan fou qui la poussait vers Adhémar et lui donnait envie de s'offrir à lui tout entière.

Le vendredi suivant, c'est sur le quai de la gare, dans l'attente du train de cinq heures, qu'elle l'aperçut, assis sur le banc et souriant timidement sous un immense chapeau de feutre. Il ne le retira pas pour saluer Florence, comme s'il se fût agi d'une protection, d'un abri ou d'une barrière entre lui et la jeune femme. On n'embrasse pas les filles quand on porte un tel couvre-chef! Par contre, de le garder sur sa tête pouvait aussi témoigner de la plus pure indifférence et d'un manque flagrant de savoir-vivre.

«Euh... bonjour, mademoiselle! Vous retournez chez vous?

— Eh oui! Comme à toutes les fins de semaine.

— Je... je vous attendais, vous savez.»

Adhémar finit par enlever le fameux chapeau et faire une légère courbette. Il se mit à le retourner sans cesse dans ses mains en baissant modestement la tête. Florence ne put s'empêcher d'admirer l'épaisse chevelure en broussaille dans laquelle elle aurait volontiers plongé la main.

«Je voudrais m'excuser pour l'autre jour, euh... c'est-à-dire, l'autre soir. Enfin, je veux dire, l'autre nuit... J'étais sur la brosse avec mes amis et j'ai vraiment perdu la tête. Je ne sais pas ce qui m'a pris d'aller vous embrasser en plein jour, devant vos élèves. Nous avions pris une gageure et...»

Florence se contenta de hocher la tête sans répondre. S'il fallait que les commissaires apprennent cet incident, pour sûr qu'on la mettrait à la porte. Tout cela pour une vulgaire gageure. Elle ravala sa salive. Le jeune homme poursuivit son boniment comme s'il l'avait appris par cœur.

«Cet après-midi-là, vous savez, je vous ai trouvée tellement belle au milieu de ces enfants que je n'ai pu résister à l'envie de revenir la nuit suivante. Je me trouvais sous l'effet de l'alcool, évidemment. Cette fois, il ne s'agissait pas d'un pari mais d'un défi envers moi-même. Vous êtes très aguichante, vous savez, mademoiselle Coulombe! Mais j'avais bu, je ne savais plus me contrôler et...»

Florence sentit la rage monter. Ainsi, on avait pris un pari sur son compte! Et le beau commis ne s'était d'abord intéressé à elle que pour le gagner. Désillusionnée, elle releva la tête et plongea ses yeux d'acier dans ceux, fuyants, du garçon. Elle allait l'envoyer paître vertement quand il ajouta, d'un air penaud et contrit:

«Florence, je vous demande pardon. Ne me laissez pas vous perdre à cause d'une folie. Donnez-moi une chance de me rattraper. Je suis de bonne foi, croyez-moi.

— ...

— Accepteriez-vous de devenir officiellement ma blonde?

— Je ne sais pas, je ne sais plus... Comment vous croire après toutes ces bêtises? Regagner la confiance perdue n'est rien de facile, vous savez!

— Rien ne presse. Prenez tout votre temps, je vous attendrai aussi longtemps qu'il le faudra. Et je vous fais le serment solennel de me comporter en gentleman. Laissez-moi au moins une toute petite chance, je vous en prie. Je crois que je vous aime, Florence.»

Le train entra en gare avec un tel vacarme que Florence éluda sa réponse et s'achemina presque en courant vers le premier wagon sans dire un mot. Mais elle ne put s'empêcher de se retourner sur le marche-pied pour recevoir, non sans plaisir, un joyeux salut de la main du garçon, agrémenté du plus beau sourire du pays.

***

Le dimanche suivant, à la sortie des cours de catéchisme pour les enfants accompagnés de leur professeur, Adhémar Vachon attendait sa nouvelle dulcinée, une boîte de bonbons à la main. Au cours de l'après-midi du même jour, il annonçait en grande pompe à monsieur et madame Coulombe son intention de fréquenter leur fille, «en bonne et due forme et pour la bonne cause». Cette fois, il n'omit pas d'enlever son chapeau.

Si Camille manifesta quelque vague intérêt pour un prétendant non dépourvu d'avenir pour sa fille, Maxime, lui, ne broncha pas et n'exprima ni son assentiment ni son refus. Cette attitude intrigua Florence, mais elle mit ce détachement sur le compte de la possessivité paternelle. Ce fut Andréanne qui jeta de l'eau sur le feu en affirmant à sa sœur, après le départ du jeune homme, qu'Adhémar Vachon avait mauvaise réputation au village. Florence sursauta.

« Comment cela?

— Quand il va fêter avec ses amis, en ville, il se passe plein de choses, paraît-il.

— Qui t'a dit ça?

— Je ne sais pas. Tout le monde en parle. »

Florence se mordit les lèvres. Tout le monde, tout le monde... Elle n'allait quand même pas donner de l'importance aux cancans de tout le monde! Pourquoi, alors, avait-elle subitement envie de pleurer? Était-ce de joie ou de crainte? Ou de dépit de constater le manque d'enthousiasme de la part des siens? Elle mit sur le compte de la jalousie les prétentions de sa sœur. « Qu'elle se contente donc de son Simon Prud'homme! Est-ce que je lui dis combien je le trouve terne et balourd, moi? Qu'elle me fiche donc la paix avec mon amoureux! » À la longue, tous verraient bien comment le marchand du village voisin pouvait se montrer charmant et avenant. Ils constateraient à quel point l'âge l'avait rendu plus humain, plus rationnel, plus mature, lui, ce futur propriétaire de boutique. Ils se rendraient compte avec quel sérieux l'institutrice pouvait envisager l'avenir avec lui.

Mais se leurrait-elle? Adhémar avait promis de ne pas revenir à l'école du rang. Jusqu'à quel point pouvait-elle lui faire confiance? En réalité, elle n'en savait rien. Sans cesse l'audace de sa venue lui revenait à l'esprit et le souvenir des émanations d'alcool lui irritait les narines. Une odeur tenace et nauséabonde. Écœurante... Et, portés par ces effluves, les relents séducteurs et délictueux du péché.

Décidément, rien de tout cela ne sentait réellement bon!

Chapitre 7

3 novembre 1932

Adhémar le superbe, Adhémar le blond... Ma sœur ne connaît pas sa chance! Toutes les filles, à commencer par moi, rêvent de devenir sa fiancée! Il ne faudrait pas qu'il se retrouve avec moi pendant très longtemps derrière une porte fermée, celui-là! Maintenant que je connais cette sorte de plaisir... Il verrait, le bel Adonis, ce dont Andréanne Coulombe est capable. J'ai de l'expérience à présent. Et quelle expérience!

Voilà que Simon et moi, nous connaissons tout de la vie. Oui, ma chère! Cet automne, nous avons envoyé au diable le curé et ses beaux principes de pureté. Comme si faire l'amour était sale! Et les animaux, eux, pourquoi auraient-ils le privilège de le pratiquer librement et pas nous? Je me le demande! Les prêtres, ça voit du mal partout. Et les parents aussi! Le bon Dieu et moi, on s'arrange sans les prêtres. Et puis tant pis! Je n'ai qu'une vie à vivre, moi, et je me propose d'en profiter. Après tout, j'ai bien le droit de m'amuser un peu. J'en ai assez des corvées et du ménage. Jamais je ne deviendrai une mère de famille comme ma mère. Je ne me sens pas faite pour cette vie-là, moi. Pas du tout! Avant longtemps, je vais partir pour Montréal et y dénicher un petit bonheur à moi toute seule.

Maman va mieux maintenant. Et je ne suis plus certaine qu'elle a perdu son bébé à cause de moi. Après tout, cela reste à prouver que Dieu punit les amoureux qui se caressent! De toute manière, je ne peux plus y résister. Il m'a suffi de fris-

59

sonner un peu sous le petit coup de vent frisquet du début d'octobre pour que ce cher Simon m'offre d'entrer une minute dans la grange derrière chez lui. Une minute pour me réchauffer qui a duré presque deux heures! Il n'a pas fait que me réchauffer, le vlimeux! Il m'a littéralement enflammée comme une flambée de bois sec. Avec des étincelles à part ça! Un véritable feu d'artifice, tiens! Couchés là, nus tous les deux sur la vieille couverture de cheval étendue dans le foin... Ah! J'ai encore le frisson de ses brûlantes caresses! Eh! eh! Heureusement que les vaches et les chevaux ne savent pas parler, ils en auraient long à raconter sur ce qu'ils ont vu! Et revoient encore de temps à autre!

Évidemment, depuis ce jour, nous avons recommencé maintes fois. Si les miens savaient ça... Ma mère ferait une crise, ma sœur ne me croirait pas, Alexandre et Guillaume me poseraient un million de questions. Mon père, lui? Il me tuerait! Puis après? Quoi de plus naturel que des relations sexuelles entre deux personnes consentantes qui se désirent? Après tout, nous avons l'âge, Simon et moi. Ma mère s'est bien mariée à seize ans, pourquoi pas moi? Personne ne crie au scandale quand le taureau monte la vache au beau milieu du champ ou que les chats geignent de plaisir, la nuit, autour des maisons. Et les lapines donc?

Ouais... les lapines... Il faut dire qu'elles produisent des douzaines de petits lapins, les lapines! Ça finit par porter fruit, ces affaires-là! Mais Simon m'a donné l'assurance de toujours se retirer à temps. Et si jamais je tombe enceinte malgré tout, il prétend connaître quelqu'un qui connaît une amie, qui connaît une autre amie qui connaît... Finalement, ça aboutit chez un médecin de Montréal qui règle cela en un tournemain moyennant un certain montant d'argent. Un faiseur d'anges, qu'ils appellent ça. Plutôt rassurant, non? Mais nous n'en sommes pas là, Dieu merci! J'ai eu mes règles la semaine dernière. D'ailleurs, Simon voudrait qu'on se marie au printemps prochain. Mais je ne suis pas certaine d'accepter.

En septembre, quand est venu le temps de retourner à l'école, j'ai fait des pieds et des mains pour rester à la maison sous prétexte d'aider maman. Pas question pour moi d'aller au couvent, au grand désespoir de mes parents qui auraient bien voulu me voir poursuivre le chemin déjà tracé par Florence. Une maîtresse d'école par famille, ça suffit, non? Moi, je garde la maîtresse et je balance l'école, ah! ah! Très peu pour moi l'enseignement et la vie plate de rat de bibliothèque!

J'ai plutôt envie de m'épivarder, de sauter les clôtures, de pratiquer le défendu, de connaître le proscrit, de dévoiler le mystérieux. Je veux découvrir le monde, mordre dans la vie à belles dents et ne rien manquer. Je refuse de me laisser enterrer sous la paperasse ou river aux armoires d'une cuisine. Le ciel est bleu pour tout le monde, je veux m'en délecter, m'en saouler, m'enivrer de liberté. Loin de moi les responsabilités, les obligations ennuyeuses et les cordes à linge!

Parfois, il me prend des envies sérieuses de m'enfuir tout de suite à Montréal. Je pourrais y vivre à ma manière. Dans sa dernière lettre, ma cousine Lise a offert de m'héberger, le temps de me trouver un emploi et un logement. J'en ai vaguement glissé un mot à ma sœur qui, bien sûr, a crié au meurtre en brandissant mon trop jeune âge. «Mange ton pain noir avant ton pain blanc, qu'elle a dit! Et ne va pas faire mourir notre mère avec tes idées de libertinage!»

Peut-être devrais-je accepter le projet de mariage de Simon? Mais qu'a-t-il donc à m'offrir, celui-là? Il n'est même pas foutu de venir apprendre le métier de menuisier chez mon père, comme il en avait l'idée l'an dernier. Au lieu de cela, il préfère demeurer sur la terre ancestrale que son paternel lui laissera en héritage un de ces jours.

Je n'arrive pas à envisager, pour le reste de mon existence, une vie tapie dans une chaumière isolée à l'extrémité d'un champ, avec de grands arbres comme seuls voisins. N'entendre traiter, à l'infini, que de semailles, de labours, de récolte... N'écouter que les lamentations du vent et celles des humains... Mesurer le poids des jours à l'aune des heures d'ensoleillement, ou de la quantité de pluie, ou de gel, de neige, de grêle, de verglas, de chaud ou de froid... Peuh!

Mettre au monde une tonne de marmots, les soigner durant toute une vie pour les voir partir, chacun son tour, les uns à la suite des autres, sans même se retourner. Non! Et, au fil des années, voir apparaître dans la glace, un à un, les fils d'argent de mon chignon et les griffures du temps sur mon visage éteint par l'ennui et buriné par trop de soleil... Y contempler, chaque matin, mon corps déformé par trop de grossesses et affaissé de plus en plus derrière un éternel tablier brodé et amidonné... Jamais!

Ne connaître de la gent masculine que le visage de Simon, si beau soit-il, que le sexe de Simon, si vigoureux me semble-t-il, que les mains de Simon, si douces se montrent-elles momentanément, mais que les travaux des champs ne manqueront pas d'égratigner à la longue... Pas question!

Et que dire du cœur de Simon? Un cœur simple et bon, certes, mais... trop simple! Simplet même! Comment peut-on jurer de n'aimer qu'un seul et même homme pour les cinquante prochaines années? Partager invariablement et sempiternellement mes états d'âme avec Simon, toujours Simon, seulement Simon... Ah! Dieu m'en garde!

Eh là! tu ne tiens pas ce genre de réflexions, ma fille, quand il te mordille les seins et te flatte le ventre! De quoi donc as-tu envie, Andréanne Coulombe? Et si ce fameux Adhémar se mettait à te conter fleurette, refuserais-tu carrément de le laisser faire? À tout le moins, hésiterais-tu un peu? Après tout, il appartient à ta sœur! Un si joli garçon, des yeux si verts... Avoue que l'envie de lui faire visiter la grange et de lui montrer le confort de la nouvelle couverture du cheval ne te manque pas! Tu saurais bien comment t'y prendre! Après tout, toi ou une autre... D'après les dires, il a couru la galipote plus souvent qu'à son tour, le chéri de ta sœur. Et elle n'est pas la première à éprouver une toquade pour lui. Du moins, c'est ce qu'on raconte!

Mais peut-être va-t-il s'assagir auprès d'elle? C'est à

souhaiter! Quant à toi, ma vieille, tu ferais mieux de mettre une croix dessus et de te tenir loin. Contente-toi de Simon pour te faire perdre la tête en attendant de dénicher, un jour, un autre Adhémar aux yeux doux. Un grand seigneur de liberté bien à toi dont tu captiveras le cœur. Là, tu ne te poseras pas toutes ces questions, tu te sentiras prête à le suivre n'importe où, les yeux fermés. D'ici là, bas les pattes, ma belle! Et profite de la vie avec ton cher voisin!

Sacrés hommes! Et... sacrée Florence! C'est vrai qu'elle ne connaît pas sa chance!

Chapitre 8

Malgré ses prétentions négatives, Andréanne n'avait d'yeux que pour le cavalier de sa sœur. Depuis quelques semaines, ce dernier se présentait fidèlement à Saint-Didace, tous les samedis en fin d'après-midi, après la fermeture du magasin, pour conter fleurette à Florence. Les deux tourtereaux veillaient au salon sous la surveillance scrupuleuse des parents et encombrés de la présence agaçante de la chère sœurette et des deux chenapans de frères.

Andréanne entrait inopinément dans la pièce sous n'importe quel prétexte, dans le but maladroitement dissimulé de se faire valoir. Rien que pour plaire à Adhémar, elle se sentait prête à chanter et jouer du piano pendant des heures. Quand madame Coulombe invitait le soupirant à souper, l'adolescente mettait la main à la pâte pour le simple plaisir de l'entendre s'exclamer sur la saveur d'un mets.

«C'est toi qui as préparé cette soupe-là, la p'tite sœur? Wow! Quelle cuisinière tu fais! Déjà bonne à marier!»

L'adolescente se contentait de hausser les épaules en rougissant. S'il savait, si seulement il soupçonnait le désir de «la p'tite sœur» de le conquérir... Elle enviait secrètement Florence d'être l'objet de l'admiration candide et exclusive de cet homme pour bien d'autres motifs que ses habiletés culinaires.

En réalité, le bel Adhémar, aveuglément obnubilé par celle qu'il persistait à appeler sa princesse, ne portait qu'une attention distraite à l'adolescente. Florence n'y voyait que du feu. Avec le temps, elle finit par oublier l'incident nocturne de l'école. Bien sûr, durant les mois suivants, il se montra strictement correct et se garda bien d'y revenir, ni pendant les heures de classe, encore moins durant la nuit.

Les samedis soir où il ne pouvait se servir de l'automobile de son père, il couchait à la belle étoile ou au fond de la menuiserie de Maxime plutôt que de retourner à Saint-Charles avec le cheval. Évidemment, il n'était pas question de dormir dans la maison de la dulcinée durant la période des fréquentations. Le dimanche, il assistait à la messe dans le banc des Coulombe qui se tassaient pour lui faire une place. Il attendait ensuite en haut de la colline que se termine le cours de catéchisme de monsieur le curé auquel l'institutrice était tenue d'assister avec ses élèves. Florence venait ensuite le rejoindre, radieuse, contente de pouvoir écouler encore quelques heures en sa compagnie avant de retourner en fin d'après-midi, reconduite par son père, dans le rang de la Rivière-Maskinongé afin de préparer ses cours du lendemain.

Le beau prétendant n'avait pas encore ébauché de projet précis pour l'avenir. Elle y voyait un signe de sérieux et de sagesse. Mieux valait se connaître davantage avant de se déclarer. Mais elle savait que la main qui s'emparait parfois de la sienne, sous la table, pouvait se montrer davantage exploratrice et la conduire éventuellement sur des pentes plus vertigineuses. Et plus dangereuses aussi! Le jour ne tarderait pas où... Elle se gardait bien d'y songer avec trop de précision de peur d'être envahie par des pensées coupables et des désirs inavouables. Chaque chose en son temps!

D'un autre côté, contrairement à l'emballement d'Andréanne pour «son futur beau-frère», selon ses propres mots, Camille se gardait bien d'exprimer son opinion au sujet de l'amoureux de sa fille, malgré les interrogations insistantes de celle-ci.

« Qu'en pensez-vous, maman?

— Mmmm... joli garçon! Mais on le connaît si peu. On ne sait rien de lui à part son arrivée de Montréal, l'an dernier, avec sa famille. De quoi vivaient ces gens auparavant? Sont-ils venus à la campagne à cause du climat économique urbain? Et pourquoi Adhémar n'est-il pas marié, à son âge?

— Parce qu'il n'a pas encore trouvé "la sienne", voyons! »

Pour Florence, la réponse allait de soi. Bien sûr, elle avait omis de raconter à sa mère les confidences du jeune homme sur les dettes de son père et ses vagues démêlés avec la justice pour fraude et détournement de fonds, ce qui avait forcé la famille à venir se réfugier en région rurale.

« Mon père est venu ici pour repartir à zéro, avait dit Adhémar. Il faut lui faire confiance et lui donner toutes les chances. »

Puis il avait baissé la tête sans donner davantage d'explications. Florence n'avait pas osé lui demander s'il avait l'intention de prendre la relève au magasin général, dans quelques années. Convaincue qu'il n'avait rien à voir avec le passé ténébreux du paternel, elle préférait se montrer patiente et compréhensive. À la longue, le temps apporterait bien les réponses à toutes ces questions. Elle aurait bien voulu voir Camille partager son excitation et son engouement pour le jeune homme, mais elle réalisait qu'il n'en était rien. Pourtant, l'opinion de sa mère comptait plus que tout.

Sa mère... Dire qu'elle avait failli la perdre au printemps dernier! Malgré que Camille parût parfaitement remise, Florence ne cessait de la scruter discrètement, guettant le premier signe annonciateur d'une nouvelle grossesse. Elle savait qu'au cours de l'été ses parents avaient pris un rendez-vous chez le médecin et, quelques jours plus tard, chez monsieur le curé. Camille en était revenue les deux fois les yeux rougis. Chose inusitée, ni sa mère ni son père n'allait plus communier à la messe du dimanche. La jeune femme en ignorait les raisons, mais elle avait sa petite idée là-dessus. De toute évidence, quelque chose ne tournait pas rond dans cette histoire. Mais cela ne la regardait pas.

Parfois, elle avait envie de se blottir dans le giron maternel et de confier à Camille ses appréhensions au sujet de sa santé qu'elle devinait chancelante et fragile. Lui confier sa peur morbide de la perdre... Il lui semblait qu'elle ne pourrait pas survivre à la disparition de sa mère. Peut-être pourrait-elle aussi lui parler de ce qui s'était passé avec Adhémar, la fameuse nuit de sa visite impromptue à l'école, et dont la simple évocation lui causait encore de l'émoi. Pourquoi ne pas se rapprocher de sa mère pour discuter de sujets de femmes tels que l'amour, la maternité, la conception et même l'empêchement de la famille? Elle pourrait lui avouer son attirance physique pour Adhémar, ces étranges bouffées de chaleur qui lui donnaient le vertige quand elle s'y arrêtait. Tous ces fantasmes obsédants amenuisaient sa paix intérieure et lui embrouillaient les idées. Était-ce normal? Elle ne se reconnaissait plus! Était-elle en train de devenir folle ou était-ce bien cela, l'amour? L'amour fou, inconditionnel, capable de faire basculer une existence? Pour cet homme, elle se sentait prête à renoncer jusqu'à sa profession, et cela lui faisait peur. Car elle éprouvait des doutes. Adhémar l'intriguait, l'inquiétait. Ce mystérieux amoureux à la fois si loin d'elle et si près... Cet enjôleur qu'elle n'arrivait pas à atteindre jusqu'au fond de l'âme. S'agissait-il bien de l'homme de sa vie? Celui à qui offrir jusqu'à la parcelle la plus intime de son être, corps et âme, joies et peines, désirs et regrets, présent et avenir? Que pensait Camille de tout cela? Avait-elle des mises en garde à lui proposer, des conseils à lui prodiguer? Pourquoi, entre la mère et la fille, ce silence jamais brisé, plus dense que la pierre et plus opaque que la nuit?

Et puis, non, les jeunes filles de son âge ne se jettent plus dans les bras de leur mère pour lui raconter ce genre d'affaires-là! Surtout si elles ne lui ont jamais fait de confidences depuis leur plus tendre enfance. Une fois devenues des femmes, elles doivent se montrer indépendantes et fortes, solides, capables de se tenir droites et d'assumer elles-mêmes leurs choix avec assurance. Les premiers pas vers l'autonomie...

Florence se réfugiait auprès de son piano et y passait des heures. La musique représentait une bulle où nicher, seule avec elle-même. Elle adorait Beethoven et décelait dans sa musique à la fois tant de passion et de douleur que ses larmes jaillissaient parfois, malgré elle, au milieu de certains adagios. Elle avait le sentiment de ressembler un peu au musicien déchiré par l'angoisse de perdre l'ouïe et l'envie folle de mordre dans la vie. Hélas, Adhémar paraissait peu sensible à cette musique et soupirait d'ennui en l'écoutant. Il préférait les airs populaires et enjoués d'Andréanne, le rythme endiablé de ses charlestons, la langueur de ses tangos ou l'emportement fougueux de ses valses.

Florence avait formé une petite chorale avec ses élèves et elle prévoyait un concert de Noël pour les parents. Peut-être pourrait-elle y inviter les siens et la famille de son amoureux afin qu'ils puissent faire connaissance? Bah!... il restait plusieurs semaines pour y penser. D'ici là, beaucoup d'eau coulerait sous les ponts.

Un après-midi, après la classe, elle se présenta au magasin général pour s'approvisionner en matériel scolaire. Exceptionnellement, la mère d'Adhémar tenait le magasin. La grosse femme paraissait négligée et se traînait les pieds.

«Bonjour, mam'selle! C'est vous, la dernière conquête de mon fils? Ouais... il les aime sérieuses! On rit pas, la maîtresse d'école! Que puis-je faire pour vous?

— J'aurais besoin de six cahiers lignés double, six transparents, quatre pots d'encre noire et huit crayons à la mine.

— Désolée, nous sommes à court d'encre et de crayons cette semaine. Adhémar est justement parti à Berthier avec son père pour renouveler le stock. Il faudra revenir demain. Ou plutôt, non! J'enverrai mon fils vous porter tout ça drette demain matin, à l'école.

— Oh! non, non, madame, laissez faire! Je reviendrai moi-même un autre jour. Il n'y a rien d'urgent dans cette commande. Ça peut attendre à ma prochaine visite. Merci, madame!

— Comme vous voulez... Je dirai à Adhémar que vous êtes venue.

— Ce n'est pas nécessaire, je le reverrai samedi soir, chez moi.»

Florence déguerpit à la hâte sur son vélo. Dans quel guet-apens venait-elle de se plonger involontairement! Pour rien au monde elle ne voulait voir Adhémar rôder de nouveau autour de l'école, même sous le prétexte de lui faire une livraison. Elle préférait se passer de tout pour le reste de la semaine. Tant pis pour le matériel scolaire, elle se débrouillerait autrement!

Le lendemain, à tout moment durant les heures de classe, elle ne put s'empêcher de jeter à travers les carreaux un œil inquisiteur sur la cour de récréation. Mais personne ne se montra à part le père Mongrain qui ne manquait jamais de venir chercher ses enfants en fin d'après-midi. «La mère d'Adhémar a dû suivre ma consigne et ne pas lui parler de ma visite, tentait-elle de se rassurer. À moins qu'il ne lui soit arrivé un incident à Berthier. Sait-on jamais...»

Si, malgré elle, elle l'attendit avec une certaine

fièvre durant la journée, elle ne se sentait pas prête à l'accueillir aussi favorablement la nuit suivante. Elle ne lui ouvrirait pas, bien décidée à repousser le danger de succomber aux assauts tendres auxquels elle n'était pas certaine de résister. Elle ferma la porte à double tour et s'assura que les rideaux étaient tirés et les loquets mis sur chacune des fenêtres. Puis elle s'enfouit sous l'épaisseur des couvertures en souhaitant qu'aucun bruit inhabituel ne viendrait perturber son sommeil, un sommeil agité et laborieux qui lui laissa des poches sous les yeux.

Adhémar ne vint pas. Ni le lendemain ni le surlendemain. Ce n'est que le jeudi, à la fin de la semaine, que retentirent, au milieu de la nuit, les cognements fatidiques tant appréhendés. Malgré ses résolutions et ses bonnes intentions, Florence s'empressa d'ouvrir, le cœur oppressé d'angoisse.

«Adhémar? C'est toi enfin! J'étais inquiète...

— Ah! ma princesse, ma belle princesse!

— J'avais dit à ta mère de ne pas t'informer de ma visite au magasin mais, au fond, je t'attendais. Je savais que tu viendrais me livrer la marchandise.

— La marchandise? Quelle marchandise? Et quelle visite? Je ne sais rien de ça, moi, j'arrive à l'instant de Montréal!

— De Montréal? En pleine nuit? Je te croyais parti à Berthier pour quelques heures!

— Mon père, oui. Mais pas moi! Moi, j'ai poussé jusqu'à Montréal. Il faut bien prendre des petites vacances de temps en temps après tout!

— Ta mère m'avait dit...

— Ma mère, ça ne la regarde pas!

— ...

— Ah! ma princesse, c'est toi que je préfère entre toutes.

— Toutes? Quelles "toutes", Adhémar?

— Toutes les femmes de l'univers, mon amour.

— Toutes les femmes de Montréal, tu veux dire!»

Adhémar ne répondit pas, se contentant de prendre le visage de Florence dans ses mains. Elle se raidit d'abord, mais ne put s'insurger longtemps contre les offensives émoustillantes du garçon expérimenté.

«Ah! cette bouche pulpeuse et douce à souhait... Je la mangerais d'amour! Et ta nuque, ma belle, quelle finesse! Et la peau, ah! ta peau de princesse, elle me rend fou! Laisse-moi y goûter rien qu'un peu, rien qu'un tout petit peu.»

Il se mit à déposer voluptueusement de légers baisers dans le cou de la jeune fille en l'effleurant des lèvres avec une douceur infinie. Elle se sentit défaillir, emportée par un feu roulant. Les accents explosifs du dernier mouvement de *La Sonate à la lune* battaient, dans son esprit, au même rythme que son cœur déchaîné.

«Adhémar, mon amour... Non, il ne faut pas. Je ne veux pas. C'est mal...

— Donne-moi tes mots, donne-moi tes paroles, ma princesse, pour que je les boive, pour que je m'en abreuve et les consume, pour que je ne les entende plus.»

Il s'empara de la bouche de Florence avec plus de détermination et y introduisit sa langue. À ce moment précis, elle sut qu'elle perdait le contrôle. Elle laissa alors les grandes mains chaudes prendre possession de ses seins et de son corps tout entier, puis s'abandonna mollement au plaisir d'être dévêtue avec une lenteur suave.

Ils devinrent amants à plusieurs reprises durant la nuit, et Florence comprit soudain ce à quoi ses parents n'arrivaient pas à renoncer pour prévenir une autre grossesse risquée.

Au-dessus de la campagne endormie, une lune voilée faisait tranquillement sa ronde et éclairait, de son sourire énigmatique, les grands chênes qui balançaient leurs bras décharnés et noueux avec des craquements sinistres. Les premières lueurs du matin apportèrent, ô surprise, les premiers flocons de la saison. Florence resta longtemps à la fenêtre pour regarder la neige couvrir d'une paradoxale couche de pureté les traces de son amant s'éloignant jusqu'à l'orée du bois.

Chapitre 9

Quelques jours avant la période des Fêtes, la frénésie régnait dans la cuisine des Coulombe. Malgré les difficultés financières et la rareté des denrées, Camille s'était débrouillée pour préparer un semblant de festin afin que Noël, et surtout le jour de l'An, ressemblent à de véritables fêtes. Les surprises dans les bas de Noël se feraient peut-être clairsemées, mais on ne manquerait pas de grand-chose sur la table : tourtières, pâtés, ragoût, beignes, pâtisseries. Même Maxime avait préparé son caribou, «seule étoffe du pays capable de résister au maudit hiver», en mélangeant de grandes quantités de whisky à du vin de gadelles. Andréanne et les garçons chantaient sans cesse des airs de Noël et riaient pour tout et pour rien, les yeux pleins de rêve.

Il faut dire qu'on attendait de la visite des «États»[1] pour le jour de l'An. L'oncle André, sa femme et leurs deux fils, émigrés aux États-Unis quelques années auparavant, avaient soi-disant fait fortune dans une manufacture de textile d'Albany, dans l'État de New York. À leur manière, et sans doute inconsciemment, ils viendraient un peu narguer les Coulombe avec leurs dollars plein les poches. Il n'était pas question de laisser paraître devant les nouveaux Américains la dégradation alarmante des conditions financières de la famille. Les économies

---

1. Diminutif de «des États-Unis».

75

étaient littéralement en train de s'épuiser, car les commandes au menuisier du village, à cause de la pénurie d'argent devenue générale, se réduisaient maintenant à quelques réparations d'urgence, sans plus. N'eût été du salaire de Florence entièrement déposé au compte de la famille, les Coulombe auraient, eux aussi, souffert de la misère qui s'installait petit à petit autant dans les villes que dans les régions les plus éloignées de la campagne. Mais la famille avait sa fierté et Camille avait préféré se priver durant des jours plutôt que de perdre la face devant cette parenté prospère qu'elle avait refusé de suivre avec entêtement, quelques années plus tôt, dans son exode vers de meilleures conditions de vie.

Comble de malheur, Maxime filait un mauvais coton depuis quelques semaines, aux prises avec une vilaine grippe qui perdurait et qu'il refusait de soigner. Sa femme avait beau le supplier d'aller «montrer ça» au docteur Vincent, il faisait la sourde oreille. Il se levait malgré tout, chaque matin, pour se rendre dans son appentis et se confronter au désespérant manque de travail. Il revenait un peu plus tard, la mine basse, les mains et les pieds glacés, un peu plus courbé chaque jour. Cette crise économique allait les ruiner... Avant longtemps, il leur faudrait prendre une décision et peut-être regarder plus sérieusement, eux aussi, du côté des États-Unis. Mais la récession économique faisait rage là-bas tout autant, et la perspective de quitter son coin de pays horrifiait Camille qui parlait de racines, de mère patrie, de langue française, d'ancêtres et de patrimoine.

Depuis plusieurs jours, la sieste de Maxime, après le repas du midi, se prolongeait anormalement, entrecoupée de râlements et d'une toux rauque et déchirante. Le soir, il montait se coucher le premier avant même Guillaume et Alexandre. Complètement épuisé, le souffle court, il traînait lourdement la patte dans l'escalier.

Camille regardait son mari d'un œil inquiet et retenait ses larmes, épouvantée par le spectre menaçant de la tuberculose. Ce mal décimait les familles et emportait inconsidérément les plus jeunes et les plus vaillants. On ne lui connaissait pas de remède à part le repos absolu à l'air pur. L'année précédente, cette maladie lui avait ravi une de ses sœurs et elle s'était difficilement remise de son chagrin. Elle ne pouvait croire que le monstre s'en prenait maintenant à son mari. «Non, mon Dieu, pas ça, pas encore ça! S'il vous plaît, épargnez-nous.» Si seulement Maxime acceptait de se faire soigner avant qu'il ne soit trop tard...

Cette fin de semaine-là, la dernière avant Noël, elle misait sur l'arrivée de Florence pour créer diversion et lui remonter le moral, et surtout pour tenter de convaincre son père de rendre visite au médecin. Mais, contre toute attente, la jeune femme se pointa la mine basse, pâlotte et sans entrain.

«J'ai mal au cœur. C'est à cause de la saucisse d'hier, elle avait un drôle de goût.

— Ma pauvre petite. Je vais te préparer une tisane. Ça va te renipper, tu vas voir.»

Mais ni la tisane, ni le soda dilué dans l'eau chaude, ni la bière d'épinette gazeuse ne vinrent à bout des nausées, pas plus que la sollicitude de Camille et d'Andréanne. Même l'empressement d'Adhémar n'y fit rien. Malgré les protestations de sa mère, Florence, tapie au fond de la voiture du laitier qui avait affaire dans le coin, s'en retourna tout aussi malade sur le chemin de l'école, le dimanche soir suivant. Il ne serait pas dit que les enfants manqueraient les derniers jours de classe de l'année.

«T'en fais pas, maman, je reviendrai si ça empire. Adhémar viendra me reconduire pour une fois. De toute façon, on se revoit jeudi, la veille de Noël.»

Elle s'était à peine rendu compte du mauvais état de santé de son père qui n'avait dit mot de la fin de semaine.

Le dimanche, il avait pourtant gravi la côte de l'église avec difficulté et avait dû sortir, à demi étouffé par une quinte de toux rocailleuse, au beau milieu du sermon. Tous les assistants avaient tourné la tête et porté sur lui un regard suspicieux, mais Florence, obnubilée par sa propre souffrance, n'avait rien remarqué, trop occupée à supplier Dieu de lui éviter l'épreuve qu'elle redoutait avec horreur.

Adhémar, la mine renfrognée et l'œil mauvais, suivait la charrette à lait de loin. Il avait convenu avec Florence de se rendre à l'école dès que la noirceur prendrait. De toute évidence, ils avaient à se parler en privé, loin des oreilles curieuses. Elle avait à peine enlevé son chapeau que déjà il frappait à la porte arrière.

«Adhémar! Vite, entre! Il fait encore clair. Des plans pour qu'on te voie!

— Ne me dis pas que tu es enceinte, Florence Coulombe!

— Je crains que oui. Mes menstruations retardent de plusieurs jours, et j'ai les seins gonflés à bloc...

— Câlisse!»

Le jeune homme traversait la chambre de long en large comme un animal en cage et frappait du poing les bras de sa chaise en lâchant hargneusement des sacres.

«Calme-toi, Adhémar! Ce n'est pas en blasphémant que tu vas régler le problème!

— Il faut te débarrasser de cette cochonnerie-là au plus sacrant! Je connais quelqu'un à Montréal qui va t'arranger ça.

— Jamais! Je préférerais mourir plutôt que de perdre ce bébé. Comment peux-tu penser de la sorte? Il s'agit de notre enfant, du fruit de notre amour et tu appelles ça une cochonnerie? Et tu voudrais le tuer, le détruire? Quelle horreur, Adhémar! Je n'en reviens pas!

— C'est pas moi qui suis pogné avec ça, ma belle,

c'est toi! Tu sais comment les gens traitent les filles-mères dans ce pays de bornés? C'est encore pire qu'à la ville!

— Mais nous l'avons fait ensemble, cet enfant! Tu disais m'aimer...

— Oui, oui, je t'aime. Mais de là à te fabriquer un bébé, il y a une marge! Je croyais pourtant me retirer à temps. Quelle saloperie!

— Et si on se mariait le plus vite possible?

— T'es pas folle? J'ai pas une cenne! Je dois même de l'argent à mon père. Un gros montant... Il ne me donne pas de salaire, je le rembourse par mon travail. C'est de cette manière qu'il arrive à payer le loyer du magasin.

— Tu as des dettes?

— Oui, pas mal! Une dette de jeu. Une pas mal grosse dette de jeu...»

Adhémar s'arrêta brusquement et, la tête basse, découragé, se laissa tomber sur le bord du lit. Florence retenait son souffle. Elle s'attendait si peu à cette réaction. Que pouvait-elle dire ou ajouter, ou même réclamer? Elle se sentait acculée à un mur par sa faute et sa témérité impardonnable. Adhémar Vachon lui apparaissait soudain comme un garçon sans avenir, profiteur et tout à fait irresponsable. Un «courailleux», disait-on dans l'entourage. Et voilà maintenant qu'il se prétendait joueur... Elle aurait dû se méfier et, pour une fois, ajouter foi aux racontars et aux premières allégations de sa sœur. Au lieu de cela, elle s'était donnée corps et âme à cet homme qui ne le méritait pas.

Ah! elle se trouvait dans de beaux draps, la pauvre! Qu'allait-elle devenir? Il n'était absolument pas question de se faire avorter. Elle avait péché, certes, mais elle n'avait rien d'une meurtrière. Évidemment, si elle gardait l'enfant, elle allait perdre son emploi. On ne laisse pas une fille-mère faire la classe à des enfants purs et innocents! Et chez elle? Son père la mettrait-il à la porte? Elle deviendrait la honte de ses parents, la risée de tout le village, celle qu'on dénigre à mots couverts. La maîtresse d'école enceinte, tu parles! Il y avait là de quoi alimenter les ragots et les commérages du canton pour toute l'année! Et son enfant serait l'enfant du péché, le petit bâtard rejeté et montré du doigt partout où il irait.

Pourquoi donc Adhémar refusait-il de l'épouser? Tant pis pour les dettes, ils les remettraient ensemble. Cela ne constituait pas une raison suffisante à ses yeux. Ils arriveraient bien à se débrouiller. S'ils se mariaient tout de suite, ils pouvaient encore sauver la face et prétendre à un accouchement prématuré dans quelques mois. Ce sont des choses qui arrivent, que diable!

Sinon, il ne lui restait qu'une solution: se sauver, partir en exil loin de chez elle, loin de son patelin, dans un lieu où personne ne la connaissait. Là, elle mettrait son bébé au monde et l'offrirait en adoption. Pour qu'il vive une vie normale et respectable auprès de bons parents qui l'aimeraient. Puisque son propre père ne voulait pas de lui et le traitait de cochonnerie. Oh! le lâche, le minable! Tandis qu'elle, elle donnerait tout au monde pour pouvoir l'aimer, ce petit...

Soudain, elle prit sa tête entre ses mains et se mit à pleurer doucement. Puis les sanglots montèrent un à un, lentement d'abord, puis plus fortement, pour la secouer jusqu'à lui faire perdre le souffle. Prise de soubresauts incontrôlables, elle se jeta à plat ventre sur le lit et se mit à hurler d'une voix gutturale en martelant les couvertures, comme si chacun de ses cris exhalait la révolte et la détresse qui s'emparaient d'elle. Le fond du tonneau, le tunnel sans fin, la voie sans issue...

«Non, je ne veux pas! Je ne mérite pas ça! Adhémar, je t'en supplie, ne m'abandonne pas!»

Personne ne lui répondit. Elle sanglota longtemps, submergée par son chagrin, son poing serré sur le chapelet qui avait glissé de sous l'oreiller. Quand elle releva la tête, quelques minutes plus tard, Adhémar avait disparu. Il l'avait laissée en plan avec son problème. Son problème à elle seule.

Dans un coin de la chambre, debout derrière la flamme vacillante du lampion bleu, la statue de plâtre de la Vierge tendait ironiquement ses mains ouvertes vers la jeune fille.

***

Le lendemain, dès la fin des classes, Florence repartit avec le père Mongrain jusqu'à Saint-Didace et se rendit directement chez le docteur Vincent. Lui saurait la comprendre et l'aider. Elle lui raconta tout. Hélas, s'il l'écouta avec bienveillance, il ne lui apporta pas de véritable solution de rechange.

«Je ne fais pas d'avortements, si c'est cela que tu cherches, Florence. J'ai trop de respect pour la vie, tu comprends. Mais je connais un confrère qui...

— Non, non, pas du tout! Au contraire, je veux sauver la vie de cet enfant malgré tout. Je le donnerai en adoption s'il le faut. Peut-être connaîtriez-vous un lieu où je pourrais aller? Un endroit pour filles-mères...

— Dans ce cas, laisse-moi t'aider. Tu as du cœur et je suis fier de toi, ma grande! Oui, il existe de tels lieux, à Montréal. L'hôpital de la Miséricorde, entre autres. Mais tu pourrais tout aussi bien rester chez tes parents, je connais un couple qui ne demanderait pas mieux que d'adopter ton bébé dès sa naissance.

— Mes parents ne savent rien encore.

— La première chose est d'en discuter avec eux. Tu veux que j'aille avec toi? Ou que je le fasse pour toi?

— Non, non, je suis assez grande pour assumer mes bêtises.»

Pour la première fois, elle porta rêveusement les

mains sur son ventre. Le médecin s'approcha et passa son bras autour de ses épaules. Ce simple geste lui apporta consolation et réconfort. Elle se sentit fondre. Elle avait un ami, un allié, et il la protégerait, la prendrait sous son aile. Cet ange envoyé du ciel...

Le médecin vint la reconduire à l'école dans sa voiture et, au moment de la quitter, il posa de nouveau sa main chaude sur son épaule.

«Prends le temps de réfléchir, ma grande, et surtout parles-en à tes parents. Tu peux revenir me voir quand tu voudras, je ne t'abandonnerai pas. Je t'en fais la promesse.»

Elle le remercia d'un signe de tête et se dirigea vers l'école le cœur un peu plus léger.

Elle n'était plus seule.

***

Quelques jours plus tard, au lendemain des célébrations du jour de l'An, une Florence amaigrie et chancelante prenait le train pour Albany en compagnie de son oncle et de sa tante. Les Américains s'étaient montrés empathiques et même magnanimes durant leur visite du temps des Fêtes. Ils offrirent le gîte à la jeune fille pour toute la durée de sa grossesse, et elle n'eut pas le choix d'accepter, poussée par ses parents qui voyaient dans cette offre généreuse une chance inespérée de salut. L'honneur serait sauf et l'enfant vivrait.

Camille, après le premier choc, avait tout réglé. Elle avait pris l'initiative de dévoiler la vérité à sa belle-sœur et l'avait suppliée de prendre sa fille en pension.

«Elle se trouvera du travail dans une manufacture et y restera aussi longtemps qu'elle le pourra. Nous verrons à ce que son hébergement vous soit payé chaque semaine.

— Ce ne sera pas nécessaire, ma chère. Florence n'aura qu'à enseigner le français à nos deux fils qui le parlent trop peu. Après tout, il s'agit de leur langue maternelle. Ne t'inquiète pas pour ta fille, Camille, nous en prendrons soin.

— Que Dieu vous bénisse!»

Dépassée par les événements, la mère éplorée avait tamponné ses yeux avec son mouchoir de dentelle. Elle aurait voulu faire mieux pour sa «Flo d'or», la prendre dans ses bras et la bercer pour la consoler, mais elle arrivait mal à lui pardonner son étourderie.

Malgré l'excellence de la boustifaille, malgré les efforts d'Andréanne sur le piano et les farces de l'oncle pour dérider la compagnie, le jour de l'An était resté empreint de tristesse, marqué du sceau de l'angoisse. Le malheur planait sur la maison des Coulombe. L'année commençait mal, Camille n'en doutait pas. Elle n'avait qu'à songer à la bénédiction paternelle de Maxime, traditionnellement exécutée tôt le premier matin de l'an, pour se mettre à trembler d'effroi. Contrairement à ses habitudes de grand parleur, le père, d'une pâleur cadavérique, avait simplement levé une main tremblante au-dessus de la tête de ses enfants agenouillés dans le salon et s'était contenté de prononcer d'une voix rauque et à peine audible les mots latins de la bénédiction en cherchant laborieusement un peu d'air. Puis, il était retourné dans son lit en crachant ses poumons, sans rien ajouter.

Florence savait que son père ne lui pardonnerait jamais ses écarts de conduite et la honte causée à la famille par son état. Elle n'avait cessé de regarder par la fenêtre, en cette journée de festivité, dans le vain espoir de voir apparaître Adhémar qui ne daigna pas se montrer. Au moins, aux yeux de tous, l'excuse pour le départ précipité de l'institutrice vers les États-Unis semblait évidente: déprime à la suite d'un chagrin d'amour inconsolable et nécessité absolue de changer d'air. Beau mensonge, en réalité, et sans doute le premier d'une longue série.

Le concert de Noël des élèves de Florence n'avait pas eu lieu pour cause de maladie. Au moment de prendre congé pour les Fêtes, elle avait remis sa démission au commissaire d'école, prétextant une profonde dépression et la nécessité absolue d'une longue convalescence. De plus, elle avait allégué avoir reçu une offre alléchante pour enseigner le français à des Américains. «Compte tenu du salaire inhérent à ce poste et de la pertinence d'une telle expérience à acquérir, je ne peux refuser cette opportunité. Et blablabla...» Elle avait signé d'une main fébrile, convaincue que son mensonge paraissait en lettres de feu entre chacune des lignes de sa lettre. Elle savait bien que, malgré les formules de politesse et les regrets énoncés, un tel bris de contrat aussi hâtif qu'inattendu au beau milieu de l'année lui mettrait les commissaires à dos et plongerait le monde de l'enseignement dans l'embarras. L'ancienne institutrice accepterait-elle de revenir momentanément en attendant qu'on trouve une remplaçante? Florence se sentait sincèrement désolée d'abandonner aussi bêtement ses petits élèves. Mais il fallait sauver sa respectabilité et, surtout, la vie de l'enfant. Pour le moment, c'était tout ce qui comptait.

Elle partit le cœur lourd, muette d'émotion, le lendemain du jour de l'An. Camille, les deux garçons et Andréanne, laquelle on avait négligé de mettre au courant mais qui se doutait un peu de la vérité, vinrent la reconduire jusqu'à la gare. Cependant, Maxime, trop souffrant, préféra demeurer à la maison, enveloppé dans son peignoir. Quand Florence monta à sa chambre pour lui faire ses adieux, il resta de marbre en l'embrassant sèchement sur le front du bout des lèvres, sans émettre un son. De toute évidence, son père lui gardait rancune.

De tous les malheurs qui l'assaillaient ces derniers temps, la colère de Maxime et son dégoût manifeste lui furent les plus douloureux. Autant, à tout le moins, que le cruel et déconcertant abandon d'Adhémar.

Chapitre 10

6 janvier 1933

Ah! quelle affaire! Pauvre maman! Ma sœur enceinte qui migre aux États-Unis... Elle ne l'a pas avoué devant moi, mais je le sais, je les ai entendus discuter avec l'oncle André l'autre soir. Mon père se trouve déjà assez malade comme ça. Ma mère n'avait pas besoin de ce souci en plus!

Wow! ma sœur a couché avec un homme! Elle a réussi à faire ça, elle, malgré ses beaux principes et son collet monté. Ça n'a pas été long pour qu'elle l'enlève, le collet, la grande sœur! Et tout le reste! Je n'en reviens pas! Mais... je suis bien mal placée pour la juger. J'ai fait la même chose avec Simon! Et me voilà autant «en famille» qu'elle maintenant. Désespérément enceinte comme Florence. La nature, ça ne pardonne pas, faut croire!

On est dans de beaux draps toutes les deux, c'est le cas de le dire! Elle, au moins, a le courage de garder son bébé. Je l'admire et je l'envie pour cela. Mais moi... Moi, je veux me débarrasser du mien. Ils ne sauront rien, rien, rien. Personne! Personne ne pourra rien deviner, car je vais me taire et régler ça toute seule, comme une grande fille. Voyons, pourquoi je braille comme ça? Il n'y a pas de raison. T'en fais pas, ma vieille, tout va s'arranger. Tu sauras bien te tirer d'affaire.

La meilleure solution serait peut-être de me marier. Ça sauverait la face. Mais je n'ai rien à sauver, moi! Ni la face ni le bébé! Oh! Simon est au courant. En homme de cœur, il a offert d'assumer ses responsabilités et de m'épouser sur-le-champ. «Nous serons heureux ensemble, tu verras. Mon avenir est tout tracé devant moi. Ta grossesse ne fait que devancer mes projets d'un an ou deux. Nos parents vont comprendre cela, ils vont passer l'éponge et nous aider... » Il me regardait, avec ses grands yeux globuleux, en me frôlant les bras de ses mains moites.

Soudain, j'ai eu le goût de me sauver en courant. Ne plus le voir, ne plus être touchée par lui, ne plus le supporter tout à coup. Parce qu'il faisait trop clair, parce qu'il sentait trop l'étable, parce qu'il affichait trop un air de chien battu. Ah! ne plus être habitée par ce germe pourri dans mon ventre, ce germe qui se transformera de jour en jour en un boulet effroyable que je devrai traîner toute ma vie. Non, mon Dieu, pitié! Pas de ça! Je ne veux pas de ce bébé! Pas à mon âge! Je n'en veux pas, je n'en voudrai jamais! Je ne veux pas d'enfant...

Que va-t-on penser de moi? Enceinte à seize ans! La putain, la traînée, la couailleuse... Ah! ne plus me trouver ici, n'être nulle part, ne plus exister. Disparaître, me dissoudre dans le néant... Pleure, ma vieille, pleure sur ton oreiller de flanelle. Tout le monde dort. Nul ne le saura, tu l'as dit...

Et pourquoi ne pas partir à Albany avec Flo? Les deux sœurs courageuses unies dans leur rôle de filles-mères... C'est pas beau, ça? Ma sœur, elle, quand ils lui auront pardonné, va sans doute devenir une héroïne silencieuse. Celle qui a eu tous les courages et risqué sa réputation afin de respecter la vie et sauver l'existence innocente de l'enfant. Pas moi! Non! Moi, j'en suis incapable, je ne possède pas cette force. Dieu merci, je ne souffre pas de nausées. Personne ne s'est encore aperçu de mon manque d'appétit, ma poitrine gonflée et ma fatigue chronique. Ils n'en ont que pour Florence. Et pour papa aussi...

Pauvre papa, il a déjà assez de misère à surmonter sa pneumonie et les problèmes de son aînée, ce n'est pas le temps de l'achever avec ceux de sa seconde fille! Il ne s'en remettrait jamais. Maman non plus d'ailleurs. Quand je pense qu'elle verse encore des larmes sur son bébé perdu au printemps dernier. Si elle savait qu'elle a deux petits-fils en marche!

Mais je vais régler cela rapidement. Maintenant que Florence est partie pour les États-Unis, je vais prendre le train à mon tour vers Montréal. Tout est organisé et prévu. Facile de faire croire à l'invitation de la cousine Lise pour quelques jours de vacances. Ce ne sera pas la première fois. Nos deux mères, au courant de rien, se sont parlé. Maman a téléphoné du bureau de poste et, bien sûr, ni elle ni ma tante ne se doutent de mon état. Elles n'en sauront rien. Lise a organisé pour moi un rendez-vous dès lundi prochain, neuf heures, avec un... un vieux bonhomme spécialisé dans les avortements. Ça se passe sans danger, paraît-il, et en peu de temps. Aussitôt dit, aussitôt fait! Disparu, le bébé, et disparus, les problèmes! Ma cousine a même offert de m'avancer l'argent.

Nul ne connaîtra jamais la vérité sauf Simon. Il a besoin de se fermer la trappe, celui-là! Quand je reviendrai de voyage, après deux ou trois jours de repos, ils me verront fraîche et dispose, libérée. Et le tour sera joué! L'heure du « bas les pattes, mon cher Simon! » aura sonné. Qu'il se trouve une autre gonzesse pour s'user les fesses sur la couverture du cheval! Pour moi, les escapades dans la grange des Prud'homme sont terminées.

Je me demande s'il s'agit d'un petit garçon ou d'une petite fille qui grandit dans mon ventre... Peut-être a-t-il le nez retroussé de son père? Et ma blondeur?

Allons, ma vieille, cesse de pleurer comme ça. Dans quelques jours, tu n'y penseras même plus...

Chapitre 11

Le passage de Florence aux États-Unis ne dura que vingt jours. Maxime Coulombe rendit l'âme durant la dernière semaine de janvier, au milieu de la nuit, entouré de tous les siens. Après le départ de Florence, le docteur Vincent appelé d'urgence ne put que baisser les bras sans laisser d'espoir. Le malade dépérissait à vue d'œil.

« Il aurait fallu le soigner bien avant! Maintenant, il est trop tard, je ne peux plus rien faire. Non seulement l'asthme s'est greffé sur sa double pneumonie, mais je soupçonne une tuberculose avancée derrière tout ça. Je devrai examiner tout le monde à cause de la contagion. »

Personne ne remarqua l'ombre d'inquiétude surgir, l'espace d'une seconde, sur le visage d'Andréanne, tout juste rentrée de Montréal.

Le mourant reçut les derniers sacrements avec agitation, en cherchant désespérément son souffle. Campée au pied du lit et les mains agrippées sur le montant, Florence, revenue en catastrophe, voyait la poitrine trempée de sueur de son père se soulever avec peine en quête d'oxygène. Elle aurait tout donné pour pouvoir l'aider, pour respirer à sa place. « Sa dernière lutte pour la vie, pensa-t-elle en ramenant ses mains sur son ventre plat. La vie, elle se trouve ici, au-dedans de moi. Mon enfant te perpétuera, papa, que tu le veuilles ou non... » Mais le père, déjà plongé dans un état d'hébétude avancé, ne sembla pas remarquer le retour précipité de sa fille à la suite du télégramme alarmant de Camille.

Florence était revenue promptement à Saint-Didace sans songer à ce qui surviendrait après la mort de son père. Elle avait préféré garder un espoir de guérison, si mince soit-il. Son court séjour à l'étranger lui avait plu. Son oncle et sa tante s'étaient montrés bienveillants envers elle. Il avait été entendu que, dans sa condition, elle n'irait pas se faire embaucher dans une usine pour gagner son pain. Son état exigeait le calme et le repos, et les Américains allaient y veiller. Ils ne vivaient pas dans l'abondance comme ils l'avaient laissé entendre, mais leur situation financière semblait suffisamment confortable pour se permettre d'offrir gratuitement le gîte à cette charmante nièce en difficulté.

Mais la maladie de Maxime et son décès avaient chamboulé tous les projets de Florence. Ballottée par le destin, elle ne savait plus où donner de la tête. Au chagrin causé par la perte imminente de son père s'ajoutait le désarroi de se retrouver de nouveau à la case départ : enceinte, seule et sans père pour son enfant, perdue au milieu de son village et même au sein de sa famille. Pourrait-elle retourner à Albany ?

Camille aurait sans doute besoin de la présence de sa fille pour se remettre d'un tel deuil et réorganiser la maisonnée. Où sa mère prendrait-elle l'argent pour faire vivre les siens ? Florence devait absolument retourner travailler. Mais où ? Aux États-Unis ou ici ? Accepterait-on de la reprendre à l'école du rang de la Rivière-Maskinongé ? Mademoiselle Yvette avait accepté de mauvaise grâce de la remplacer en attendant qu'on déniche quelqu'un d'autre. La vieille dame ne demanderait sans doute pas mieux que de retourner au plus vite à sa retraite. Mais Florence devrait-elle mentir sur sa condition ou avouer la vérité à ses patrons ? Cet embryon qui grandissait secrètement dans ses entrailles finirait bien par se manifester autrement que par des nausées! D'un autre côté, il était encore temps d'accepter l'offre d'Adhémar de «lui faire arranger ça», comme il disait si bien.

Une fois de plus, Florence se crispa et rejeta violemment cette abominable solution. Quelle idée morbide! Jamais on ne toucherait à son bébé! Jamais! Tant pis pour la honte, tant pis pour les responsabilités, tant pis pour la misère, tant pis pour tout! Son enfant vivrait envers et contre tous.

Maxime Coulombe rendit son dernier souffle sans jeter un seul regard sur son aînée. Pourtant, il posa silencieusement les yeux sur chacun des autres sans prononcer une parole. Florence sut, à ce moment précis, que le souvenir de son père resterait à jamais entaché par un doute affreux. Maxime emportait-il dans le silence de la tombe un sentiment de colère et de rancœur éternelle pour les erreurs de sa fille? À moins que la maladie ne l'ait empêché d'exprimer son pardon... Florence l'aurait pourtant reçu avec un profond sentiment de délivrance, cette fameuse absolution qui l'aurait délestée d'un poids lourd, écrasant, insupportable. Comment savoir si son père l'avait absoute de sa faute? Jamais elle n'éprouverait de certitude... Elle frissonna et préféra chasser ces idées troubles de son esprit. Il fallait se ressaisir et se tourner vers l'avenir, vers la vie, et éviter à tout prix l'apitoiement. Elle devait se montrer vaillante et rester debout coûte que coûte. Vivre...

Andréanne, quant à elle, semblait anéantie par la mort de son père. Elle demeurait en retrait, dans le coin le plus obscur de la chambre, repliée sur elle-même et secouée de sanglots étouffés. Florence ne put résister à l'envie de la prendre dans ses bras pour la première fois de sa vie et de la bercer comme on berce un enfant. L'adolescente se laissa couler sur la poitrine de sa sœur et se remit à pleurer de plus belle comme une petite fille profondément blessée, la petite fille qu'elle n'était plus depuis son séjour à Montréal, et qu'elle ne serait plus jamais. Elle se montra inconsolable. N'avait-elle pas secrètement deux morts à pleurer? Et deux deuils à supporter?

Guillaume et Alexandre, quant à eux, se retenaient de pleurer. «Un homme, ça ne pleure pas!» Les deux adolescents avaient appris la leçon répétée tant de fois depuis leur enfance. Camille s'approcha d'eux et les prit dans ses bras, ses instincts de mère l'emportant, l'espace d'un moment, sur ceux d'épouse dépouillée. Ils fondirent en larmes et redevinrent tout à coup des petits garçons. Par ce simple geste, Florence sut que sa mère resterait solide et forte dans son nouveau statut de veuve. Leur survie à tous en dépendait.

Le matin des funérailles, il tombait une pluie fine et verglaçante qui enrobait sournoisement de givre tous les éléments du paysage. Les routes devinrent impraticables, encombrées de branches cassées. Peu de gens purent se présenter aux obsèques. On essaya tant bien que mal de hisser le cercueil jusqu'au parvis de l'église, en haut de la colline, mais aucune voiture motorisée ni aucune charrette tirée par un cheval ne parvint à grimper la pente reluisante de glace. Même les six hommes volontaires pour monter la bière à pied durent y renoncer, dérapant dangereusement sur la surface lisse et mouillée. Les rares assistants trempés par la pluie tenaient à peine sur leurs jambes.

De la porte de son église, monsieur le curé, flanqué de ses enfants de chœur, fit signe à l'attroupement qu'il descendrait plutôt lui-même pour aller chanter le service au bas de la côte, à la résidence même du mort. On le vit dévaler la pente avec difficulté, obligé de maintenir les saintes espèces à bout de bras pour garder son équilibre. C'en était presque drôle! Tous rebroussèrent donc chemin en s'agrippant les uns aux autres pour ne pas se casser le cou. Étrange défilé que celui qui ramènait, d'un pas chancelant, le défunt à son ultime demeure qu'il venait de quitter quelques instants plus tôt pour l'éternité.

Florence vit dans cette scène pathétique un signe du ciel. «Dieu refuse d'accueillir mon père dans son temple parce qu'il m'en veut encore. Il est mort le cœur noirci de ressentiments envers moi...» Elle s'arrêta net, laissant les autres la devancer. «Allons, ma Flo, ressaisis-toi! La miséricorde de Dieu est infinie, il va sûrement recevoir Maxime dans son paradis. Cesse de te tourmenter et tire donc un trait sur tout cela! À partir de maintenant, tu dois vivre au présent. Et avec les vivants, pour l'amour du ciel! Uniquement les vivants!» Elle renifla, fit une caresse furtive à son ventre, et se remit vaillamment en marche.

Quelqu'un, par-derrière, lui donna un léger coup sur l'épaule. Croyant qu'il s'agissait d'un vague cousin compatissant à son chagrin, elle se retourna lentement et resta muette de saisissement.

«Toi?

— Ne pleure plus, ma princesse. Je suis là maintenant. Je suis là pour rester, je te le promets. Viens.

— Adhémar, dis que je ne rêve pas!»

Florence se jeta dans les bras du jeune homme avec le désespoir d'une condamnée et se mit à pleurer à gros bouillons. Plus rien d'autre au monde n'exista en cet instant précis que les bras solides qui l'accueillaient. Il prit entre ses mains le beau visage baigné de larmes et le caressa du bout des doigts. Les gouttes de pluie s'y mêlaient, comme si la nature désirait, en même temps que lui, le laver de toute amertume.

«Regarde, je t'ai apporté quelque chose.»

Il sortit de sa poche une petite boîte de velours violet et la déposa dans la main hésitante et glacée de Florence. Elle leva sur lui un regard interrogateur.

«Ouvre-la tout de suite!»

Elle manqua défaillir en découvrant dans l'écrin deux splendides anneaux d'or.

« Veux-tu encore de moi, ma princesse? »

Sous la pluie, le couple demeura longuement enlacé, immobile et silencieux, de plus en plus éloigné du cortège funèbre. Nul ne prêta attention aux deux silhouettes confondues, reflétées à l'infini sur la surface barbouillée par le ruissellement des eaux diluviennes.

La mise en terre fut fixée au lendemain, et on en fut quitte pour veiller le mort une nuit de plus. On se garda bien de faire des remarques sur l'arrivée impromptue d'Adhémar Vachon. Pour la plupart, sa présence parut plutôt normale compte tenu des circonstances. Les amoureux retrouvés se portèrent naturellement volontaires pour monter la garde jusqu'au lendemain sans que nul ne proteste. Ils en profitèrent pour ébaucher, comme pour le narguer, des projets d'avenir au chevet de celui qui ne pouvait plus interférer. Florence, espérant l'accord muet de son père, ne cessait de jeter un regard sur le cercueil de pin rugueux, fermé et recouvert d'une simple croix de bois. Elle n'arriverait pas à se débarrasser, pour le reste de son existence, du pincement de sa conscience pour l'avoir déçu durant les derniers jours avant son départ pour l'au-delà.

Chapitre 12

Après la mort du père, les événements déboulèrent un à un. Il fut entendu que les deux amoureux s'épouseraient sans grande pompe deux semaines plus tard. On prétexta la saison des Fêtes et la maladie de monsieur Coulombe pour expliquer la négligence de publier les bans quelques semaines avant le mariage, selon la coutume. Qui, d'ailleurs, aurait pu s'objecter sérieusement à ces épousailles? Le seul qui ne prisait pas vraiment la présence de «l'étranger» dans la vie de sa fille gisait maintenant, sans voix, au fond d'un trou derrière l'église de Saint-Didace.

Camille, quant à elle, écrasée par son deuil et obnubilée par le manque subit de revenus pour nourrir sa famille, ne s'opposa pas. Elle n'approuva pas non plus.

«Tu es assez grande, ma fille, pour savoir ce que tu fais. Mais réfléchis bien. Crois-tu sincèrement à une vie heureuse auprès de ce garçon? C'est long, toute une vie, c'est très long...»

Florence avait acquiescé d'un signe de tête sans trop savoir si ce geste affirmatif signifiait sa confiance en l'avenir ou sa compréhension que la vie en présence d'un mari mal assorti pouvait prendre des allures d'éternité. Comment aurait-elle pu savoir? L'abandon inacceptable du jeune homme après avoir appris sa grossesse l'avait rendue sceptique et méfiante et n'avait rien pour la rassurer. Adhémar avait beau répéter ses regrets et lui jurer par tous les dieux et sur tous les tons qu'il avait réfléchi et ne la délaisserait plus jamais, il restait maintenant, dans le cœur de la jeune femme, un malaise qu'elle se gardait bien de manifester devant sa mère. De toute manière, elle n'avait pas le choix. Son bébé avait besoin d'un père et elle, d'un mari, non seulement pour préserver sa réputation, mais pour assurer sa sécurité et celle de l'enfant. Il eût été franchement déraisonnable et téméraire de refuser d'enfiler l'anneau d'or qu'Adhémar lui avait présenté. Après tout, ce bébé appartenait autant à son père qu'à sa mère.

Camille, malgré ses préoccupations, participa à la confection de la robe de Florence, une petite robe de rien du tout en crêpe de Chine mauve pâle, à cause du deuil. Son conseil de donner plus d'ampleur à la ligne du vêtement que ne l'exigeait le patron fut sa seule allusion à la maternité de sa fille toujours aussi nauséeuse.

Andréanne, par contre, même si elle connaissait l'état de Florence, se sentit tenue à l'écart des événements et des décisions des dernières semaines. Quelque peu frustrée, elle ne résista pas, un bon matin, à l'envie de questionner carrément sa sœur.

«On dirait que tu es enceinte... Est-ce que je me trompe?

— Chut! C'est un secret. N'en parle à personne.

— Wow! Tu l'as fait! Tu as couché avec un homme, toi, ma sainte sœur! Oh là là! Et pas avec n'importe quel, ma chère!

— Oui...

— Et alors? C'était comment?

— Quoi?

— C'était comment, au lit, avec le bel Adhémar?»

Scandalisée, Florence jeta à sa sœur un regard méprisant et se garda bien de répondre. N'avait-elle donc aucune pudeur? De quel droit cette effrontée se permettait-elle de lui poser des questions aussi embarrassantes? Cela ne la regardait pas du tout. Et puis... on ne discute pas de ces choses-là, pas même avec sa sœur! Elle aurait pu se contenter de partager son bonheur de devenir bientôt «matante» et peut-être même marraine.

«Moi aussi, j'aurais dit oui à Adhémar s'il m'avait fait des propositions indécentes. Dire que bientôt, tu vas coucher avec lui tous les soirs... Ah! je t'envie!

— Tais-toi, tu dis des bêtises, espèce de vicieuse! Tu ferais mieux d'aller aider maman à préparer le souper.

— Peuh! Il ne reste presque plus rien dans le garde-manger. On va encore se taper des patates, du navet et du chou. J'ai hâte de déménager à Montréal.

— Que racontes-tu là?

— Maman me l'a confirmé hier: non seulement la menuiserie de papa est à vendre, mais la maison aussi. Elle ne t'en a pas parlé? Toute la famille partira bientôt pour la ville, car ici il n'y a plus personne pour nous faire vivre. Guillaume est trop jeune pour prendre la relève dans l'atelier de papa. En ville, il apprendra un métier, et Alexandre pourra terminer ses études. Maman et moi, on se trouvera du travail dans une manufacture. Une cousine du côté de papa lui a écrit. Tu sais, la vieille Germaine? Elle accepte de nous héberger temporairement en attendant qu'on se déniche un logement.»

Un logement à Montréal? Ah! bon Dieu! Quelle horreur! Florence tomba, bouche bée, sur sa chaise. Ainsi on l'avait exclue des nouveaux projets de la famille. De sa famille! On aurait pu l'avertir, lui en parler à tout le moins! Pourquoi donc ce silence? Son mariage hâtif et obligé ne constituait pas une raison suffisante à ses yeux pour la tenir éloignée de changements aussi importants. On ne l'avait même pas consultée! Bien sûr, il avait été prévu qu'après les noces elle habiterait à Saint-Charles-de-Mandeville, dans la famille d'Adhémar, en haut du magasin général, le temps de se trouver une maison dans les parages. Mais son cœur, lui, resterait toujours attaché aux habitants de la rue Saint-Joseph, à Saint-Didace, malgré l'éloignement. Déjà qu'elle appréhendait la courte distance entre les deux villages, comment supporterait-elle l'exil de tous les siens à plus de soixante milles de distance? À ses yeux, Montréal se trouvait à l'autre bout du monde.

Ah! Seigneur! Pourquoi donc sa mère ne l'avait-elle pas avisée la première? Sans doute pour ne pas entacher son bonheur d'épouser enfin l'homme de sa vie. Elle ne voyait pas d'autres raisons. Mais la simple idée de ne plus rencontrer les siens pendant des semaines, voire des mois, la terrifiait. Vingt fois elle éprouva l'envie d'aller se jeter dans les bras de Camille et de la supplier de ne pas partir, vingt fois elle se retint. Rien ne servait de précipiter les choses. Elle laisserait sa mère venir d'elle-même lui en parler en temps et lieu.

L'homme de sa vie... Adhémar représentait-il bien l'homme de sa vie? Elle se posait la question parfois, durant la nuit, à l'heure où le vent hurle aux encoignures des fenêtres et glisse des pensées nébuleuses dans l'esprit des jeunes filles en mal de sommeil. Mais les matins ramenaient des haut-le-cœur qui la rassuraient en quelque sorte sur sa décision et les raisons concrètes et contraignantes qui la forçaient à épouser le fils Vachon.

Pourtant, quand il avait un peu bu et lui tenait un langage grivois davantage axé sur ses fesses que sur tout autre chose, elle détournait la tête, écœurée. Non... il ne s'agissait pas là de l'homme de ses rêves, cultivé, raffiné, distingué. Mais Adhémar était joli garçon et quand, dans l'appentis abandonné du père défunt, il plongeait ses grands yeux verts bordés d'or dans les siens et qu'il se jetait sur elle en disant «je t'aime, ma princesse», plus rien d'autre n'existait au monde que le bel étalon aux mains baladeuses et à la peau ferme et chaude. Elle éprouvait alors l'immense désir de se fondre en lui, en se donnant sans retenue.

À cela, il fallait bien ajouter la garantie financière

qu'il représentait pour l'avenir. D'ici quelques années, il aurait probablement remboursé sa dette, et le père Vachon se retirerait des affaires pour prendre sa retraite. Son fils hériterait du magasin, ce qui assurerait la subsistance de tous les petits Vachon qu'elle avait l'intention de mettre au monde. Il n'était plus question de retourner faire la classe ni avant ni après la naissance du bébé. Mademoiselle Yvette avait finalement accepté de la remplacer jusqu'à la fin de l'année. De cette manière, ses anciens élèves ne seraient pas privés d'enseignement. Pour le reste de l'hiver, Florence préférait s'installer tranquillement dans sa belle-famille tout en passant le plus de temps possible auprès de Camille avant son départ. Plus tard, on verrait.

Mais elle reconnaissait à peine sa mère. La veuve paraissait pâle, amaigrie, sans énergie, taciturne, découragée. Le petit pécule amassé au fil des années « pour les imprévus » avait rapidement fondu. Il devenait urgent de vendre la menuiserie à n'importe quel prix. Simon Prud'homme aurait pu se montrer intéressé, mais ni lui ni son père ne disposaient de la somme nécessaire. Et personne, en ces temps difficiles, n'avait d'argent à leur prêter.

« Dommage! s'était exclamée Florence en scrutant, mine de rien, le visage de sa sœur. Tu aurais pu habiter notre maison pour le reste de tes jours avec ton Simon.

— Très peu pour moi! Et puis, ce n'est pas "mon" Simon. Qui te dit que je vais me marier avec lui? Je préfère mille fois m'en aller habiter à Montréal, tu sauras.

— Je le croyais ton amoureux, non?

— Pas plus que ça! Je ne suis pas obligée de devenir sa femme parce qu'il m'a quelquefois conté fleurette! Moi, je rêve d'un amour déchaîné, puissant, intense... Et certainement plus croustillant! Qu'en penses-tu, toi qui feras le grand saut?

— Tu n'as que seize ans, tu as bien le temps!

— Tu as raison, je préfère attendre de rencontrer l'homme de ma vie.»

«L'homme de ma vie, l'homme de ma vie!...» Les femmes n'avaient donc que cela à la bouche, comme une véritable obsession! Florence avait ravalé sa salive. Quelle femme pouvait se targuer d'avoir épousé l'homme de sa vie? Cela n'arrivait que dans les livres! S'agissait-il de l'amoureux paisible auprès duquel on arrivait à écouler des jours heureux et sans histoire? Ou bien du don Juan beau à rêver, presque déshumanisé à force de paraître parfait? Existe-t-il des êtres capables de nourrir les passions chaque jour de l'existence pendant cinquante ans?

«Et puis, je veux prendre le temps de découvrir Montréal», avait ajouté Andréanne en martelant distraitement la même note dans le registre aigu du piano, l'esprit déjà envolé vers les plaisirs et les nombreuses distractions de la ville.

Florence n'avait pas répondu, honteuse d'envier secrètement sa sœur. Pour elle-même, c'en était fini des rêves d'évasion et d'aventure. Elle avait connu la vie urbaine aux États-Unis durant quelques jours, et cela lui avait suffi pour réaliser qu'elle était faite pour la campagne et les grands espaces. Mais la liberté de choisir, de mener sa vie à sa guise, elle allait y renoncer dans deux jours, au pied de l'autel. Son serment de fidélité et d'obéissance à Adhémar Vachon devant Dieu et devant les hommes allait lui lier les mains, les pieds... et le cœur! Mais au moins, l'honneur serait sauf, et son enfant naîtrait dans un cadre sain et normal. Elle assumerait elle-même son rôle de mère auprès de son petit. Pour l'instant, elle n'en demandait pas plus à la vie. Une vie de famille, une simple et calme vie de famille au milieu de la nature.

***

La bénédiction nuptiale eut lieu, par un petit matin gris de février, dans la chapelle de l'Immaculée-Conception située derrière la nef de l'église de Saint-Didace, dans la plus stricte intimité. Malgré les efforts de monsieur le curé, l'ombre du disparu plana durant toute la durée de la cérémonie. Les époux restèrent figés, et on mit sur le compte de l'émotion leurs visages impassibles et inexpressifs.

Le voisin, monsieur Prud'homme, servit de témoin à la mariée et eut la bonne idée d'inviter les familles des époux à partager un repas frugal en sa demeure après la messe. Florence et Adhémar se montrèrent fort reconnaissants pour ce geste généreux qu'ils considérèrent comme un acte de charité. En effet, Camille, anéantie par son deuil, n'aurait pu assumer le coût et la tâche de préparer un repas de noces. Quant aux Vachon, il ne vint jamais à l'idée des parents d'Adhémar de souligner l'événement, la convention exigeant que la famille de la mariée prenne en charge l'entière organisation des festivités. Nul ne fit mention, non plus, de l'absence de Simon, fils aîné des Prud'homme, parti donner un coup de main à la construction d'une remise chez des amis éloignés, au grand soulagement d'Andréanne.

À la fin de la soirée, les mariés s'acheminèrent vers Saint-Charles-de-Mandeville et dormirent, derrière le logement des beaux-parents, dans le réduit transformé en chambre nuptiale. Dans les bras de son époux, la nouvelle madame Vachon mit du temps à s'endormir et rêva qu'elle chutait dans un puits sans fond en lançant des hurlements.

Dehors, la bourrasque faisait rage et soufflait une neige sèche et granuleuse sur les aspérités désertiques du paysage. Cet hiver serait long...

Chapitre 13

15 février 1933

Ma sœur paraissait morose le jour de ses noces. Raide, guindée, la face de bois. Cela m'a donné le goût de brailler. On a invoqué le deuil, l'émotion, la fatigue. Pourtant, se marier « obligée » avec le bel Adhémar Vachon ne me semble pas si terrible après tout! Évidemment, les jolies mariées que ma Flo et moi tracions jadis, sur nos tablettes à dessin, affichaient plus de panache et brillaient de plus d'éclat avec leur voile, leur longue robe rose et leur sourire extasié!

Je la regardais, debout devant la balustrade, si menue dans sa tunique violette, son affreux chapeau enfoncé jusqu'aux oreilles comme pour s'abriter de la fatalité. Eh bien, la fatalité l'a rattrapée, ce matin-là, la sœurette! Quelqu'un dans l'assistance a-t-il deviné que, dans le secret de ce ventre plat, se trouvait une vie nouvelle qui grandira, s'épanouira, éclatera au grand jour dans peu de temps? Pourquoi s'épouser de façon aussi précipitée si ce n'est pour quelque raison obscure comme d'éviter les qu'en-dira-t-on, par exemple? Avant longtemps, il se trouvera bien quelques commères pour soulever des questions. Les cancans vont aller bon train, je n'en doute pas un instant! Adhémar Vachon venait-il à la maison depuis suffisamment longtemps pour justifier une demande en mariage? Par contre, l'Église ne favorise pas les longues fréquentations, ce qui pourrait, à la rigueur, justifier un mariage hâtif... D'un autre côté, ce n'est pas parce qu'un père meurt que ses enfants se doivent d'interrompre tous leurs projets... Et blablabla... Espérons pour ma sœur que, l'été prochain, les hypothèses, les suppositions et les présomptions judicieuses auront été oubliées, de même que la date précise du mariage.

En tout cas, personne dans l'assemblée n'a crié «Vive la mariée!» Adhémar, lui, paraissait plus détendu, et même plus heureux de la situation présente et du geste qu'il faisait. Il jetait constamment un œil bienveillant sur la future épouse qui se contentait de lui répondre par des demi-sourires à peine ébauchés. Quand est venu le temps de prononcer le fatidique et irréversible «Oui, je le veux!», il l'a regardée tendrement dans les yeux et a prononcé les mots d'une voix ferme et empreinte de sincérité. Du moins, c'est ce que j'ai observé. Elle, par contre, a répondu d'une voix vacillante et à peine audible, en baissant la tête. Ma sœur sera-t-elle heureuse avec cet homme-là? Tout à coup, je n'en suis plus certaine.

Pauvre Florence... Au fond, je la plains! Confinée pour le reste de ses jours à Saint-Charles-de-Mandeville ou ailleurs dans la région où il ne se passe jamais rien. Vivoter éternellement autour du magasin général, quelle horreur! Quoique moins pire que toute une vie à la ferme des Prud'homme! Ah! Dire que j'aurais pu me trouver à la place de ma sœur, là, en avant de l'église, déguisée en mariée pour sauver mon honneur. Mais personne ne devinera jamais!

La veille des noces, j'ai failli aller trouver Florence et tout lui raconter sur ce que j'avais vécu à Montréal. Elle n'arrivait pas à dormir, je l'entendais se retourner dans son lit. Puis, à bien y penser, j'ai finalement choisi de ne pas bouger et de me taire. De toute manière, il n'y a plus de bébé, plus de fréquentation avec Simon, plus rien! Tout est rentré dans l'ordre maintenant. À quoi m'aurait servi de réveiller le passé et d'entretenir ce mauvais souvenir? Flo n'a pas à connaître ma mésaventure, elle qui a choisi une vie différente. À chacune sa solution, n'est-ce pas? À Montréal, après l'avortement, je suis même allée me confesser avant de revenir ici. Mieux vaut tenir ça mort et reléguer ce cauchemar aux oubliettes! Maintenant, je repars à neuf dans la vie. Tout doit être effacé. N'empêche que, des fois, je ne peux m'empêcher de songer à ce petit-là que j'ai envoyé au fond des limbes. Et cela me donne envie de pleurer comme un bébé. Pas facile de tourner définitivement la page la veille du mariage de quelqu'un qui a eu le courage de le garder, son petit...

À part Simon et ma cousine Lise, nul ne sait et ne saura jamais rien en ce qui me concerne. Surtout pas maman. Même Alexandre semble avoir oublié la scène dont il avait été vaguement le témoin quand il s'était pointé, un jour, dans la grange pendant que Simon et moi... À bien y penser, le petit frère a dû ne rien voir. À cet âge précoce, il ne pouvait même pas deviner ce que nous étions en train de faire. Il n'en a d'ailleurs jamais parlé. Lise, de son côté, ne me trahira pas parce qu'elle-même, l'an dernier, a vécu certains petits problèmes pas trop racontables. Hum!... Pas vraiment la personne idéale à fréquenter, la cousine! Bonne dépanneuse, mais... pour l'intégrité et la transparence, on peut repasser! Elle m'a cependant sauvée de ma situation et je lui en serai toujours redevable. On verra bien le genre de relation que nous établirons quand j'habiterai la même ville qu'elle. Ça reste à définir!

Quant à Simon, je ne l'ai pas revu depuis des semaines. Dieu merci, il ne s'est pas montré au mariage. Il m'en veut d'avoir refusé de garder l'enfant et de l'épouser. Il m'évite depuis mon avortement. Bah... Il aurait pu au moins s'inquiéter, s'informer... Rien! Après tout, cela le concernait lui aussi. S'il n'avait pas été aussi entreprenant, nous n'en serions pas là aujourd'hui. En fin de compte, c'est lui qui a commencé et m'a mise dans cet état! Je ne savais même pas comment se faisaient les bébés, moi! Du moins, j'ignorais les détails, même si je m'en doutais un peu. Maudits hommes! Ça prend tout et ça se fiche bien des conséquences! Aucune responsabilité pour ces messieurs! Facile! Ils ne restent pas avec un bébé dans le ventre, eux! Nous, les femmes, on nous méprise si nous tombons enceintes alors que ces dignes mâles continuent à marcher la tête haute! Comme si un bébé, ça ne se faisait pas à deux! Tout cela me lève le cœur.

Notre honneur nous coûte trop cher, cela n'a pas de sens,

à bien y songer. Un jour, j'aurai ma revanche. Je ne sais pas comment, mais je l'aurai! Je nous rendrai justice, à Florence et à moi... Chose certaine, je ne dépendrai jamais des hommes!

En attendant, mon cher Simon, tu peux m'oublier à jamais. Trouve-toi une autre poulette à débaucher sur la couverture du cheval, moi, je ne joue plus à ça. Pas avec toi du moins. Et ne compte pas sur moi pour te regretter et me sentir triste. Pantoute! J'ai fini de brailler...

Chapitre 14

Florence comprit, l'hiver suivant, pourquoi les belles-mères représentaient la cible préférée des histoires drôles ou méchantes véhiculées par les colporteurs et racontées cyniquement au coin du feu, le soir, pour égayer la compagnie. La sienne possédait tous les défauts: distante, acariâtre, mesquine, intransigeante et, sans doute, jalouse. Madame Vachon avait mal accepté la venue non planifiée, dans sa maison, d'une intruse maladroite pour les travaux ménagers et, du reste, accapareuse de son fils. Florence l'avait entendue en parler à une voisine.

«Moi, les mariages arrangés à la dernière minute...»

La grosse femme épiait la nouvelle épouse dans ses moindres déplacements et ne se gênait pas pour critiquer méchamment chacune de ses initiatives. Florence avait beau afficher une éternelle belle humeur et s'efforcer de se rendre aimable et serviable, on la rabrouait sans cesse.

«Vous étiez peut-être bonne pour enseigner la langue française et jouer du piano, ma chère, mais pour le ragoût, franchement!...

— Eh bien! Montrez-moi comment faire, belle-maman!»

La belle-maman se contentait de hausser les épaules en lui jetant des regards méprisants comme si elle n'avait pas de temps à perdre pour déniaiser une idiote et lui enseigner des rudiments qu'elle aurait dû connaître depuis toujours. Les trois jeunes frères d'Adhémar, quant à eux, ne pardonnaient pas à la nouvelle belle-sœur : ils avaient dû renoncer à leur chambre pour laisser la place libre aux tourtereaux.

Florence se prenait à regretter le calme austère et ordonné de sa petite piaule, derrière l'école, malgré le souffle glacial de solitude qui ne manquait pas de la saisir certains soirs. Dans cet espace restreint cloisonné de carton, entre la chambre de ses beaux-parents et le réduit où dormaient les trois adolescents, elle n'osait pas bouger de crainte que des oreilles malicieusement attentives ne restent aux aguets. Il devenait impossible de donner libre cours aux ébats amoureux sans crainte d'être entendus. À l'approche de son mari, elle se crispait et attendait avec impatience qu'il en finisse et tombe endormi, repu, à ses côtés. À tout moment, elle prétextait un mal de tête ou un malaise dû à sa grossesse pour refuser ses avances.

Elle ne ratait pas les occasions de se rendre chez sa mère, à Saint-Didace. Mais trop souvent, elle devait se contenter de descendre au magasin pour offrir de se rendre utile. Plus avenant que sa femme, le beau-père faisait montre de gentillesse et d'indulgence. Un jour, pendant qu'Adhémar était parti remplir une commande à la ville, il accepta d'ouvrir les livres de comptabilité du magasin, à la demande insistante de Florence.

« Je pourrais m'occuper de votre comptabilité. J'apprends facilement, vous savez.

— Ce ne sera pas nécessaire. Le magasin appartiendra à quelqu'un d'autre avant longtemps.

— Comment cela ? Que voulez-vous dire ?

— Mon fils ne vous en a pas parlé ? Voilà plus de six mois que nous sommes dans le rouge. L'huissier va se pointer d'ici peu, j'en gagerais ma chemise.

— Adhémar ne m'a rien dit. Il m'a seulement laissé entendre qu'après votre retraite, il continuerait de s'occuper du commerce.

— Mon fils rêve en couleur. Il me doit encore plus de mille piastres et le magasin s'en va en faillite! Vous savez, depuis le crash de 29, les gens n'ont plus d'argent. J'ai fait crédit à tout le monde autant que j'ai pu, mais plus personne n'arrive à me rembourser par les temps qui courent. La belle affaire! Je me suis mis dans de sales draps! Une seule chose pourrait nous sauver de la ruine: vendre le magasin à bon prix. Mais les acheteurs se font rares, ma pauvre enfant, très rares... Regardez les colonnes de crédit noircies de chiffres, là, dans la page de gauche.»

Florence ne voyait rien, le regard embrouillé par les larmes qu'elle arrivait mal à retenir. Ainsi, Adhémar lui avait menti et lancé de la poudre aux yeux. Jamais il ne deviendrait propriétaire de ce commerce! Monsieur Vachon ne s'aperçut de rien et continua de tourner machinalement les pages en pointant du doigt l'alignement des sommes créditées rigoureusement écrites à l'encre bleue, d'une écriture soignée et penchée. Elle se mit à frissonner.

«Qu'allons-nous devenir? J'attends un bébé, moi!
— Vous attendez un bébé? Ça alors! Ma femme ne s'était donc pas trompée sur votre état. Ah! le flair féminin!
— De quoi allons-nous vivre si Adhémar n'a plus de travail? Avoir su cela, j'aurais insisté pour reprendre mon poste à l'école. Le règlement stipule qu'une femme mariée ne peut plus enseigner mais qui sait? On aurait peut-être accepté de l'amender pour moi...
— Vous n'y pensez pas! Et le bébé, qui aurait soin du bébé?
— Le bébé n'arrivera que l'été prochain, et ma mère aurait pu le garder à partir de l'automne. Au moins quelqu'un, parmi nous, aurait gagné un salaire acceptable et régulier.»

Elle se garda bien d'ajouter qu'elle aurait dû rester

aux États-Unis, auprès de sa tante et de son oncle, pour mettre son enfant au monde là-bas en toute quiétude au lieu de croupir dans cette galère à la dérive, loin des siens et auprès d'un mari qui ne la méritait pas. En effet, Adhémar se montrait sous son vrai jour, menteur, coureur et buveur par surcroît! Encore la veille, il était rentré aux petites heures du matin, à moitié ivre, après deux jours d'absence inexpliquée à Berthier. Elle n'avait pas dormi de la nuit, l'oreille aux aguets, retenant son souffle chaque fois que la bourrasque s'emportait, s'imaginant qu'une voiture approchait. Bien sûr, il y avait cette neige qui tombait dru, mais le mauvais état des routes suffisait-il pour excuser une si longue absence? Il aurait pu au moins téléphoner pour l'avertir de son retard et lui éviter des inquiétudes inutiles.

Monsieur Vachon prit la jeune fille par les épaules.

« Ne paniquez pas! Il reste un espoir : j'ai un acheteur potentiel sérieux. Un certain marchand de Montréal se montre intéressé. Et la vente effacerait la dette de mon fils. Peut-être le nouveau patron acceptera-t-il d'embaucher Adhémar comme commis, les premiers temps du moins? Mon fils connaît bien la clientèle et les rouages du commerce. Il lui serait certainement d'une grande utilité. »

Florence acquiesça d'un signe de tête, sans dire un mot. Que pouvait-elle ajouter? Elle avait l'impression d'avoir perdu tous ses pouvoirs sur sa propre vie, mis à part un seul, celui de la maternité. Elle refit le geste tendre mille fois répété en portant encore une fois les mains sur son ventre. « Ne t'en fais pas, mon tout-petit, je saurai bien me tirer d'affaire. »

***

Par un pur effet du hasard, le magasin général de Saint-Charles et la menuiserie Coulombe de Saint-

Didace ainsi que la maison familiale attenante trouvèrent acheteur durant la même semaine de mars. Et, pour l'un comme pour l'autre, on vendit à perte et pour un prix dérisoire. Si elle ne fut pas fâchée de voir la dette de son mari s'effacer et sa belle-famille déguerpir à Berthier, Florence vit par contre partir les siens vers Montréal avec un inconsolable serrement de cœur.

Camille, trop préoccupée par l'organisation du déménagement et la réinstallation de la famille dans un nouveau cadre de vie, ne se rendit pas compte du désarroi de son aînée dont le ventre commençait à poindre impérativement sous le tablier. À peine trouva-t-elle le temps de se pencher quelquefois sur cette grande fille qu'elle croyait désormais capable de mener elle-même sa barque. Florence, paralysée par un atroce sentiment d'abandon, regardait avec désespoir les siens empiler joyeusement leurs bagages. Ils partaient tous, ils la délaissaient tous sans l'ombre d'un regret, emportés par le courant et une impérative pulsion de survivre, tous tournés vers l'avant et assoiffés d'aventure. Ils verraient d'autres cieux qu'elle ne connaissait pas, ils vivraient dans un ailleurs dont elle se sentait exclue. S'en rendaient-ils au moins compte? Il n'était pas dans l'ordre naturel des choses de rompre aussi brutalement les liens avec sa famille. Elle ne se sentait pas préparée pour cela, les événements se précipitaient trop rapidement. Plus que jamais, elle avait besoin de la présence rassurante de sa mère, de la sollicitude de sa sœur, de la vivacité de ses frères. Montréal se trouvait trop loin, à l'autre bout de la planète! Elle ne les verrait plus, elle le sentait. Ou du moins pas assez!

Il ne se trouvait donc personne pour s'inquiéter de la nouvelle mariée, naïve et sans expérience, enceinte de quatre mois déguisés en deux mois et demi pour la galerie, personne pour lui donner la main, la prendre par l'épaule et lui dire: «Je suis là, ne crains rien!»?

111

Au moment du grand départ, elle resta immobile, debout sur le quai, à regarder s'éloigner le train. Bien sûr, ils l'avaient tous embrassée promptement : la mère, larmoyante mais muette, sans doute dépassée elle-même par les circonstances; Andréanne, déjà tournée vers des lendemains remplis de promesses; ses frères, absolument inconscients de vivre un moment crucial de leur existence; Guillaume sur le point de devenir un homme et le petit Alexandre qu'elle ne verrait pas finir de grandir. Ou si peu...

Le piano fut le dernier objet à être chargé sur le wagon arrière. On avait bien cherché preneur, mais nul ne s'était montré intéressé. Florence, ignorant elle-même où elle allait habiter après la vente du magasin, dut y renoncer, non sans chagrin. Elle le vit disparaître comme si l'un des plus merveilleux pans de son enfance se trouvait enfermé au fond de cette caisse-là.

«Adieu Mozart, adieu Beethoven, adieu maman, adieu ma sœur... Toi au moins, tu pourras encore te servir du piano, chanceuse! Adieu les frérots, adieu vous tous que j'aime tant! Oui, oui, on s'écrira. Toutes les semaines, c'est promis! Et on s'appellera quand vous aurez le téléphone. Et on se rendra visite, bien sûr! J'irai et vous viendrez, Montréal n'est pas si loin, hein, maman? Ce n'est pas loin, ce n'est pas loin, dites-le-moi, quelqu'un, que ce n'est pas loin! J'irai et vous viendrez. Et on se retrouvera. Dites, on se retrouvera, n'est-ce pas? Vous resterez les mêmes que dans mes souvenirs, jurez-moi que vous resterez les mêmes... Non, non, ne vous en faites pas pour moi, je saurai me débrouiller. Après tout, je ne reste pas toute seule. J'ai un mari maintenant, et un bébé qui s'en vient.»

«*Pas toute seule, pas toute seule, pas toute seule...*» Florence aurait juré que le mouvement de la locomotive répétait à l'infini ces mots qui lui martelaient le cœur. Était-ce pour se moquer d'elle? «*Patatrac, pas toute seule, patatrac, pas toute seule...* » Que ce train infernal déguer-pisse au plus vite! Seule sur la plate-forme de la gare, les épaules affaissées et sans aucun geste d'au revoir, elle resta là, voyant défiler sous ses yeux, sans pouvoir accrocher son regard, le monstre qui venait d'avaler les seuls êtres qui eussent jamais compté pour elle. Le sifflement strident de l'engin déchira le silence comme pour signaler à l'univers entier que Florence Coulombe venait de tourner la page sur la première tranche de sa vie. Elle avait dix-huit ans.

Le train avait disparu depuis longtemps derrière le premier tournant quand elle se retourna d'un bloc et vit Adhémar qui s'amenait avec une camionnette em-pruntée pour transporter leurs rares effets personnels.

« Viens-t'en, ma princesse, il faut partir nous aussi si on veut arriver avant la brunante. »

Voyant le visage défait de sa femme, il se contenta de la prendre dans ses bras sans prononcer une parole. Sans doute pouvait-il comprendre son abattement, lui qui avait assisté à une scène semblable, quelques jours auparavant, lors du départ de sa propre famille. Mais les Vachon s'étaient quittés sans émotion, en formulant à peine quelques vagues promesses de retrouvailles. Il faut dire que Berthier se trouvait plus près et qu'Adhémar, fidèle à ses vieilles habitudes, ne man-querait pas d'y retourner au moindre prétexte.

Dans la petite chambre qu'un villageois de Saint-Charles avait accepté de leur louer temporairement pour quelques jours, le couple installa ses maigres pénates. Le nouveau propriétaire du magasin général avait décidé d'occuper le logis du dessus dès son arrivée, et les amoureux s'étaient trouvés pris au dépourvu. Florence avait émis sans conviction l'idée de fuir à Montréal, eux aussi, mais Adhémar avait répondu évasivement. Elle s'imagina, folle d'espoir, qu'il avait peut-être quelque autre plan derrière la tête.

De tout ce qui lui avait appartenu chez sa mère, elle n'avait ramené que son coffre d'espérance. Après le mariage, elle n'avait pu le transporter chez les Vachon, faute de place. D'une main tremblante, elle sortit la lingerie amoureusement préparée et accumulée tout au long de ses jeunes années. Tant de rêves! En voyant les oreillers brodés de coquelicots, elle se sentit fondre et les pressa tendrement contre son cœur. «Allons, je n'ai pas de raison de me plaindre. Mon arrière-grand-mère se trouvait sans doute plus démunie que moi quand elle quitta son pays de coquelicots pour venir s'installer ici, seule avec son homme, dans ces terres inconnues, arides et inhospitalières... Eh bien! fais comme elle, ma Flo, montre-toi courageuse et regarde en avant. L'avenir est à bâtir!»

C'est à ce moment précis qu'elle ressentit un tressaillement dans son ventre.

«Adhémar! Viens vite! Mets ta main ici. Je pense que le bébé a bougé!»

Chapitre 15

Montréal, 15 mai 1933

Avenue Mont-Royal, rue Saint-Denis, boulevard Saint-Laurent, rue Drolet... Lumières, radio, téléphone, cinéma... Trottoirs, feux de circulation, automobiles, tramways, vitrines de magasins, cafés, cabarets, magasin Woolworth... Voilà mon nouvel univers, aux antipodes de tout ce que j'ai jamais connu dans ma vie. À Montréal, tout bouge, tout va vite, presque trop vite! C'en est étourdissant! Et la petite fille de la campagne a parfois le vertige. En une journée de travail au restaurant **Chez Dandy's,** *je vois plus de monde que j'en voyais en un mois à Saint-Didace! Et si l'argent entre vite dans ma poche, il en ressort aussi rapidement!*

Mais au moins, ma mère et moi réussissons à mener une existence décente. Bien sûr, le logement de la rue Drolet, au troisième étage, est sale et trop étroit, et Camille doit dormir sur le divan du salon juxtaposé au piano vu que j'occupe l'unique chambre avec mes deux frères. Mais, comme elle dit: «Il s'agit d'une situation temporaire.» Au moins, nous avons de quoi nous abriter et nous nourrir. Mais pas grand-chose de plus, à la vérité. Il faut nous contenter du strict minimum. L'an prochain, quand Guillaume aura sa carte de menuisier, on pourra vivre mieux sans doute.

Je ne comprends pas vraiment la signification de «crash à la Bourse, crise économique, dépression», mais tout le monde n'a que ces mots-là à la bouche. À croire que l'argent est la seule et unique préoccupation de toute la population de Montréal. Crise par-ci, crise par-là... Les emplois se font rares, certaines familles n'arrivent plus à payer leur loyer, c'est l'enfer! La misère partout... À bien y penser, nous avons eu de la chance de pouvoir nous caser quelque part. Dimanche dernier, j'ai rendu visite à ma cousine Lise. Elle en mène large, la duchesse! La crise, elle ne connaît pas, elle! M'a montré ses somptueuses toilettes, ses nombreuses paires de souliers à talons hauts, ses chapeaux en marabout, ses diamants et ses multiples bijoux en or. Oh là là! Je fais dur à côté d'elle! Je lui ai timidement parlé de l'argent que je lui dois depuis l'avortement et que je n'arrive pas à lui remettre. Les pourboires récoltés Chez Dandy's s'avèrent rarement faramineux, mais j'ai offert de la rembourser d'un certain montant chaque semaine, si minime soit-il. Elle m'a répondu que rien ne presse, de ne pas m'en faire. Je la soupçonne de vivre dans l'abondance à cause de son prétendant actuel, un homme d'affaires riche qui la comble de cadeaux. Eh bien! tant mieux pour elle!

Moi, je n'ai pas encore remplacé Simon Prud'homme. Pas eu le temps! Mes heures de travail au restaurant sont longues et, quand je rentre fourbue le soir, il me faut aider maman. Pas très en forme, notre mère! Son travail chez Laura Secord semble l'épuiser sans bon sens. De retour à la maison, elle n'a qu'une idée: se coucher! Je dois alors prendre la maisonnée en charge, préparer le souper et aider Alexandre à faire ses devoirs. Le coquin commence à en savoir plus que moi en français et en mathématiques! Le samedi, je me tape les courses, le ménage, le lavage. Ouf! J'ai hâte que maman reprenne du poil de la bête!

Je me demande ce que devient ma sœur Florence. M'ennuie un peu d'elle. Elle écrit toutes les semaines mais ne raconte pas grand-chose. J'arrive mal à croire qu'elle n'a rien à dire! Son ventre doit avoir grossi. Le mien aussi serait proéminent maintenant. Nous aurions pu vivre notre grossesse ensemble... Parfois, je regrette un peu de m'être débarrassée si rapidement du bébé, sans même y réfléchir. Il me ferait une raison de vivre, ce petit-là! Et je ne me sentirais plus jamais *seule pour le reste de mes jours. Mais il y a peu de place pour les filles-mères dans la société d'aujourd'hui. Peu de place et peu d'aide. Une fille-mère ne se montre pas au grand jour, une fille-mère, ça doit se cacher et dissimuler, aux yeux du bon peuple, le fruit honteux de son péché. Le plus grand, le plus grave, le plus laid péché de la terre. Bande d'hypocrites! Comme si elle l'avait commis seule, ce fameux péché qui en fait saliver plus d'un!*

Florence songe-t-elle à sa petite sœur de temps en temps? Moi, c'est surtout quand je joue du piano que je pense à elle. C'est fou, mais ses remontrances au sujet des gammes et des arpèges me manquent. Je n'en fais plus! Dommage que je ne puisse pas jouer plus souvent. L'autre soir, j'ai entamé un boogie-woogie endiablé, et le voisin d'à côté a cogné dans le mur. Celui du bas, lui, a frappé dans le plafond avec un manche à balai, du moins, je l'ai supposé. J'ai vite compris et refermé le piano, non sans terminer mon morceau de la façon le plus tumultueuse possible, ah! ah! Si maman savait ça... Pour une fois, elle était sortie après le souper pour rendre visite à la vieille cousine Germaine chez qui nous n'avons habité que quelques jours, en fin de compte.

J'ai raconté l'anecdote du boogie à Harry, un copain que je me suis fait Chez Dandy's, *et il a bien ri. Disons qu'il s'agit plutôt d'un ami, vu son âge. Ce client a pris l'habitude de venir, tous les matins, déjeuner au restaurant où je travaille. Sans qu'il ait à commander, je lui apporte automatiquement ses bines, ses crêpes au sirop d'érable, son café et le journal du jour. Il me fait toujours un brin de causette et a promis de m'amener chez lui, une bonne fois, pour jouer sur son piano à queue. D'après ses dires, l'instrument occupe une pièce spécialement aménagée pour la musique. Le monsieur habite Outremont, ma chère, l'un des quartiers les plus huppés de Montréal. Il parle très bien le français mais semble d'origine anglaise. Son accent me fait rire et rend le monsieur très séduisant. Mais jamais je n'oserais accepter son invitation. Cet homme a l'âge de mon père, et même de mon grand-père!*

C'est Florence qui aimerait s'amuser sur un tel piano! Je me demande comment ma sœur écoule ses journées... Je l'imagine, assise contre la fenêtre, en train de tricoter une couverture de laine douce et duveteuse sous l'œil attendri de son bel Adhémar. Ah, le bonheur! Se doute-t-elle que je l'envie parfois?

Chapitre 16

Le notaire referma son grand cahier et déposa ses lunettes sur la longue table d'acajou. Florence l'examinait d'un œil inquisiteur. Jamais elle ne pourrait faire l'amour avec ce genre d'homme trop parfait, impeccable et guindé dans son habit de gabardine gris foncé. Elle préférait de loin les allures décontractées d'Adhémar et ses vêtements passablement dépenaillés qui le rendaient plus humain, plus accessible, insouciant de son image.

« Évidemment, si jamais nous retrouvons la trace de l'héritier de la propriété, votre contrat sera automatiquement annulé. Peut-être devrez-vous, à ce moment-là, lui payer un loyer rétroactif ou même quitter les lieux. Cela restera à voir...

— Marché conclu, monsieur le notaire.

— Dans ce cas-là, vous devez signer ici, au bas de la page. »

Adhémar et Florence avaient serré la main de l'homme et s'étaient empressés de le quitter avant qu'il ne change d'idée. Pour le moment, cette entente plutôt hasardeuse faisait l'affaire des nouveaux mariés, compte tenu de leur situation financière. C'est Adhémar qui avait déniché la vieille maison rouge, abandonnée depuis des années après l'exode de son propriétaire vers la Nouvelle-Angleterre. Elle tenait encore debout, aux confins du village de Saint-Charles, à l'extrémité d'un lopin de terre donnant sur le bord du petit lac Mandeville.

Oh! ce n'était pas un château, loin de là, et ils n'avaient pas assez d'argent pour la retaper. Mais au moins, c'était habitable et maintenant propre, après des jours et des jours de récurage. Le notaire de la région avait accepté de la louer pour une somme dérisoire, après maintes tergiversations et sous de multiples conditions.

À la vente du magasin général de Saint-Charles, les acquéreurs ne retinrent pas les services d'Adhémar qui se retrouva dramatiquement au chômage. Il avait donc profité de ses temps libres pour remettre la future habitation en état, récurant de fond en comble, lavant les murs et grattant les planchers, calfeutrant les ouvertures, réparant les fenêtres brisées. Florence se contenta d'ajouter quelques touches de couleur ici et là et décida de peindre la chambre du bébé en bleu.

Au début de mars, Adhémar accepta finalement de prendre en charge la «run de lait» en remplacement du vieil Isidore brusquement tombé malade. Florence vit dans cette offre inespérée un cadeau des dieux. Il s'agissait, très tôt le matin, de faire la tournée des cultivateurs pour cueillir les canisses de fer-blanc remplies de lait frais et placées au bord du chemin, et de les porter ensuite à la fromagerie récemment installée au village voisin. On fournissait le cheval et le traîneau, ou la charrette quand viendrait le printemps. Adhémar devait répéter la même opération après le trait de cinq heures, en fin d'après-midi. Cet emploi lui plaisait bien, car il lui permettait de tirer une pipe avec les habitants des rangs éloignés qui ne demandaient pas mieux que de piquer une jasette avec ce beau parleur. Il finit par en savoir en long et en large sur «tout un chacun» et sur les potins qui animaient les soirées dans la région.

Plus casanière et surtout soucieuse de ne pas trop afficher son ventre de plus en plus volumineux, Florence le regardait partir sans éprouver de regret. Il lui semblait plus normal de voir l'homme écouler ses journées au travail, hors du foyer. D'ailleurs, Adhémar ne se faisait pas prier pour sortir, et tout lui servait de prétexte pour s'éloigner et la laisser en plan. Il ne revenait jamais à la maison entre deux tournées de lait, préférant faire œuvre de messager ou de porteur d'un village à l'autre. On se mit à recourir à ses services pour échanger des denrées, porter des messages urgents, transporter des colis.

Florence profitait de ces longues absences pour assembler des rideaux, tricoter des gilets et des petits bonnets, coudre des langes et des couvertures. Plutôt taciturne, elle vivait repliée sur elle-même et sur l'événement qui ne manquerait pas de survenir avant longtemps. Son piano lui manquait cruellement. À la fonte des neiges, elle aurait voulu bêcher un petit potager derrière la maison. Au moins, ils ne manqueraient pas de fruits et de légumes pour l'automne. Mais elle n'en trouvait pas la force, et Adhémar ne semblait pas s'y intéresser.

Au lit, il se montrait toujours aussi tendre et amoureux, mais autrement il maintenait une distance qui ressemblait de plus en plus à de l'indifférence. Il ne lui racontait à peu près rien de ses journées, encore moins de ses frasques nocturnes qui semblaient se multiplier avec le retour du beau temps. On le trouvait partout sauf chez lui, mais personne ne savait réellement où il allait, s'il revenait ou s'il partait. On le voyait entrer ou sortir de l'une ou l'autre maison sans se poser de questions: un commissionnaire n'avait-il pas le droit de s'introduire impunément n'importe où?

S'il prenait vaguement en considération la grossesse de sa femme, son attention restait mitigée et distraite. Il n'en avait rien à foutre du bonheur de fonder une famille, et Florence, atterrée, en prenait conscience avec consternation.

«As-tu hâte de voir la binette du petit, mon mari?
— Euh oui... Bien sûr que oui!

— Comment allons-nous appeler notre fils? J'avais pensé à Georges-Aimé ou simplement Aimé. Ou encore Désiré... Et pourquoi pas Dieu-Donné? Après tout, cet enfant-là est l'enfant du désir... et un cadeau du ciel! C'est grâce à lui si nous sommes mariés.

— Désiré? Dieu-Donné? Tu veux rire! Ordonné me paraîtrait plus juste! Imposé... ou Infligé, tiens! Ou bien, Adhémar junior, l'anti-bâtard?

— Mon mari, je ne te trouve pas drôle du tout! Pauvre petit être sans défense... Vraiment, je préfère Désiré. C'est un joli nom, qu'en penses-tu?

— Ouais... Parle pour toi, ma femme! C'est toi qui le désires, cet enfant-là, pas moi! C'est ton bébé. Allons-y donc pour Désiré. Et s'il s'agit d'une fille, on l'appellera Aléa!

— Ce sera un fils, je le sais. Regarde comme je le porte bas. »

À quelques reprises, à partir de mars, Adhémar mena sa femme chez le docteur Chevrier, à Saint-Didace, pour vérifier si tout se passait bien. Chaque fois, elle avait soupiré en passant devant l'ancienne maison familiale, rue Saint-Joseph. Maladroit, l'époux n'avait pu trouver les mots pour la consoler. Mais existait-il des mots pour remplacer l'affection maternelle perdue, la gaieté d'une sœur, la gaillardise de deux frères, le regard rassurant d'un père disparu trop vite? Existait-il des mots pour remplacer une joyeuse classe de gamins pleins de vie et avides de s'ouvrir au monde entre les murs de leur école au fin fond des bois? Existait-il des mots pour remplacer les thèmes passionnés des grands compositeurs sur le piano familial? Existait-il des mots pour remplacer le calme de cette rivière qui coulait autrefois paisiblement devant la maison paternelle, et remplacer la présence rassurante de cette église montant la garde sur le haut de la colline? Existait-il des mots pour remplacer le visage de chacun des habitants de ce village dont elle connaissait le nom et l'histoire par cœur? Adhémar se taisait, trop conscient de son incapacité à combler le vide dans lequel sa femme se trouvait plongée depuis quelques mois.

Florence avait retrouvé avec plaisir le rassurant regard embroussaillé et le large sourire légèrement camouflé sous la barbe du cher docteur. Elle n'avait rien oublié de ses paroles douces et apaisantes à la mort de Maxime.

« Là où il est parti, ton père ne souffrira plus. Mais il reste présent dans ton cœur, et tu pourras lui parler à ton gré. »

Ce jour-là, elle avait écouté le médecin avec une reconnaissance infinie. Cet homme, s'il n'arrivait pas toujours à guérir les corps, savait consoler les âmes. Juste avant les Fêtes, quand elle était allée, paniquée, le trouver pour lui parler de ses menstruations qui ne revenaient plus, il s'était contenté de l'examiner minutieusement. Bien sûr, elle avait hésité à afficher devant lui les faiblesses de sa chair et elle aurait préféré remettre à plus tard, une fois mariée, d'officialiser l'évidence de son péché sur un dossier médical. Mais le docteur Vincent ne l'avait pas jugée. Au contraire, il lui avait offert son soutien et son entière collaboration. Elle lui en serait éternellement reconnaissante.

Aujourd'hui, en cette fin de juin, elle n'avait pas le choix de retourner chez lui, sous la pression insistante d'Adhémar.

« Il veut te voir aux deux semaines? Nous irons aux deux semaines, ma princesse! Il ne sera pas dit que je me comporte en mauvais époux. Allons, ma femme, prépare-toi, on part dans cinq minutes! »

Ravie de ce regain d'intérêt inattendu, Florence brossa rapidement ses cheveux et revêtit sa seule et unique blouse de maternité taillée à la hâte dans les rideaux dont sa mère avait voulu se départir. « Je jouais du piano à côté de ces rideaux-là... Cela restera pour moi un souvenir d'une époque maintenant révolue», avait-elle soupiré devant la vieille machine à coudre abandonnée par sa belle-mère. La mousseline rose cendré parsemée de fleurs lui allait bien et illuminait son teint.

Elle pénétra seule dans le cabinet, Adhémar préférant l'attendre dans l'antichambre. Le médecin la trouva en forme et rayonnante, en dépit d'une légère trace d'anémie.

«Tout va bien, ma chouette! Tu vas mettre au monde un beau bébé en santé sauf que...

— Oui, docteur?

— Puis-je me permettre de te rappeler que l'accouchement aura lieu bien avant la date officiellement prévue?

— Oui, je le sais.»

Florence baissa la tête, sentant son visage devenir écarlate. Évidemment, le médecin n'était pas dupe et n'avait pas oublié sa première visite. Il s'approcha d'elle.

«Ne t'en fais pas avec ça, ma belle enfant, il ne faut pas prêter plus de mal qu'il en faut aux phénomènes naturels. Le péché de la chair est une réponse normale à une pulsion biologique normale. Ce sont les curés qui voient du mal partout! Dieu ne t'en tiendra pas rigueur, crois-moi. Oublie cela et profite donc du temps présent. N'est-ce pas merveilleux d'attendre ensemble, ton mari et toi, le fruit de votre amour? Ne songez qu'à cela et... que le diable emporte le reste!»

Vincent éclata d'un grand rire qui coula dans le cœur de Florence comme une eau de source. Elle se rappelait les admonestations horrifiées du curé, la veille du mariage, quand elle s'était confessée au sujet de ses écarts de conduite avec son amoureux. Un peu plus et elle se serait sauvée en courant hors du confessionnal tant les réprimandes du prêtre l'avaient effrayée. À croire que Dieu lui pardonnerait à grand-peine tant la faute s'avérait grave. Encore fallait-il qu'elle regrette infiniment ses erreurs et les rachète par des sacrifices et de nombreuses expiations. Sinon, le diable ne la laisserait plus jamais tranquille, et elle devrait supporter toute sa vie le poids de ses péchés! Hélas, elle avait beau tenter de se convaincre mentalement, elle arrivait mal à regretter sincèrement le plaisir éprouvé dans les bras d'Adhémar.

Le médecin, lui, portait sur elle un regard empreint de compréhension. Il l'étreignit, l'espace d'une seconde, en passant son bras autour de ses épaules, et ce geste représentait tous les pardons du monde pour la future mère. Il avait raison, mieux valait cultiver la joie que la honte. Tant de bonté et de sollicitude l'ébranlèrent au point qu'elle faillit se blottir spontanément dans les bras du médecin comme une petite fille perdue. Cet homme-là lui avait toujours inspiré confiance. Âgé d'à peine quelques années de plus qu'Adhémar, il représentait, depuis son enfance, l'homme fort, solide, inébranlable, le symbole non seulement de sécurité mais surtout d'authenticité. Auprès de cet homme, on ne pouvait pas tricher. Non seulement il détenait un pouvoir certain sur la vie et sur la mort, basé sur ses connaissances scientifiques mystérieuses et compliquées, mais il possédait aussi une certaine sagesse qui lui permettait de prodiguer des bons conseils dans tous les domaines. Il était celui à qui on obéissait les yeux fermés, le seul à qui on faisait des confidences et racontait ses secrets... Peut-être bien représentait-il aussi, pour Florence, le père chaleureux et compréhensif que le sien n'avait jamais été pour elle.

À dire vrai, elle ne connaissait pas grand-chose de la vie personnelle du docteur Vincent, à part son dévouement sans bornes. Il n'est pas dans l'ordre naturel des choses de se tracasser, à l'inverse, pour un docteur. Une fois en place, qui se soucie des piliers d'un édifice? La femme et les deux filles du médecin participaient peu aux activités de la paroisse et se trouvaient à l'extérieur la plupart du temps. Personne ne savait trop où ni pourquoi. Selon les racontars, le véritable port d'attache du médecin se trouvait ailleurs, vraisemblablement à Montréal. Tous les dimanches, on le voyait partir dans sa nouvelle Ford pétaradante, tôt le matin, abandonnant en cas d'urgence ses patients à son confrère du village voisin.

Florence s'éloigna en douce du médecin qui laissait une main pesante sur son épaule. Ce rapprochement la troublait. L'homme sembla réaliser soudain la confusion de sa patiente et s'empressa de changer de sujet sans se rendre compte qu'il passait inconsidérément du « tu » au « vous ».

« Comment se porte votre mère? Avez-vous des nouvelles?

— Oui, je reçois d'elle ou de ma sœur au moins une lettre par semaine. Ma mère va mieux, mais elle a passé de durs moments. Les choses semblent vouloir se tasser, elle s'est finalement trouvé un emploi comme emballeuse dans le chocolat, chez *Laura Secord*. Maintenant que rentre un peu d'argent, elle arrive enfin à joindre les deux bouts, et cela me rassure. Andréanne, elle, travaille comme serveuse de restaurant et affirme apprécier ce travail.

— Les temps sont durs en ville, avec la crise.

— J'espère pouvoir leur rendre visite un de ces jours. Ils me manquent tous tellement! Mais dans mon état... Et on a à peine de quoi payer un billet de train. »

Malgré elle, Florence se sentit raidir et retint ses larmes à grand-peine.

« Dites donc, je me rends très souvent à Montréal, le dimanche, quand les cas graves ne me retiennent pas ici. Pourquoi ne profiteriez-vous pas de ma nouvelle voiture, ton mari et toi? Vous pourriez m'accompagner, je vous laisserais chez ta mère le matin et je vous reprendrais en fin d'après-midi pour vous ramener ici.

— C'est trop de bonté, docteur. Mais Mandeville ne se trouve pas du tout sur la route de Montréal, et il vous faudrait faire un détour.

— Qu'importe! Je vous l'offre, vous devriez en profiter. De toute façon, ce ne sera pas pour maintenant. Je te conseille de rester sagement à la maison, car le bébé devrait arriver d'ici quelques semaines. As-tu vu la sage-femme de ton village? Mieux vaudrait l'aviser. J'espère bien me rendre chez toi à temps pour l'accouchement, mais rien n'est moins sûr, d'autant que vous ne possédez pas de téléphone. Mais tout me paraît de bon augure. Ne t'inquiète pas, ma petite Florence, tout va bien se passer, je veille sur toi. Et compte sur moi pour... euh... feindre la prématurité du nouveau-né! »

La jeune femme retrouva son mari dans la salle d'attente et porta sur lui un regard radieux. Il omit de lui demander pourquoi, trop occupé à détailler la silhouette aguichante de la prochaine patiente.

**

Le petit Désiré Vachon lança son premier cri durant la nuit qui séparait l'été en deux, à cheval entre juillet et août. Comme il passait légèrement minuit, la petite histoire retiendrait que l'enfant était venu au monde en août, au cours du septième mois après le mariage de ses parents, ce qui rendait les événements plausibles et ferait taire les mauvaises langues. L'honneur était sauf! De toute manière, dans cet endroit éloigné, il ne se trouvait personne pour calculer méchamment le nombre de semaines de grossesse. Le jeune couple, arrivé durant la saison froide où l'on se cloître davantage que l'on se voisine, se mêlait fort peu à la bonne société de Saint-Charles. Si on connaissait bien l'ancien commis Adhémar

Vachon, devenu livreur, on ne savait pas grand-chose de sa femme, sinon qu'elle provenait de Saint-Didace et que, recluse dans l'ancienne maison abandonnée du rang Mandeville, elle attendait un enfant.

Vincent Chevrier avait raison : tout se déroula bien malgré son absence. Florence, assistée de la sage-femme du village, n'aurait pas cru qu'il fallût tant souffrir pour donner naissance à un enfant. Mais elle oublia vite les douleurs lorsqu'elle pressa sur son cœur le petit corps chaud et vagissant du bébé. Adhémar, plus énervé qu'efficace, joua le rôle de la mouche du coche. Pas une seule fois il ne daigna examiner l'enfant attentivement et le prendre dans ses bras. Quand Florence lui tendit le petit paquet enveloppé de langes blancs, il resta figé et préféra refuser.

« Les bébés, c'est des affaires de femmes ! »

Quelques heures plus tard, il s'en fut fêter la naissance de son fils avec ses amis de Berthier et ne réapparut que le surlendemain, plus amoché que celle qui venait d'accoucher.

Florence lui en voulut longtemps pour avoir assombri, à sa manière, ce qui aurait pu s'avérer le plus bel événement de sa vie.

Chapitre 17

À cause de ses absences trop nombreuses et de son manque de fiabilité, Adhémar perdit sa tournée de lait à la fin de l'été. Les remplaçants ne manquaient pas, car, à la campagne comme à la ville, le travail faisait défaut. Les années qui suivirent le crash à la Bourse de New York furent parmi les plus dures de l'histoire. Les personnes ruinées se comptaient par milliers, autant parmi les petits épargnants que chez les riches spéculateurs. À Mandeville et aux alentours, certains hommes se rendaient, la nuit, dans les forêts pour couper des arbres afin de procurer du bois de chauffage à leurs familles. On vit même des badauds accourir, après le passage des trains, pour ramasser les résidus de charbon s'échappant des locomotives. Les enfants mal nourris tombaient comme des mouches. On parlait de la «procession des petits chariots blancs», et les femmes n'avaient pas d'autres choix que de pleurer amèrement leurs bambins perdus en disant le rosaire.

Isolée dans sa chaumière mal chauffée, Florence coulait des jours teintés d'incertitude auprès de Désiré. Pas une seule fois le couple ne profita de l'offre du médecin de les conduire à la ville un bon dimanche. Adhémar, après avoir noyé dans l'alcool la perte de son emploi et chômé durant quelques semaines, décida de se reprendre en mains. À l'automne, on l'embaucha dans une compagnie de coupe de bois, à une cinquantaine de milles au nord du village.

« Comme ça, ma princesse, tu ne manqueras de rien. Je t'enverrai mon chèque de paye en entier. Et dans les camps de bûcherons, il n'y a pas de femmes, tu n'auras donc pas à t'inquiéter au sujet de ton petit mari chéri. »

Florence ne répondit pas. Son petit mari chéri! Elle se demandait bien en quoi Adhémar pouvait ressembler au mari chéri auquel elle avait rêvé autrefois. Ainsi, sa fidélité ne tenait qu'à l'absence de femmes... Elle se contenta de rouler sa pâte d'une main raide et agressive, au risque de rendre ses tartes dures et immangeables. Le choc du rouleau de bois sur l'armoire remplissait l'espace silencieux comme une machine infernale s'acharnant à marteler insidieusement le dos des petits maris chéris dégoûtants.

Pourquoi protesterait-elle? Pourquoi supplier son mari de ne pas l'abandonner pendant tout un interminable hiver, enceinte de nouveau et perdue à l'autre bout d'un rang, à une heure de marche de la première âme qui vive? Mais de quoi se plaignait-elle donc? Elle ne se trouvait pas seule, elle avait son adorable bébé de quatre mois et un autre qui croissait dans son ventre.

Pourquoi réclamer son homme auprès d'elle? Au fond, il ne lui apportait que désolation. Il valait mieux qu'il parte travailler, le plus loin possible. N'importe quoi plutôt que cette présence encombrante et oisive, ce regard fureteur qui ne trouvait rien d'autre à faire que de l'observer sans cesse en l'appelant «ma princesse». Peuh! La pauvre n'avait de princesse que le sobriquet. Les vraies princesses ne connaissaient assurément pas un tel état de pauvreté et de désaffection.

Ah oui! Il pouvait partir, le mari chéri! Qu'il se bouge un peu pour assurer leur pitance, qu'il veille à fournir une nourriture décente au petit et les objets de première nécessité à sa famille, les vêtements, les médicaments, la farine pour le pain... Qu'il s'occupe de régler le loyer impayé depuis deux mois. Qu'il prenne ses responsabilités de mari et qu'il les fasse vivre, quoi!

Elle battait maintenant la pâte plutôt qu'elle la roulait et ses jointures prenaient la couleur de la farine.

«Je t'écrirai souvent, ma princesse.

— Pour de vrai ou est-ce une promesse d'ivrogne?

— Pour de vrai, voyons!»

Adhémar ignorait que les chantiers débordaient d'un surnombre de travailleurs zélés préoccupés de conserver leur emploi et qu'on ne retenait que les meilleurs. Il ne fit pas trois semaines avant d'être congédié pour son manque d'ardeur.

Une fin d'après-midi du début de décembre, à travers la vitre givrée de la fenêtre de cuisine, elle reconnut, à la brunante, sa silhouette s'avançant lentement au tournant du chemin. Elle accourut à la porte avec un air interrogateur. Il marchait en se traînant les pieds, la mine déconfite et l'air coupable.

«Un matin, ça ne filait pas trop et je ne me suis pas levé. Après tout, il faut bien prendre soin de notre santé, hein? Bien, ils m'ont mis à la porte, les écœurants! Ces rapaces nous font travailler comme des bœufs pour vingt cennes par jour, ça n'a pas de sens! Il paraît qu'au printemps, ils vont retenir deux piastres sur la paye pour payer la pension. Un lit dans une baraque mal chauffée où ça sent la soue à cochons... Tu parles! Je te dis, ma femme, il va y avoir des grèves avant longtemps. À bien y penser, c'est préférable de me tenir loin de ça!»

Florence hocha la tête. Il n'y avait rien à ajouter. À vrai dire, elle n'était pas fâchée de voir revenir son mari malgré tout. Le petit Désiré paraissait fiévreux depuis quelques jours et cela l'inquiétait. Au moins, Adhémar pourrait aller chercher de l'aide en cas d'urgence ou la conduire chez le médecin avec l'enfant. Et puis, passer seule son premier Noël de femme mariée, loin de tous les siens, ne lui disait rien qui vaille. Au moins, elle aurait son mari auprès d'elle. Mais de quoi vivraient-ils? Elle se le demandait. Allaient-ils au moins manger trois fois par jour?

« Que vas-tu faire, mon mari chéri?

— Que veux-tu que je fasse?

— De quoi allons-nous vivre si tu ne gagnes plus d'argent?

— Je ne sais pas... Peut-être devrions-nous déménager en ville et rejoindre nos familles?

— C'est bien le temps d'en parler, maintenant que nous habitons cette maison! À bien y penser, la situation semble pire en ville d'après les lettres de ma sœur. On dit que même les hommes d'affaires ont des trous dans leurs pantalons! »

Sans un regard pour le petit dans son berceau près du poêle, Adhémar alluma sa pipe, s'enfonça dans la chaise berçante et se barricada dans un mutisme dédaigneux. Quelques minutes plus tard, Florence s'aperçut qu'il s'était endormi en dodelinant de la tête, à cent mille lieues de la réalité.

Ce fut seulement le soir qu'il se jeta sur elle comme un affamé, avant même qu'ils ne soient rendus dans leur lit.

***

Quelques jours avant Noël, Florence s'en fut au bureau de poste de Saint-Charles-de-Mandeville pour prendre le courrier. Chaque semaine, elle parcourait les trois milles à pied, le cœur battant. Elle tirait vaillamment, dans sa *sleigh* de bois, le bébé qui, enseveli sous une montagne de couvertures et ballotté gaiement sur les aspérités du chemin, ne demandait pas mieux que de dormir à l'air frais. Elle allait chercher là le seul lien, plus vibrant que jamais, qui la retenait à sa famille et lui donnait le courage de continuer. Elle s'abreuvait des lettres d'Andréanne et de Camille comme d'un viatique, malgré les nouvelles relatant la misère à laquelle le reste de la famille devait faire face, elle aussi. Elle en profitait pour poster ses propres écrits invariablement porteurs d'un optimisme mensonger. Jamais elle n'aurait osé avouer sa solitude presque insupportable et l'immense déception que lui causait son mari. Elle préférait parler des finesses du bébé et de la joie qu'il lui procurait. Indiscutablement, cet enfant la sauvait de la déprime et la réconciliait avec la vie. Avec l'avenir auquel elle osait à peine songer...

Ne pouvant résister à l'envie de lire la lettre de sa sœur immédiatement, elle ouvrit l'enveloppe sur le seuil même du bureau de poste. Andréanne non plus n'allait pas célébrer Noël en grande pompe, semblait-il, obligée d'assumer le service chez ses nouveaux patrons, des gens très riches qui recevaient pour le temps des Fêtes. La jeune fille avait inséré dans l'enveloppe une chanson de sa propre composition pour la période de Noël. Étrangement, la feuille portait non seulement les paroles mais aussi la partition musicale de l'accompagnement écrite à la main. « Ma sœur a-t-elle oublié que je ne possède plus de piano? » se demanda Florence, intriguée. Elle tenta tant bien que mal, là, au beau milieu du trottoir, de fredonner les mots en cherchant à se remémorer ses leçons de solfège.

Quand on est loin de ses parents,
On ressent bien moins d'agréments.
Je voudrais prendre les gros chars
Pour retrouver ton Adhémar!

Et aussi, ton p'tit Désiré,
Pour lui donner un beau baiser.
Ah! Noël sera triste et long
Sans toi, ma belle Florenceton!

Je me sens triste à mourir,
Au secours! Je vais périr,
Sainte misère, priez pour nous,
De cette crise, délivrez-nous.

« Eh! Madame Vachon, que faites-vous là, à chanter de même sur le trottoir?»

Devant le personnage en soutane, Florence, prise en défaut, sursauta et se mit à rire timidement.

« Oh! excusez-moi, monsieur le curé, il s'agit d'une chanson composée par ma sœur à mon intention, à l'occasion de Noël. Comme je n'ai pas de piano chez moi...»

Bon prince, le curé offrit à la jeune femme d'entrer dans l'église et de s'installer à l'orgue.

« Oui, oui! allez-y, ma petite dame, ne vous gênez pas. À cette heure-ci, il n'y a pas âme qui vive. Seul le Seigneur vous entendra! Profitez-en donc autant que vous voudrez.

— Merci! c'est trop de gentillesse. »

Elle pénétra dans l'église déserte sur la pointe des pieds. L'écho répercutait le bruit de chacun de ses mouvements jusqu'à la voûte en arcades enluminée de petits anges dorés. Le temple baignait dans la pénombre et seule la flamme minuscule de la lampe du sanctuaire brillait comme une étoile dans la nuit, au milieu du chœur. Florence grimpa lentement les marches du jubé et installa le bébé endormi sur deux chaises rapprochées. Puis elle s'avança timidement vers le petit orgue hydraulique. Elle ne connaissait pas vraiment le fonctionnement de cet instrument mais arriva à se débrouiller pour en tirer quelques sons. L'air de la chanson n'avait rien de joyeux, mais les arrangements étaient magnifiquement construits. Elle reconnaissait bien là le talent naturel de sa sœur. *Sainte misère, priez pour nous...* Florence turlutait les mots dans sa tête, les yeux remplis de larmes.

Puis, prenant de l'assurance, elle ne put résister à l'envie de se lancer dans un mouvement de sonate de son cher Beethoven. Elle retrouvait avec un bonheur inégalé le plaisir d'émettre, du bout de ses doigts, les sons poignants qui s'amplifièrent et lui gonflèrent le cœur au même rythme qu'ils remplissaient le silence de l'église. À son étonnement, elle n'avait rien oublié de cette musique divine qui emportait son âme et la menait loin de la réalité concrète de sa vie. Il y avait si longtemps! Elle n'avait rien perdu de sa capacité de s'émerveiller. Elle vibrait encore! Dieu merci, elle vivait encore! Peu importe ce que demain lui ménageait, la musique existerait toujours et n'aurait de cesse de la porter vers l'absolu. À travers elle, elle avait la certitude de rejoindre Dieu et, par le fait même, de donner un sens à sa vie. Ce Dieu protecteur et paternel auquel elle croyait et qui se devait de prendre soin d'elle et de ses petits, elle avait l'impression de l'avoir oublié depuis des décennies.

Les cris du bébé, réveillé par tant de bruit, interrompirent spontanément ce moment de grâce et ramenèrent la musicienne à la réalité. Elle se signa rapidement et sortit promptement de l'église en serrant l'enfant dans ses bras, convaincue de tenir sur son cœur ses deux seules véritables raisons de vivre: ses enfants. Dans son ventre, le petit remuait sans cesse et lui assenait force coups de pied. «Celui-là deviendra un féru de Jean-Sébastien Bach, pour sûr!»

La chanson d'Andréanne aurait dû la consoler, mais, au contraire, elle plongea Florence dans une profonde amertume. Ainsi, elle n'était pas seule à voir se pointer le temps des Fêtes avec tristesse. Même sa mère n'allait pas bien. Depuis son veuvage et son départ précipité pour Montréal, l'an dernier, Camille ne cessait de dépérir. Elle n'avait gardé son emploi que quelques mois, étant sérieusement tombée malade. Elle avait dû accepter l'humiliation de vivre avec la pension des mères nécessiteuses et le peu d'argent qu'Andréanne lui envoyait en attendant que Guillaume réussisse à trouver un emploi comme ébéniste. Alexandre, lui, rendait bien des petits services à la boulangerie du coin, mais cela s'avérait insuffisant pour faire vivre une famille.

Andréanne racontait dans sa lettre que le médecin avait prescrit à Camille le repos et l'air pur. En lisant cela, Florence se sentit coupable de ne pas inviter sa mère chez elle au lac Mandeville. L'air pur ne posait pas de problème, bien sûr, mais la nourriture? Et la sérénité? Florence n'avait pas envie d'étaler sa pauvreté et les affres de sa vie de couple devant sa mère. À cause de la boisson, Adhémar ne gardait jamais ses emplois très longtemps, plus préoccupé par la bouteille que par sa femme et son enfant. «Sans parler des jupons!» se disait-elle, sachant bien que les escapades de nuit de son mari ne devaient certainement pas se terminer à la belle étoile et en solitaire. L'odeur de parfum et les taches de rouge à lèvres sur ses chemises le démontraient hors de tout doute. Comment, dans ces conditions, offrir le gîte à sa mère malade, la soigner et lui servir les bons repas et la tranquillité dont elle avait besoin?

Néanmoins, ce soir-là, elle en parla vaguement à Adhémar qui se contenta de hausser les épaules. Il se souciait à peine de sa femme et de son petit garçon, il ne se casserait certainement pas la tête pour sa belle-mère! Dans sa réponse à Andréanne, Florence prétexta une grossesse difficile afin de se disculper de s'en remettre entièrement à sa sœur et à ses frères pour prendre soin de leur pauvre mère.

Noël apporta, comme à l'accoutumée, sa tradition-nelle tempête de neige et empêcha de nombreux habi-tants de se rendre à l'église. «Ce n'est pas grave, se disait Florence, j'ai eu ma messe de minuit la semaine dernière en touchant l'orgue de l'église, seule avec moi-même, mon petit Désiré et la musique de ma sœur. Le reste m'importe peu...» Curieusement, elle se sentait soulagée d'avoir une bonne raison pour ne pas sortir cette nuit-là et rencontrer, sur le perron de l'église, les paroissiens qu'elle connaissait à peine, pour la plupart. Mieux valait rester seule à la maison avec son mari en état d'ivresse, lui qui n'avait d'affectueux pour elle que le mot «princesse» et, pour son fils, un regard distrait et lointain.

Le lendemain, tôt le matin, on frappa discrètement à la porte de la maison. Florence bondit de joie à la vue de la voiture du docteur Chevrier stationnée près de la clôture.

«Bon Dieu de la vie! Y a donc personne pour pelleter l'entrée et déblayer le chemin ici, même le jour de Noël?

— Oh! excusez-moi, docteur, Adhémar va sûrement s'en occuper aujourd'hui. Quel bon vent vous amène?

— J'avais affaire dans le coin. Un malade qui ne va pas bien... J'ai pensé arrêter en passant pour vous offrir mes vœux de Noël. Tenez! Je vous ai apporté un petit cadeau.

— C'est trop de bonté.

— Attendez de voir, au moins!»

Le médecin ressortit et se rendit à sa voiture pour quérir une grosse boîte de carton.

«Voilà, c'est pour vous, ces deux poules! Vous en faites ce que vous voulez. Ce sont de bonnes pondeuses, mais si l'envie vous prend d'en manger une ce soir, ne vous gênez pas, j'en aurai d'autres.

— Ah! vous tombez pile, docteur, le garde-manger se trouve justement vide. Merci, merci beaucoup!

— Je m'en doutais... Mes patients me payent avec des denrées maintenant qu'ils n'ont plus d'argent. Ma famille et moi n'avons pas besoin de tout ça. J'aurai même prochainement des petits cochons. Si cela vous intéresse...

— Vous me mettez mal à l'aise.

— Allons, allons! Une femme enceinte doit bien s'alimenter. J'ai aussi apporté du tonique pour toi et Désiré, de l'huile de foie de morue et quelques boîtes de céréales nourrissantes. Il me semble quelque peu chétif, cet enfant. Comment va-t-il?

— Il a fait une forte fièvre dernièrement, mais tout semble rentré dans l'ordre. Vous êtes très gentil, docteur, je ne sais comment vous...

— Ne me remercie pas! Je n'ai absolument aucune envie de me lancer dans l'élevage des poules et des cochons, moi! Aussi bien s'en farcir la panse, ah! ah! »

Le rire du docteur Vincent résonna dans les oreilles de Florence longtemps après son départ. Elle ne réalisa pas qu'il avait omis de s'informer de son mari.

Quelques heures plus tard, Adhémar descendit l'escalier d'un pas pesant avec la mine revêche des lendemains de veille. Il chiala à cause du bruit qui avait dérangé son sommeil durant l'avant-midi, mais oublia de se renseigner sur l'identité du visiteur. Florence ne se donna pas la peine de mentionner l'éclaircie de soleil qui l'avait réchauffée, en cette morne matinée de Noël. Son seul et unique cadeau...

Ce soir-là, Adhémar dévora le poulet rôti à belles dents sans même s'informer de sa provenance.

Chapitre 18

18 juillet 1934

Ce matin-là, le pourboire de monsieur Harry, mon fidèle client de Chez Dandy's, *était excessif. Je n'aurais jamais dû l'empocher. Oh! j'ai bien protesté un peu, pour la forme. Tout cet argent rien qu'à moi et dont je n'avais à rendre compte à personne... Il y en avait suffisamment pour payer les médicaments de maman et la robe que j'ai essayée, l'autre jour, sur l'avenue du Mont-Royal. Un peu moulante, mais... Puisque je possède les atouts, pourquoi ne pas les mettre en évidence? Les hommes semblent aimer cela!*

Dix piastres... Monsieur Harry avait glissé dans ma main un magnifique billet vert de dix piastres. Presque deux semaines complètes de travail! Comment refuser un tel cadeau? Je l'ai regardé dans les yeux et le lui ai remis candidement, d'une main peu assurée. Il m'a fait un drôle de sourire.

« Vous vous êtes trompé, monsieur Harry, il y en a trop!

— Prends! Prends! C'est un cadeau!

— Mais... ce n'est pas ma fête que je sache!

— Prends-le, je te dis! Et on n'en reparle plus!

— Tout ça pour vous servir vos bines et vos crêpes le matin?

— Tu vaux bien plus que ça, my baby! »

Je n'aimais pas qu'il m'appelle son baby. Je ne suis pas un bébé et je ne lui appartiens pas. Quand il disait cela, il passait toujours sa main sur mon avant-bras. Une main molle, toujours humide et recouverte de poils blancs. Et cela me donnait le frisson. Cet homme m'intriguait. J'avais beau l'appeler mon ami, je me demandais quel genre de vie il menait dans son château de la rue Bloomfield.

Eh bien! Maintenant, je le sais! Je le sais trop... Le lendemain du fameux pourboire, il n'est pas revenu, ni les jours suivants. J'ai pensé l'avoir choqué avec mes protestations stupides. Ou peut-être s'agissait-il d'un cadeau d'adieu inavoué? Finalement, j'ai cessé de me poser des questions et je n'ai plus pensé à lui.

Erreur! Monsieur Harry ne m'avait pas oubliée! Il a rebondi trois semaines plus tard, plus énigmatique que jamais, et s'est glissé sur la banquette sans regarder personne. À travers la vitrine, je l'avais vu venir et m'étais empressée de lui préparer son jus d'orange frais. Il s'est contenté de me saluer d'un signe de tête et a poussé vers moi un paquet enveloppé de papier brun.

« C'est pour toi, baby. Je te l'ai rapporté d'England, tu comprends?

— D'Angleterre, pour moi?

— Yes! C'est un châle de laine. Du mohair. J'importe des produits de la laine, tu comprends? En England, il y a beaucoup de sheeps. Euh... comment dit-on déjà?

— De moutons?

— C'est ça, darling, beaucoup de moutons! »

Étonnée, j'ai senti la chaleur me monter au visage comme une petite fille prise en défaut. Un autre cadeau? Mais pour quoi faire, toutes ces offrandes? Je n'y comprenais rien. Il ne me laissa pas le temps de me ressaisir qu'il poursuivait déjà :

« Écoute, my baby, je ne sais pas combien on te paye ici, mais moi, je t'offre le double, chambre et pension comprises, si tu acceptes de venir travailler chez moi comme domestique. »

J'eus beau essayer de le convaincre que les travaux ménagers n'étaient pas mon fort et que je n'y connaissais pas grand-chose, il ne voulait rien entendre.

« Tu n'auras presque rien à faire, un peu d'époussetage, promener le chien, faire quelques courses pour ma femme, lui tenir compagnie de temps à autre, rien de plus! Nous avons

déjà un chef cuisinier, une femme de chambre et une femme de ménage. Tu seras notre petite bonne à tout faire, my baby. Tu auras ta chambre, ta clé, tes jours de congé toutes les deux semaines. »

Maman n'y a vu que du feu et a insisté pour que j'accepte. L'évocation de la présence de la femme de monsieur Harry semblait la rassurer. Moi, je ne voulais pas déménager chez ce type-là, et j'hésitais à laisser ma mère seule avec mes deux grands vauriens de frères. Elle ne paraissait pas très en forme et avait besoin d'aide. Les garçons, ça ne vaut rien dans une maison! Surtout ces deux-là, trop chouchoutés et archi-couvés par leur mère! Depuis que ces chers trésors travaillent à l'extérieur et gagnent un peu d'argent, ils ne daignent pas lever le petit doigt. Ne songent qu'à s'amuser, les sacripants! Il faut dire que Guillaume a commencé à courir les filles et a entraîné Alexandre à sa suite. On les voit de moins en moins sur la rue Drolet.

Maman avait un besoin urgent de calme et de repos. À bien y penser, rester seule dans notre logement lui serait peut-être bénéfique. Et puis, je reviendrais la visiter le plus souvent possible. Qui sait si, avec mon salaire, je ne pourrais pas lui payer un séjour prolongé à la campagne comme l'a prescrit le médecin? J'ai finalement décidé d'accepter l'offre du fameux monsieur Harry.

Il n'avait pas tout dit, le coquin! Je n'étais pas à son emploi depuis trois jours que déjà il frappait à la porte de ma chambre, en l'absence de sa femme, naturellement! Surprise et court vêtue, je croyais qu'il cherchait quelque chose ou venait solliciter un service particulier. Service particulier en effet! Il se jeta aussitôt sur moi en soufflant comme un bœuf et m'enleva ma robe de nuit d'une main leste et habile. Sur le coup, je me suis raidie et j'ai protesté bien haut. Mais pas très longtemps. Les frôlements impudiques et l'odeur musquée de l'homme n'ont pas tardé à réveiller en moi certaines sensations que je n'avais pas oubliées. Avec la différence qu'Harry, lui, ne sentait pas l'étable! Il sentait bon l'eau de toilette

141

parfumée, et les draps où nous prenions nos ébats n'avaient rien à voir avec la housse du cheval et le tas de foin où Simon et moi avions découvert les choses de la vie.

À ma grande surprise, Harry a sorti un préservatif, cette espèce de petit morceau de caoutchouc magique qui empêche les plaisirs de la chair de virer à la catastrophe. Si seulement Simon et moi en avions connu l'existence...

Mon maître revient maintenant dans ma chambre presque toutes les nuits. Sa femme, une grande cantatrice d'opéra, part très souvent en tournée. J'ai l'impression qu'elle se doute de quelque chose mais le laisse agir. Elle me traite comme les autres domestiques, sans en faire de cas. L'autre jour, elle m'a même offert d'utiliser son piano si j'en avais envie. Pas besoin de dire que j'en profite lors de ses absences! J'ai même amélioré mon style, je crois. La sonorité riche et veloutée de ce luxueux instrument m'inspire, et il n'est pas rare qu'Harry me demande de jouer pour lui. Ah! si ma Flo voyait ça...

Pendant que je fais de la musique, je ne pense plus à rien, ni à la futilité de ma vie, ni à ce que me demande de faire cet homme marié de trente ans mon aîné dans le lit qui appartient à sa femme, ni à la honte qui ne manque pas de me dévorer parfois.

Camille ne se doute de rien. Ma pauvre mère! Elle croit sa fille encore vierge et pure, alors que... Mais qu'importe! Harry me comble de cadeaux et d'argent, il me fait la vie douce, pourquoi n'en profiterais-je pas? La misère, c'est fini pour moi. Pour le reste de mes jours. Je sais maintenant comment m'en sortir!

Chapitre 19

18 août 1935

Maman est morte! Camille est morte! Elle n'est plus... Oh!
mon Dieu, je n'arrive pas à y croire, même si on s'y attendait
depuis longtemps. Maman ne sera plus là, elle ne pourra plus
m'écouter, me réprimander, me bercer. Maman, mon enfance,
ma sécurité, mon salut. Mon seul et unique salut... Maman,
je comptais sur toi pour me rebâtir un avenir, pour tout
recommencer. Pour retrouver mon âme d'enfant, pure et nette.
Comment vais-je me reprendre, me rattraper maintenant, si tu
n'es plus là pour me soutenir? Pourquoi m'as-tu abandonnée?
Ne savais-tu pas que, sans toi, je suis perdue? Si seulement, au
dernier jour, tu m'avais suppliée de me reprendre en main...
J'aurais trouvé la force, la motivation pour changer de vie.
Tenir une promesse sacrée faite à sa mère sur son lit de mort,
cela doit aider tout de même! Déjà que je dérive du mauvais
côté, loin du bord, tellement loin du bon bord. Tu le sais
maintenant, maman. Du haut de ton nuage, tu ne seras pas
fière de moi quand tu vas me regarder vivre. Non! il a fallu
que tu partes en silence, comme s'est déroulée ton existence. Et
comme se déroulera la nôtre, je le crains.

Quarante-deux ans. Tuberculose. Comme papa! Le repos
au sanatorium de Sainte-Agathe, sans doute venu trop tard,
n'a pas réussi à te sauver. Tu toussais et crachais tes poumons
depuis des semaines. Pourquoi refusais-tu de te faire soigner?
Du sang dans tes mouchoirs, ton visage émacié, ton regard
éteint depuis longtemps avant qu'on referme tes paupières...
Depuis des années, à vrai dire! Depuis le départ de papa...

Pauvre maman... Tu ne t'es jamais bien portée depuis le premier jour de notre arrivée ici, à Montréal. Famille éclatée, deuil brutal et jamais consolé, départ trop précipité, séparation cruelle d'avec ton aînée enceinte, pauvreté imméritée et insupportable... Et la ville géante, aride, anonyme, qui a absorbé chacun de nous et t'a laissée, toi, enfermée dans ta solitude, à la recherche de ton souffle. À la recherche d'un peu d'espace et d'air pur, d'un peu de soleil... C'est tout cela qui t'a tuée, ma mère. En quelques années, ta vie a basculé du meilleur jusqu'au pire, et tu ne t'en es jamais remise.

Mes frères et moi avons eu beau te visiter au sanatorium lors de chacun de nos congés, j'ai eu beau te gâter, te dorloter, Florence a eu beau prendre le train à plusieurs reprises pour venir te montrer tes deux petits-enfants, le moral n'y était plus. Tu avais perdu le goût de vivre. Et tu t'es laissée mourir.

Adieu, maman! Je garderai de toi un souvenir tout en douceur et en silence. Je n'avais pas pensé regrimper de sitôt la colline de Saint-Didace pour aller te déposer à côté de papa, au fond du trou derrière l'église. Tu auras mis si peu de temps à le rejoindre! Pas même trois années...

Tu peux partir tranquille. Rien n'est perdu. Nous as-tu regardés, tous les quatre, resserrés les uns contre les autres autour de la pierre tombale? Guillaume, Alexandre, Florence et moi unis plus que jamais dans le supplice de te perdre... Pourquoi appartient-il à la douleur de rapprocher les êtres plus sûrement que les plus grands bonheurs? Pourquoi la joie, l'insouciance, les plaisirs anodins ne suffiraient-ils pas?

Je te promets, maman, de faire tout en mon pouvoir pour maintenir, et de la façon la plus joyeuse, ces liens qui font de nous quatre, aujourd'hui, un bloc solide et indissoluble. Une famille...

Chapitre 20

Les années s'écoulèrent dans la vieille maison rouge, une à une, égrenées au chapelet des saisons, toutes semblables, toutes plus monotones et misérables les unes que les autres, à part la naissance de deux mignonnes petites filles, Nicole et Isabelle, qui faisaient la fierté de leur mère et l'indifférence de leur père.

Adhémar changea maintes fois de métier. De porteur de lait à travailleur de chantier, puis à assistant-boucher, en passant par vendeur à domicile et aide-forgeron, il perdit systématiquement chacun de ces emplois à cause de son alcoolisme et son manque chronique d'ambition. Tout lui servait de prétexte pour s'absenter. Au chapitre de son emploi du temps, les longues périodes de chômage prenaient davantage de place que celles de travail rémunéré. Il n'était pas rare de le voir paresser plusieurs semaines à la maison sans se soucier de dénicher un gagne-pain, braillant sur son sort et celui de l'humanité, une bouteille de «robine» à la main. Quand il se mettait à boire, nul ne savait quand il s'arrêterait.

Si l'alcool le rendait rarement violent envers sa femme et ses fillettes, il en était autrement pour Désiré qu'il semonçait continuellement pour tout et pour rien. À sept ans, le garçon était devenu récalcitrant malgré l'affection et la tendresse protectrice de sa mère. S'il obtenait de bonnes notes à l'école, il se montrait de plus en plus indiscipliné à la maison. Sans doute incapable de répondre à l'intransigeance et aux exigences aberrantes de son père, l'enfant se butait et lui tenait tête comme s'il voulait justifier les punitions imméritées dont on l'accablait abusivement en le traitant d'«indésiré». Désobéissant et insoumis, l'enfant piquait des colères monumentales pour une vétille. Il se mettait alors à hurler et à lancer des coups de pied sur tout ce qui se trouvait autour de lui, et ses sœurs le craignaient comme un véritable bourreau.

Le père mettait un terme à ces emportements à coups de cravache, au milieu des cris. Seule Florence réussissait à apaiser l'enfant en le prenant dans ses bras et en le berçant comme un bébé. Dès que le père s'éloignait, elle murmurait des mots tendres à l'oreille du garçon.

«Allons, mon tout-petit, mon amour à moi, calme-toi. Ne sais-tu pas que je t'aime?»

Désiré la laissait faire, mais se renfrognait dans un mutisme profond, et ces périodes de bouderie pouvaient durer plus d'une journée. Florence avait beau supplier son mari de se montrer moins violent et de manifester un peu plus d'affection à son fils, rien n'y faisait.

«Cet enfant est un monstre! Un problème de trop dans cette maison!

— Tu en es le seul responsable, mon mari! Tu le rejettes depuis sa naissance. Regarde ce que ça donne! Pourquoi ne l'amènerais-tu pas à la pêche avec toi de temps à autre? Désiré a simplement besoin d'un père aimant, ne le vois-tu pas?»

Adhémar se contentait de hausser les épaules. Ce fils, ce «bâtard manqué», par sa seule existence, l'avait aliéné, il avait bouleversé sa vie et entravé sa liberté, il avait mis un terme à sa jeunesse libre et frivole. Il ne le lui pardonnerait jamais, Florence s'en doutait bien et essayait de parer de son mieux à cette situation.

Il arrivait aussi, exceptionnellement, que l'alcool

rende Adhémar nostalgique et larmoyant. Tenant à peine sur ses jambes, il prenait alors un appui chancelant contre sa femme en se traitant lui-même de tous les noms.

« Ma princesse, je suis un lâche et un sans-cœur... Je ne te mérite pas!

— Tu as raison, mon homme! Et je me demande pourquoi je ne suis pas déjà partie avec les enfants pour rejoindre ma sœur à Montréal. Je n'en peux plus, Adhémar, je n'en peux plus. Va-t'en, laisse-moi... »

La crise se terminait habituellement par des regrets pompeux et des résolutions farfelues que l'ivrogne ne tiendrait pas, Florence n'en doutait pas un instant. Elle avait cessé de se laisser émouvoir par ces belles paroles et ces promesses mensongères. Depuis belle lurette, elle ne comptait plus sur son mari et vivotait du secours direct et des petites enveloppes que le docteur Chevrier glissait à la sauvette dans la poche de son tablier en passant à Mandeville ou quand elle allait à Saint-Didace le consulter pour l'un des enfants.

Florence se permettait encore, à de rares occasions, de pénétrer dans l'église de briques roses de Saint-Charles. Certains après-midi de beau temps, elle y venait à pied après avoir été chercher le courrier, son fils se trouvant à l'école et les deux fillettes étant sagement assises côte à côte dans la voiturette de bois fabriquée par Adhémar. Fébrilement, elle s'installait à l'orgue pour une demi-heure ou plus, avec la permission du curé. Quelques années auparavant, il lui avait gentiment offert de profiter de l'instrument quand bon lui semblait, et elle s'en servait de bon cœur. Elle retrouvait avec plaisir la musique de ses chers compositeurs, ces mélopées qui avaient porté ses émotions et ses rêves naïfs d'autrefois. Et ces rares moments de pur bonheur suffisaient à la ressourcer pour des semaines à venir. Un jour, elle aurait un piano et ses filles en joueraient, elle se le jurait.

Un matin qu'elle exécutait un mélancolique nocturne, le curé l'avait vue, de loin, s'essuyer les yeux. Il arrivait au prêtre, lui-même féru de musique classique, d'assister en catimini à ces récitals inusités, dissimulé dans le chœur. Cette fois, il ne put s'empêcher d'aller retrouver spontanément la jeune femme éplorée.

« Que vous arrive-t-il, madame Vachon, vous pleurez?

— Oh! Ce n'est rien! Je... je me croyais seule.

— Pardonnez-moi, vous jouez si bien! Quand j'en ai le temps, je ne peux résister au plaisir de vous écouter de derrière le maître-autel. Mais dites-moi, que se passe-t-il?

— Mon mari est parti à la ville depuis quatre jours sans me donner de nouvelles. Il ne reste plus rien à manger dans l'armoire et la glacière. Et... »

Elle posa les mains sur son ventre, mais n'osa confier au prêtre ce qui la préoccupait depuis quelques jours.

« Attendez! Je vais vous donner un peu d'argent.

— Jamais je n'oserais accepter... J'ai tellement honte.

— Mais c'est l'argent de la fabrique, déposé exprès pour les pauvres. »

Les pauvres... Florence baissa humblement la tête. Elle en était rendue là. À partir de ce moment, chaque fois qu'elle se présenta dans le temple vide à la rencontre de Mozart et de Bach, une bonne âme en soutane noire vint discrètement lui porter une enveloppe et un sac contenant le fruit de la charité anonyme de certains paroissiens mieux nantis.

« Que Dieu vous protège, ma belle dame! »

Dieu la protégeait peut-être, mais ce ne fut pas de gaieté de cœur qu'elle accueillit, cet automne-là, la nouvelle d'une quatrième grossesse. Loin de là! C'en était assez de fabriquer des enfants presque chaque année! Et de les élever seule! Dans la misère par surcroît! Elle voulait bien se montrer forte et courageuse, elle voulait bien croire en la Providence, mais certains jours elle en avait ras-le-bol. On ne s'habitue pas à la misère. Du moins, pas elle, pas Florence Coulombe-Vachon!

Comme il lui paraissait lointain, le temps serein de son enfance où, heureuse sans le savoir, elle jouait du piano dans le beau salon lambrissé de tapisserie fleurie, sous l'œil attendri et admiratif de ses parents. Son unique souci consistait alors à lire des livres et à préparer son avenir, un avenir rose bonbon... Trois mois! Elle n'avait occupé la profession d'institutrice que trois ridicules petits mois. Il avait fallu qu'un monstre déguisé en joli garçon vienne tout perturber, une nuit de pleine lune, derrière une école de rang. Elle se consolait en pressant ses enfants sur son cœur. «Mes amours... Sans Adhémar, vous n'auriez pas existé et je ne pourrais pas vous aimer. Et vous n'auriez pas ces adorables minois et ces yeux si verts!»

Quand le docteur Vincent lui annonça, en fronçant les sourcils, qu'il soupçonnait la présence de jumeaux dans son ventre, elle s'effondra. Paternellement, il tenta de la consoler en la prenant dans ses bras.

«Tu fais de si beaux enfants, ma chouette, et tu as tant de courage...»

Prise de vertiges, elle se laissa couler contre la poitrine du géant. Le médecin était-il aussi paternel qu'il voulait le laisser entendre? Cette main qui lui caressait doucement la joue et ces yeux si profondément plongés dans les siens rendaient Florence plus confuse qu'il n'aurait fallu. Depuis des années, Vincent Chevrier incarnait pour elle la stabilité, la sécurité, la présence rassurante. Depuis des années, il lui offrait la bienveillance d'un père, la générosité d'un protecteur, la vigilance d'un médecin, l'écoute d'un ami. Et, par-dessus tout, l'affection douce d'une âme sœur. Il connaissait tout d'elle: son adolescence paisible, son aventure hors-mariage avec Adhémar, ses difficultés de vivre avec lui, sa douleur d'élever ses petits dans l'indigence, son extrême solitude. Elle n'avait nul besoin de rien lui expliquer, il comprenait tout!

Chaque fois qu'il s'approchait d'elle, le cœur de la jeune femme bondissait et battait la chamade, mais jamais elle ne se serait permis de songer une seule seconde que leurs liens puissent outrepasser ceux de la simple amitié. Vincent avait quinze ans de plus qu'elle, il était marié et père de famille. Devant lui, elle se sentait encore la petite fille d'autrefois auprès de son protecteur. Comment aurait-elle pu seulement imaginer une idylle amoureuse entre eux? Certains jours, quand la pensée du docteur se faisait trop obsédante, quand elle revenait sans cesse à sa fenêtre, malgré elle, dans l'espoir de voir surgir la vieille Ford au tournant du chemin, elle se mettait à frotter, laver des vitres, des murs et des planchers, comme si de nettoyer les surfaces à grande eau contribuait à extirper de son cœur tout sentiment interdit.

«Tantôt, j'ai écouté battre deux cœurs minuscules dans ton ventre, ma belle Florence, mais celui que j'entends en ce moment, c'est le tien...»

Troublée, elle ne put résister à l'envie de tendre son visage en fermant les yeux, rien que pour goûter cet instant où quelqu'un, enfin, se préoccupait sincèrement d'elle, s'en faisait pour elle. Cette chaleur, cette douceur... C'est alors que Vincent déposa sur ses lèvres offertes un baiser si léger, si tendre qu'elle manqua défaillir.

«Je t'aime, Florence, je t'aime...»

Il prononça ces mots à mi-voix, comme on récite une prière, avec une ferveur telle qu'elle se sentit submergée par la surprise et l'émotion. L'espace d'une seconde, elle eut l'impression d'être venue au monde seulement pour ce moment unique où l'amour se manifeste à l'état pur. Un amour impossible, irréalisable...

Le médecin ne renouvela pas son baiser et préféra la serrer contre lui longuement, sans broncher, sans prononcer une parole, avec une tendresse infinie.

«Ah! mon Dieu! Vincent m'aime! Vincent m'aime...
Qu'allons-nous devenir? songea Florence. Il est là pour
moi, il l'a toujours été d'ailleurs. Il m'a toujours aimée,
je n'en ai pas douté un seul instant. Mais d'amour?
M'aimer d'amour, moi, une femme mariée? M'aimer du
véritable amour entre un homme et une femme? Comment n'ai-je pas deviné?» Elle sentit les larmes jaillir
comme les eaux trop longtemps retenues par un solide
barrage soudainement rompu.

Combien de temps restèrent-ils ainsi enlacés, rivés
l'un à l'autre comme on s'accroche à une bouée de sauvetage? Une minute? Quinze minutes? «Le temps d'une
éternité», se dira mille fois Florence, plus tard, en songeant à ce moment de grâce où l'explosion d'un amour
trop longtemps contenu ne dépend ni des mots ni des
gestes, mais devient l'évidence même. Une évidence qui
transcende l'entendement et le sens moral des hommes,
et dépasse de loin l'expression physique et mentale.
Une évidence latente, ni prévue ni planifiée, mais prête
à éclater depuis des années.

Le médecin se ressaisit le premier et mit rapidement un terme à cette étreinte désespérée.

«Excuse-moi, Florence, je n'aurais pas dû. J'ai
complètement perdu la tête. Tu ferais mieux de partir,
sinon je ne répondrai plus de moi. Je ne voudrais rien
de souillé ou de répréhensible entre nous deux, tu
comprends? Ni toi ni moi ne sommes libres. Je veux
que tout reste clair et transparent, limpide, même si...»

Il n'acheva pas sa phrase, mais elle comprenait. Elle
avait payé cher d'avoir succombé à ses instincts, huit ans
auparavant, dans l'intimité de son école. Cette fois, il
s'agissait d'une attirance infiniment plus intense, plus
profonde, plus pure qu'une vague pulsion sexuelle.
Quelque chose de presque irréel... Quelque chose
d'essentiel et de sublime à sauvegarder, à conserver à
tout prix dans un écrin hermétique. Elle le savait, et le

151

docteur le savait aussi, lui qui ne voulait pas ternir l'intégrité de ce sentiment germé secrètement dans le sous-bois de leur âme. Ce sentiment surnaturel, quasi divin. Quand l'amour rejoint l'absolu...

« Et mon... et mes bébés?

— Tout va bien aller, mon amour, ne t'inquiète pas. Mais il faudra te reposer plus souvent. Et je veux te voir chaque quinzaine d'ici la fin de l'été.

— Chaque quinzaine?

— Ne t'inquiète pas. Je veux te revoir pour des raisons purement médicales. Ce qui vient de se passer aujourd'hui restera entre nous et ne se reproduira plus, je t'en fais le serment solennel. Nous deux seuls saurons ce qui se passe dans le silence de nos cœurs. Je garde cet amour en moi depuis si longtemps, Florence... Te rappelles-tu le matin où tu es venue me chercher pour soigner ta mère souffrant d'une crise d'éclampsie? Tu avais à peine dix-sept ans. Je t'avais trouvée adorable... »

La jeune femme ne sut que répondre. En voyant perler une larme au coin de l'œil du médecin, elle enfouit sa tête contre la poitrine large et enveloppante qui s'offrait de nouveau à elle. Elle s'y sentait si bien tout à coup. Sa place se trouvait là, seulement là. « Mon Dieu, pourquoi n'y ai-je pas droit? » Mais l'homme, comme s'il avait deviné ses pensées, la ramena bien vite à la réalité et enchaîna, en la repoussant légèrement:

« Nos chemins auront à se croiser encore et encore, mon amour, mais, hélas, ils ne se confondront jamais en un seul, je le crains. Il nous faudra vivre en silence. Ainsi va la vie! Tu es mariée, et moi aussi. Nous avons chacun nos obligations. Et, surtout, des êtres dépendent de nous. Dieu nous saura gré, un jour, de notre sacrifice. »

Florence se contenta d'acquiescer d'un simple signe de tête. Puis, elle prit le parti de s'enfuir à toutes jambes.

Elle rentra chez elle bouleversée, ses états d'âme ballottés entre la concrétisation de ce nouvel amour voué à l'impasse et la perspective effroyable de la venue de deux autres enfants. Écrasée par trop d'émotions, elle décida d'attendre quelques jours avant d'annoncer l'existence des jumeaux à Adhémar. Il l'apprendrait bien assez vite!

Chapitre 21

La grossesse se déroula convenablement, les premiers mois à tout le moins. Tel que prescrit, Florence visitait régulièrement le bureau du docteur Chevrier, à Saint-Didace, mais elle veillait à ce qu'Adhémar ou l'un des enfants l'accompagne. Elle refoulait jusqu'à la pensée même que, venue seule, le médecin aurait pu la reprendre tendrement dans ses bras. Elle essayait sincèrement et tant bien que mal de rayer de son esprit cette attirance occulte.

Les choses s'envenimèrent par la suite. Des douleurs abdominales survinrent et de fausses contractions se mirent à l'assaillir à cœur de jour, risquant de déclencher à tout moment un accouchement prématuré.

Un soir, Adhémar dut se rendre au village pour appeler le médecin d'urgence. Vincent accourut aussitôt. Contrairement à son habitude, il entra dans la maison sans frapper ni faire de politesses. Il examina aussitôt la patiente d'une main rude, sans même la saluer.

«Là, je suis sérieux, Florence: ou tu t'arrêtes complètement de fonctionner et tu prends le lit, ou tu perds tes bébés d'ici quelques jours. En plus de risquer une hémorragie massive. Me suis-je fait bien entendre?»

Le ton était sec et cassant, presque rageur. Florence se mit à trembler de la tête aux pieds. Où donc se trouvait le bel amoureux silencieux qui la berçait, l'autre jour, pour la réconforter? Cet être glacial ressemblait si peu à celui qui venait la hanter à toutes les heures du jour et de la nuit depuis quelques mois. Avait-elle été naïve au point de se tromper, une fois de plus, sur la véritable nature d'un homme? Soudain, le doute venait de s'installer. Elle éclata en sanglots, envahie de solitude.

« Dites-moi comment, docteur, dites-moi comment je peux m'arrêter, avec une famille pendue à mes jupes!

— Dis à ton mari que je veux le voir, et ça presse!»

Florence n'entendit pas les propos tenus par le docteur Chevrier à son mari, dans le vestibule d'entrée, mais le soir même, Adhémar alla téléphoner à sa belle-sœur de Montréal pour quémander son aide. La semonce produisit aussi un autre effet bénéfique: l'ivrogne s'inscrivit, la même semaine, chez les Lacordaires, cette ligue nouvellement formée dont les membres juraient de ne plus prendre une seule goutte d'alcool du reste de leur vie. Florence n'y croyait guère, mais elle avait vu son mari, non sans pousser un soupir nourri d'illusions, accrocher la croix noire de la tempérance au-dessus de la porte. Elle se demanda même si ce n'était pas pour éviter de se trouver sans cesse confronté à cette croix qu'il avait émis l'idée lumineuse d'installer toute la famille, jusqu'à l'automne suivant, dans le petit chalet abandonné au bord du lac, de l'autre côté de la route et à l'extrémité de leur terrain, toujours propriété de la municipalité.

« Ce sera plus facile pour toi, ma princesse. Tu respireras moins de poussière, et les enfants s'amuseront sur la plage durant tout l'été. Tu n'auras qu'à les surveiller du haut de la véranda.»

L'idée semblait bonne. Et le mince espoir de voir, de temps à autre, le père partir avec son fils en chaloupe sur le lac avait pesé d'une certaine manière dans la décision de Florence d'y déménager. Mais, malgré la beauté des couchers de soleil, malgré la paix silencieuse des nuits loin de la route principale, elle se serait sentie isolée et anxieuse sans la présence constante d'un autre adulte. Par un malencontreux effet du hasard, un entrepreneur venait tout juste de prendre Adhémar à son service pour la construction d'une grange dans un village voisin. Il n'était pas question, pour le père, de renoncer à cette chance unique de rapporter quelque argent. Bien sûr, en cas d'extrême urgence, Désiré se trouvait assez grand pour accourir chez le fermier d'à côté ou jusqu'au bout du chemin pour demander secours à un passant, mais il n'était qu'un enfant après tout. Et un enfant pas toujours raisonnable et digne de confiance.

Le projet de faire venir Andréanne pour garder les petits à la maison plut immédiatement à Florence. Il y avait tant d'années qu'elles n'avaient pas passé une longue période de temps ensemble. Elle craignait toutefois que sa sœur, devenue citadine à part entière, ne s'ennuie mortellement dans ce coin reculé, à la soigner et à s'occuper de ses marmots. Mais Andréanne accepta avec enthousiasme.

C'est ainsi qu'en ce printemps de 1939 où, dans les conversations, les tracas financiers avaient cédé la place aux préoccupations pour la paix mondiale dangereusement menacée, la famille Vachon installa ses pénates sur le bord du lac. Le vieux chalet, entouré d'une large galerie grillagée, ne payait pas de mine, et Adhémar dut y effectuer un ménage méticuleux pour en chasser la vermine, une famille de souris au sous-sol et une meute de chauve-souris qui menaient dans l'entretoit un vacarme exaspérant à longueur de journée. Mais cette seconde demeure, installée directement sur la magnifique plage de sable blond, ne manquait pas de charme.

***

Malgré l'interdiction formelle du médecin de se lever, Florence tenait à ce qu'on l'installe sur la véranda pour surveiller l'arrivée de sa sœur. Elle avait vu à ce que les enfants soient propres et bien mis pour paraître devant cette tante lointaine qu'ils connaissaient à peine.

Désiré ne se souvenait pas d'Andréanne. À peine se rappelait-il vaguement une visite à Montréal, quelques années auparavant, chez sa grand-mère Camille, maigre et souffreteuse dans sa chaise berceuse placée contre une fenêtre. Elle habitait dans une rue asphaltée et sans arbres, et dont toutes les maisons s'accolaient les unes contre les autres. À l'arrière, dans la petite cour de ciment entourée d'une vieille clôture de bois, il s'était bercé sur la balançoire du voisin suspendue sous la galerie pendant que les adultes discutaient à l'intérieur, au troisième étage. Sa vieille grand-mère vivait là avec ses deux grands fils, des oncles qu'il ne connaissait pas, et sa fille Andréanne, la fameuse tante qui devait arriver aujourd'hui.

Lorsque Florence vit descendre sa sœur de la vieille Buick conduite par son frère Guillaume, elle se dit dans son for intérieur qu'elle ne tiendrait pas trois jours. La jeune femme, en tenue de ville et outrageusement maquillée, lui parut encore plus pimpante et émoustillée que dans ses souvenirs. Les bras remplis de cadeaux, camions pour Désiré, poupées et babioles pour les deux petites, elle affichait le sourire candide de ceux qui s'en vont sauver l'humanité. «Trois jours, c'est trop, elle repartira demain!» songea Florence avec dépit, en ouvrant tout grand ses bras pour accueillir celle qui avait partagé son enfance et acceptait généreusement de venir la soigner.

***

Florence se trompait. Andréanne tint bon les cinquante-trois jours qu'il fallut pour rendre les jumelles à terme. Les deux sœurs dont le genre de vie se trouvait aux antipodes retrouvèrent spontanément la complicité de leur jeunesse. Andréanne abandonna ses artifices au fond d'un tiroir et adopta rapidement les intérêts et les préoccupations de sa sœur. Florence n'eut pas à tenir de longs discours pour démontrer le bourbier dans lequel elle pataugeait. Mais la présence de sa cadette lui apporta un tel vent de fraîcheur, un tel regain de vitalité, qu'elle se mit à craindre secrètement de ne plus pouvoir s'en passer. Évidemment, elle se garda bien de dévoiler la flamme insoupçonnée qui lui brûlait le cœur au sujet du docteur Chevrier. Non pas qu'elle manquât de confiance en sa sœur, mais d'en parler lui aurait donné l'impression de rendre officiel un amour coupable que, certains jours, elle refusait encore d'admettre tant il lui faisait peur.

Elles ne virent pas le temps passer. La naissance des bébés s'avéra facile et de courte durée. C'est ensemble, assistées de Vincent, que les deux sœurs accueillirent, d'un même cri d'exclamation et de ravissement, les deux filles identiques d'Adhémar Vachon, évidemment introuvable ce jour-là.

L'intensité du regard tendre que le médecin posa sur Florence, en la félicitant, en disait plus long que toutes les déclarations d'amour qu'il aurait pu prononcer. La mère redouta, l'espace d'un instant, que le sentiment ardent voilé derrière cet échange ne mette la puce à l'oreille de la tantine. Dieu merci! les deux adorables poupons semblaient avoir sollicité toute son attention.

Pas une seconde Florence ne souffrit de l'absence de son mari durant l'accouchement. Adhémar ne lui était plus rien. Auprès d'elle se tenaient les deux seuls êtres au monde qui l'aimaient sincèrement à part ses enfants, évidemment, et peut-être bien aussi ses deux frères. Qu'aurait-elle pu demander de plus?

Au baptême, Guillaume et Andréanne firent office de parrain et de marraine des jumelles et, contrairement à la tradition exigeant qu'une femme présente l'enfant sur les fonts baptismaux, Alexandre remplit le rôle de «la porteuse» des bébés prénommés Marie-Claire et Marie-Hélène. Le père, bien sûr, ne put s'empêcher d'envoyer paître les Lacordaires et de «fêter ça» dans le gros gin, ce qui ne surprit personne.

Une seule contrariété vint amoindrir l'euphorie de cette journée-là : le départ d'Andréanne pour Montréal prévu pour le soir même, en compagnie de ses frères. La jeune femme quitta la famille Vachon, sans maquillage et vêtue simplement, plus radieuse que jamais. Elle affirmait à qui voulait l'entendre qu'elle venait de vivre le plus bel été de son existence, «dans un bain de vraie vie. Et je le dois à ma grande sœur!»

«T'en fais pas, Florence, je reviendrai souvent, maintenant que je suis tombée en amour avec tes enfants!»

La grande sœur attendit longtemps que la voiture eût disparu à l'horizon avant d'éclater en sanglots. Andréanne allait lui manquer considérablement. Mais les jumelles réclamant la tétée s'occupèrent de ramener leur mère à la réalité. Le temps de s'apitoyer n'existait même plus pour Florence Vachon.

Étrangement, dans ses souvenirs de ce jour-là, ce serait l'uniforme militaire des Forces armées canadiennes porté par Guillaume et Alexandre qui lui viendrait à l'esprit en premier, comme une ombre sournoise à laquelle elle n'avait pas suffisamment porté attention.

Chapitre 22

15 septembre 1939

Cinquante-trois jours bien comptés, un à un, avec leur somme de travail, de fatigue, d'inquiétude. Avec leur somme, aussi, de courage, de vaillance et d'amour. Et d'émotions intenses dépourvues de vanité, aux extrêmes du bon et du mauvais, du bien et du mal, aux limites du bonheur et du malheur. Auprès de Florence, j'ai découvert le réel, le vrai et le beau, mais aussi le dur et le cruel, l'inadmissible. Le gouffre au bord du septième ciel, l'espoir collé sur le désespoir. Surtout le désespoir...

À force de peu la fréquenter, je croyais ma sœur faiblarde et lourdaude, embrigadée dans une mentalité de campagnarde, celle des habitants de notre enfance rivés et bornés à leur nature, ce que Florence est encore, par la force des choses. Eh bien, non! J'ai découvert une femme forte et aguerrie malgré son état grabataire provisoire. Elle a appris à se débrouiller avec les moyens du bord, et elle sait se battre mieux que quiconque contre le dénuement dans lequel l'a plongée son destin. Un destin amer qui porte le nom d'Adhémar Vachon, à n'en pas douter. Si elle aime follement ses enfants, comme de juste, je trouve héroïque qu'elle ait gardé, à l'égard de son beau merle de mari, une certaine considération, ne serait-ce que le respect pur et simple.

Dire qu'autrefois j'aurais donné mon âme pour que cet énergumène me regarde un peu! Évidemment, l'âge mûr lui a ménagé son petit côté séduisant. Il m'attire encore, le coquin! Et les années, en creusant davantage ses traits parfaits, ont réussi à conserver sur son visage un je-ne-sais-quoi de désin-volture auquel les femmes ne doivent pas toujours résister. Ces yeux verts... Même moi, je me suis sentie confuse quand, à un moment donné, durant la sieste de Florence, il a eu l'audace de me faire des avances libidineuses derrière le chalet. Je lui ai vite rabattu les pattes, à ce vicieux, ce couailleux de la pire espèce! Maudit sans-cœur!

Sa femme risque sa santé et sa vie pour avoir rempli son devoir conjugal et couché avec lui, et lui, l'animal, ne pense qu'à bambocher à gauche et à droite. Quel fumier! Et la malheureuse assume seule les conséquences des assauts impu-diques de ce mari fou braque. Encore s'il lui donnait un coup de main et la faisait vivre décemment! Mais une fois de plus, cet été, il a perdu son emploi au bout de trois semaines. Ma sœur en braillait de rage quand elle l'a vu revenir, l'air piteux. En tout cas, je te mettrais ça à la porte, moi, un salaud pareil! Dire que je plaignais maman, autrefois, pour sa vie servile et monotone. Celle de ma sœur me semble mille fois pire!

Mais elle n'a pas le choix de le supporter, la pauvre! Où s'en irait-elle avec ses cinq enfants? Elle vit sur une voie sans issue... Et puis, va-t-il l'engrosser comme ça, chaque année, comme une vulgaire lapine? Il ne peut donc pas se retenir, celui-là? Ou utiliser des capotes anglaises comme moi? J'au-rais pu en parler à Flo, mais comment aborder un tel sujet avec elle? Jamais elle ne se plaint, et elle parle rarement de ses problèmes, comme si elle s'était faite à l'idée. Comme si son seul souci consistait à survivre à l'instant présent, la journée même, un jour à la fois. D'ailleurs, ce qui se passe dans son lit ne me regarde pas. Ce n'est pas à moi de lui indiquer comment «empêcher la famille»! J'aurais dû pourtant... Qui d'autre le fera?

D'un autre côté, Florence en sait très peu sur ma vie, moi qui additionne les amants. Si elle voyait le riche appartement de la rue Sherbrooke où je viens d'emménager, elle n'en reviendrait pas! Aussi bien ne jamais l'inviter chez moi. Nos vies semblent trop différentes et j'éprouverais une gêne épouvantable à étaler mon luxe devant elle. Mais nécessité oblige : puisque mes frères s'en vont à l'armée, aussi bien quitter la rue Drolet et m'installer dans une demeure plus décente. Il faut dire que les chèques d'Arthur me facilitent les choses. Ouais... Aujourd'hui, le pourvoyeur s'appelle Arthur. Hier, c'était Raymond, autrefois ce fut Harry et ensuite, Roger. Demain, portera-t-il le nom du riche courtier que la cousine Lise a proposé de me présenter? Tant pis! Mes fesses valent une fortune et j'en tire parti! Je me sens libre, riche et belle. Désirable et désirée. Tandis que Florence...

Et pourtant, durant ces cinquante-trois jours écoulés auprès d'elle, j'ai eu l'impression, pour la première fois de ma vie, de vivre intensément, profondément, d'une manière que je n'aurais jamais imaginée. La vraie vie, quoi! Avec rien, absolument rien de frivole ou de superficiel. J'ai frôlé l'innocence en jouant à la poupée avec Isabelle et la grande Nicole, j'ai redécouvert les joies saines et simples de la baignade et des châteaux de sable construits sur une plage. Grâce à moi, Désiré sait maintenant nager. Malgré son mauvais caractère et son petit côté sauvage, on a réussi à bien s'entendre, lui et moi. Je n'oublierai jamais l'allégresse écrite sur sa figure quand il a sorti son premier achigan de l'eau. De la joie pure! Et que dire du regard maternel de Florence sur ses jumelles quand elle les allaite... Ah oui, la vraie vie, c'est ça!

Comme je me sens insignifiante, maintenant, en considérant mon existence mondaine et futile. Creuse comme un vase vide, ma vie! Le cristal et les fourrures ne pourront jamais remplacer le rire d'un enfant, la caresse d'une mère, ou la beauté du soir qui tombe sur le bord d'un lac. Comme c'est beau, un foyer avec des enfants qui renouvellent chez leurs parents, au quotidien, leur capacité d'émerveillement de jadis... J'aurais pu moi aussi fonder une famille. Une famille avec un homme et une femme qui se regardent encore et toujours, pendant des années, pendant toute leur vie, avec la même tendresse sans cesse réanimée, à l'instar des feux de camp qu'on allumait sur la plage et dans lesquels on ne *cessait d'ajouter des bûches. J'aurais pu! Après tout, la plupart des pères ne sont pas des Adhémar Vachon! Ou des Harry, des Raymond et des Arthur! De bons pères et de bons époux, ça doit bien exister quelque part! Mon père Maxime Coulombe me l'a prouvé autrefois.*

Pourquoi donc n'ai-je pas compris cela, à l'époque, avec Simon? Non! Je désirais une vie facile, eh bien, je l'ai eue! Et je l'ai encore! Je mène une existence de pacha, adulée et convoitée, portée aux nues, c'est le cas de le dire, par des hommes riches et puissants qui prétendent m'adorer. Sauf qu'ils me maintiennent au second plan de leur vie. J'existe à contre-jour, je reste leur maîtresse, celle dont ils se servent pour le plaisir et qu'ils délaissent ensuite comme une vieille poupée dont on ne veut plus.

Qu'est-ce que j'ai donc à pleurer comme ça ce soir? Je ne vais tout de même pas envier la misérable vie de ma sœur! Allons, ma vieille, ressaisis-toi, que diable! Que va penser Arthur de tes yeux rouges?

Chapitre 23

Adhémar accepta d'accompagner sa femme lors de la première visite des jumelles chez le docteur Chevrier, à Saint-Didace. Le médecin trouva la mère et les bébés en assez bonne santé. Il en profita pour remettre à Florence quelques fioles d'huile de foie de morue.

«C'est gratuit, je vous les donne! Il s'agit d'un excellent tonique pour toute la famille, surtout pour vous, ma chère dame. Vous en prendrez une cuillerée, matin et soir, jusqu'au début du printemps prochain. Vous m'avez bien compris? L'hiver sera long, et allaiter deux bébés exige de l'énergie et une excellente forme. Vous aurez de l'aide, j'espère?»

Ce vouvoiement appuyé à outrance et ce «ma chère dame» répétitif agacèrent Florence.

«Ma sœur est repartie à Montréal après l'accouchement, mais mon mari sera là, n'est-ce pas, Adhémar?»

Adhémar se redressa avec la fierté d'un coq.

«Oui, oui, ne vous inquiétez pas, docteur! J'ai pris de bonnes résolutions au sujet de... vous savez quoi! Florence m'a fixé un rendez-vous avec un entrepreneur, la semaine dernière, et il a accepté de me prendre pour la construction de l'École des métiers d'art, à Saint-Gabriel-de-Brandon. Tout devrait bien aller dorénavant pour maintenir ma famille sur pied.

— J'ai un petit cadeau pour vous, monsieur Vachon.»

Le médecin s'en fut, d'un pas lourd, au fond de la remise derrière son bureau, sous le regard dévorant de

Florence. Elle lui trouva un air fatigué. Ces yeux cernés derrière des lunettes qu'il ne retirait plus, ce teint blême, cette barbe grisonnante, ce dos légèrement voûté. Quelle vie, tout de même, pour cet homme entièrement consacré à sa profession! Toujours à droite et à gauche sur les interminables routes de gravier reliant les villages, la nuit comme le jour, à mener inlassablement une lutte sans merci contre la maladie. Ses entreprises ne se terminaient pas toujours aussi favorablement que la naissance réussie d'une paire de jumelles pleines de vie... Quand on se bat quotidiennement avec la mort, on doit bien perdre certaines batailles de temps à autre. La mort a son quota de victoires à remporter et son nombre de victimes à avaler, chaque jour et chaque semaine. Où donc cet homme prenait-il sa force, quelle était donc sa source de générosité, de don total de soi envers les plus démunis d'entre les humains? Malgré les embûches, malgré les défaites inévitables, malgré les coups bas du destin, il continuait d'aller de l'avant, droit et solide.

Florence sentit soudain monter une bouffée de tendresse pour cet être sacrifié, donné, capable de renoncer à lui-même pour les autres, cet être fort, plus fort et plus grand que tous ceux qu'elle avait jamais rencontrés sur sa route. Elle poussa un soupir d'envie pour la femme de Vincent, cette épouse mystérieuse si rarement présente dans le décor. Elle, la choisie, la privilégiée, l'élue, la favorite, celle qui mangeait et dormait avec lui. L'épouse.

« Voilà pour vous, monsieur Vachon. Je dirais même, pour vous deux, monsieur et madame Vachon! »

Le médecin déposa sur le coin du bureau plusieurs boîtes de carton jaune portant des étiquettes rédigées en langue anglaise.

« Il s'agit d'échantillons. Je vous les donne. Et si vous en manquez, revenez me voir, j'en aurai d'autres. »

Il se rapprocha d'Adhémar et soutint son regard en insistant de manière audacieuse.

« Voilà des condoms. À utiliser scrupuleusement au cours de vos rapports sexuels. Et dès le début de la relation. Vous me comprenez bien, monsieur Vachon? Je ne pense pas qu'il soit nécessaire de vous en enseigner l'usage...

— Euh... non, non.

— Je vous conseille fortement, à vous et à votre femme, de ne pas avoir d'autres enfants avant au moins deux ou trois ans. Quoi qu'en dise votre confesseur. Votre femme a besoin non seulement de se remettre de ses couches, mais aussi de se refaire une bonne condition physique avant de procréer de nouveau. Et allaiter deux bébés est très exigeant pour le corps d'une femme. Me fais-je bien entendre?

— Euh... oui, oui.

— Et si vous voulez un conseil d'ami, une famille de cinq enfants constitue une bien jolie famille de nos jours. Une famille suffisante. S-U-F-F-I-S-A-N-T-E. Ce n'est pas tout de mettre des enfants au monde, il faut les élever aussi. Et les faire vivre décemment, D-É-C-E-M-M-E-N-T, c'est clair?

— ...

— Avec le coût de la vie qui ne cesse de monter, la guerre en Europe qui prend des allures de conflit mondial, il faut y songer à deux fois plutôt qu'une avant de faire des petits. Mieux vaut utiliser des condoms... Mais je suis médecin, pas curé. À vous de prendre une décision, selon votre conscience, pour suivre ou non mes conseils... insistants! Bien compris?

— Oui, docteur!

— Vos enfants, monsieur Vachon, ont besoin d'une mère en santé. Et vous, d'une épouse en santé. »

Surpris par ce discours, Adhémar jugea bon de couper court non sans s'être emparé des boîtes jaunes d'une main leste. Il remercia promptement et se leva aussitôt. Par politesse, et sans doute pour sauver la face après un tel discours, il se sentit tout de même obligé de demander au médecin des nouvelles de sa propre famille.

«Mes deux filles vont au pensionnat des sœurs des Saints Noms de Jésus et de Marie, à Montréal, et ma femme habite chez sa sœur handicapée. Mon offre tient toujours, vous savez. Si jamais vous désirez m'accompagner en ville un de ces bons dimanches...»

Florence comprit enfin pourquoi la fameuse madame Chevrier se trouvait si rarement auprès de son mari: elle devait probablement s'occuper de sa sœur malade. Cependant, la générosité de cette femme ne suffisait certainement pas à expliquer ses longues absences, loin de son époux. Ne pouvait-elle pas soigner sa sœur à Saint-Didace plutôt qu'à Montréal? Elle en conclut que le couple ne devait pas s'entendre particulièrement bien et qu'une forme de séparation à l'amiable gérait sans doute leur relation.

Plus maladroit, Adhémar s'exclama bêtement, en éclatant de rire:

«Ouais... ça ne fait pas des enfants forts, ça! Je comprends que vous ayez un surplus de capotes à donner à vos patients!»

Le médecin se mit à rire, lui aussi, mais son rire sonna faux. Il se garda bien de répondre.

Une fois dans la voiture, Florence réalisa qu'elle s'était sentie mal à l'aise, elle aussi, et se demanda pourquoi elle avait timidement baissé les yeux en disant au revoir à l'homme qui occupait silencieusement ses pensées.

***

En dépit de son bon état de santé attesté par Vincent, Florence se remit difficilement de ses couches. Elle arrivait mal à retrouver ses forces malgré le tonique prescrit, ingurgité chaque jour docilement et avec une grimace. La famille avait réinstallé ses pénates dans la maison près de la route principale dès le départ d'Andréanne, à cause de l'absence totale d'isolation du chalet pour parer aux froids rudes et précoces qui sévissaient cette année-là. Les bébés mirent du temps à faire leurs nuits et Florence, sans cesse dépassée par la quantité colossale de travail, avait l'impression de fonctionner comme un automate.

Nicole, l'aînée des filles, faisait cet automne-là son entrée à l'école primaire. Adhémar, en route vers son travail, l'accompagnait à pied avec Désiré jusqu'au couvent des religieuses à côté de l'église de Saint-Charles. Puis il attendait qu'un compagnon de travail le prenne dans sa vieille bagnole pour se rendre jusqu'à Saint-Gabriel. Le soir, le père et les écoliers faisaient le chemin à l'inverse. Désiré, toujours maussade et revêche, ne disait mot et se contentait de pousser des cailloux du bout du pied ou de siffloter en regardant les centaines d'outardes traverser le ciel vers des régions plus hospitalières. Un jour, quand il serait grand, lui aussi prendrait son envol et s'enfuirait d'ici, loin de ce père abusif et cruel qu'il détestait sourdement.

Le temps froid s'abattit sur la région sans que Florence, isolée dans son coin perdu de la campagne, s'en rende compte. Elle ne sortait guère de la maison avec la petite Isabelle et les jumelles, et elle n'en finissait plus de laver des couches, de préparer des repas et de torcher la maison. « C'est l'hiver le plus long de ma vie, se disait-elle, complètement épuisée. Mais au moins, on a de quoi manger... » En effet, depuis six mois, Adhémar rentrait fidèlement tous les soirs après le travail sans avoir pris une goutte. Sans doute l'obligation de ramener les enfants de l'école y était-elle pour quelque chose. « Pour une fois que l'éloignement lui est profitable! se disait Florence, plutôt sceptique. Et pourvu que ça dure!» Tout semblait désormais bien rodé pour la famille Vachon. Les réunions des Lacordaires du jeudi soir accomplissaient enfin leur miracle. Adhémar menait une vie sobre et rangée, et pourvoyait aux besoins des siens.

«Par amour pour toi, ma princesse!»

Entourée de ses cinq enfants grouillants, Florence haussait les épaules. Comme si d'accomplir simplement son devoir de père représentait pour lui un geste héroïque! Si Adhémar, malgré les griffures de l'alcool sur son beau visage et son corps de plus en plus flétri, exerçait encore sur elle une certaine fascination purement sensuelle, Florence ne filait pas le parfait bonheur, loin de là! Bien sûr, la réserve de préservatifs baissait tranquillement. Mais la perspective d'une rechute et la mendicité qui s'ensuivrait n'en finissaient pas de hanter les nuits sans sommeil de la jeune mère. Dieu merci, grâce aux condoms, elle n'appréhendait plus de retomber enceinte. Tant pis pour le curé, ses regrets, ses expiations et son exigence du «ferme propos de ne plus recommencer». Il n'avait qu'à venir passer deux jours chez elle, celui-là, et il verrait ce qu'il imposait aux femmes avec ses prédications aberrantes! D'ailleurs, elle se demandait s'il s'était aperçu qu'elle ne venait plus, par manque de temps, toucher l'orgue de l'église.

Quant à celui qui occupait secrètement ses pensées, Florence ne le rencontrait que rarement. Il lui arrivait à l'occasion, quand il se trouvait dans les parages, de frapper à la porte des Vachon pour simplement se renseigner si tout allait bien et remettre, une fois de plus, quelques poules caquetantes ou une enveloppe contenant un certain montant d'argent. Il préférait rester sur le perron «rien qu'une petite minute». À moins d'une nécessité absolue, il n'acceptait jamais d'entrer même si Florence le lui offrait poliment.

Elle savait bien, au fond, qu'il s'avérait plus sage de

garder les distances. Si jamais elle se retrouvait de nouveau dans ses bras, elle ne pourrait sans doute plus répondre d'elle-même. La simple pensée du médecin et de son unique et inoubliable étreinte la rendait confuse et amère. Dire qu'elle aurait pu vivre une vie décente, remplie de livres, de musique et d'autant d'enfants auprès d'un homme comme lui, cultivé, distingué, à l'aise financièrement. Au lieu de cela, elle ne connaissait qu'indigence et insécurité. Et ennui...

La veille encore, Adhémar avait fait des siennes. Sans dire un mot, il avait déposé son enveloppe de paye sur la table de la cuisine, comme il le faisait fidèlement depuis quelque temps. Mais quand elle avait entrepris de répartir les billets de banque dans les différents contenants métalliques de sa boîte de budget, Florence s'était aperçue qu'il en manquait plusieurs. Devant son regard interrogateur, Adhémar s'était contenté de répondre sur un ton incisif qui ne tolérait pas de réplique.

«Dette urgente à rembourser.»

Puis il s'était levé d'un bloc et était sorti en claquant la porte. Effrayée, elle avait vu là l'indice d'une nouvelle période de crise.

En fin de journée, elle comprit qu'en effet son intuition ne l'avait pas trompée, car la foudre s'abattait de nouveau sur eux. Cette fois, par contre, elle ne pouvait tenir son mari responsable de ce nouveau malheur.

Elle n'en croyait pas ses yeux et relut, trois fois plutôt qu'une, la lettre qu'il venait de lui rapporter du bureau de poste. L'avis notarié s'adressait à Adhémar Vachon, locataire. Avec horreur, elle y découvrit la menace d'expulsion de leur demeure par un acheteur éventuel. N'ayant pas perçu, depuis dix ans, les taxes de la part du propriétaire du terrain, de la maison et du chalet de la plage occupés présentement par la famille Vachon, et après avoir publié régulièrement de nombreux avis de recherche à travers la province de

171

Québec, dans l'est du Canada et dans plusieurs États de la Nouvelle-Angleterre, la municipalité de Mandeville se trouvait en droit de mettre ladite propriété à vendre. Florence s'effondra.

«Ce n'est pas vrai! Je ne peux y croire! Est-ce à dire qu'un nouveau propriétaire pourrait nous mettre à la porte?

— Tu as tout compris, ma princesse.

— Il ne manquait plus que ça!

— L'idéal serait de l'acheter nous-mêmes.

— Tu veux rire! Avec quel argent?»

À l'heure du souper, on frappa à la porte. À travers le rideau, Florence entrevit le sourire du docteur Vincent. Elle l'accueillit mentalement comme celui d'un ange envoyé du ciel. Il portait à la main un panier rempli de légumes frais sans doute hérités de l'un de ses patients. Adhémar insista pour le faire entrer. Devant sa mine dépitée, le médecin fronça les sourcils.

«Salut! Que se passe-t-il? Une mauvaise nouvelle?

— Vous pouvez le dire! Imaginez-vous qu'on risque de déménager bientôt. La municipalité a mis notre maison à vendre! Pas croyable!

— Il fallait bien s'y attendre un jour ou l'autre...»

Vincent caressait sa barbe, l'air songeur. Il s'attendait à ce qu'on lui parle du mal d'oreilles de l'un ou des rougeurs sur les fesses de l'autre, mais ce nouveau problème le prenait au dépourvu.

Florence l'observait à la dérobée. Comme elle aimait cet homme! Quel âge pouvait-il avoir? Quarante, quarante-deux ans? Elle avait l'impression de le connaître depuis toujours et pourtant, elle n'avait remarqué que l'an dernier la régularité et la douceur de ses traits. Cet homme respirait la sérénité et la grandeur d'âme. Adhémar, peu soucieux des besoins de sa famille, ignorait tout au sujet de l'argent que le docteur remettait à sa femme, de temps à autre, dans des enveloppes scellées.

Elle s'en servait, en catimini, pour diminuer leurs dettes à l'épicerie et au magasin général, ou encore pour acheter du tissu et des souliers aux enfants. Trop dans le besoin pour jouer la fierté, elle acceptait ces offrandes avec humilité, comme on reçoit un don de charité. Si, dans les coulisses de son cœur, elle éprouvait un amour réel, profond et sensuel pour le médecin, cet amour de femme n'en comportait pas moins une large part de reconnaissance envers son généreux bienfaiteur.

Vincent tira une chaise et s'installa sans enlever son paletot.

«Il ne faut pas conclure immédiatement à la catastrophe, Adhémar. Soyez optimiste, que diable! Qui vous dit que les futurs acquéreurs se montreront intéressés à habiter ce... cette... votre maison?

— Cette chiotte, vous voulez dire! Et qui vous dit qu'ils ne doubleront pas le loyer de la chiotte, hein? À moins qu'ils ne décident de la jeter par terre pour construire une série de chalets de la route jusqu'à la plage? On voit de plus en plus de touristes dans la région. Saviez-vous que de nombreux hôtels sont prévus du côté du village?»

Le médecin haussa les épaules en signe d'impuissance.

«On n'arrête pas le progrès, mes pauvres amis. Que voulez-vous... Écoutez, j'ai continuellement affaire dans les alentours et je connais beaucoup de monde. Je vous promets de garder l'œil ouvert. Et l'oreille aussi! Peut-être vais-je réussir à vous dénicher un autre logement à un prix raisonnable et dans un joli coin? On ne sait jamais! Il faut croire à sa bonne étoile.»

Sa bonne étoile, sa bonne étoile... Florence n'y croyait plus guère. Depuis très longtemps, elle avait même oublié qu'elles existaient, les étoiles! Et leur poésie, et leur romantisme. Et leur capacité de réaliser des souhaits du haut du ciel. L'unique étoile de sa vie portait un pantalon, arborait une barbe aux fils d'argent et des yeux couleur de mer, et transportait une trousse de médecin d'une maison à l'autre du canton. Cette étoile rayonnait du grand éclat de sa bonté. Elle sentit son cœur se gonfler, mais les jumelles s'approchèrent de Vincent à quatre pattes et lui tendirent un jouet. Il s'empressa de les soulever en effleurant gentiment leur joue.

« Ce qu'elles ont grandi, ces petites-là! Et quelles poupées mignonnes! Elles ressemblent de plus en plus à leur mère... Mais vraiment, je n'arrive pas à les différencier l'une de l'autre!

— Elles sont belles comme leur mère et fines comme leur père », fanfaronna Adhémar, soudain imbu d'orgueil.

Sa remarque resta sans réponse. Le médecin se contenta de sourire mollement en se dirigeant vers la sortie. Adhémar le reconduisit jusqu'à sa voiture et le remercia pour sa visite réconfortante. Florence retint un soupir de soulagement. Son protecteur veillerait sur elle...

Trois semaines plus tard, Adhémar reçut une autre lettre certifiée l'avisant de la vente définitive et finale de la propriété. Cependant, l'acheteur ne semblait pas intéressé à en prendre possession pour le moment. L'envoi comportait un formulaire de bail. Comme auparavant, et jusqu'à avis contraire, monsieur Vachon n'avait qu'à continuer à payer le même montant de loyer au notaire qui se chargerait de le transmettre à l'acquéreur. Quand le couple s'informa du nom de leur nouveau propriétaire, l'homme de loi répondit qu'il s'agissait d'une personne de Montréal, une femme riche qui, pour des raisons personnelles, préférait garder l'anonymat pour le moment.

Adhémar supposa qu'il s'agissait peut-être d'une affaire de placement obscur pour blanchiment d'argent. Florence, de son côté, soupçonna Andréanne, l'espace d'un instant, d'avoir acheté la maison, soucieuse de protéger la famille contre un délogement éventuel. Mais elle mit en doute la pertinence de cette explication. Sa sœur, même si elle semblait rouler carrosse, et malgré sa générosité à toute épreuve, n'avait certainement pas les moyens pour ce genre de dépense. Et pour quelle raison dissimulerait-elle un geste d'une telle magnanimité?

Elle opta plutôt pour la thèse d'Adhémar, et souhaita ardemment voir leur situation perdurer encore longtemps, si précaire fût-elle.

Chapitre 24

18 décembre 1943
Je me déteste! Je suis la pire des garces! Une vraie pétasse!
J'ai couché avec mon beau-frère...
À quoi ai-je donc pensé? Disons plutôt que je n'ai pas
pensé du tout! Il existe des milliers de beaux hommes dans la
province, et il a fallu que je m'approprie celui-là précisément.
Le démon! Ah! il a bien su m'amadouer, le fin finaud! Il lui
a suffi de déposer un chaste et traître baiser sur mon poignet,
du bout de ses lèvres maléfiques, pour que s'ouvrent violem-
ment les écluses d'un désir retenu depuis longtemps. Depuis
trop longtemps!
J'ai aussitôt perdu la tête, emportée par un vertige incon-
trôlable. Ces yeux verts qui me dévoraient, me déshabillaient
sans retenue. Et pas rien que les yeux! L'alcool aidant, j'ai
succombé à ses avances insidieuses, et nous avons bientôt
basculé dans le plaisir vil, abject, aussi vicieux qu'on puisse
l'imaginer. Mon beau-frère est le plus dégoûtant des amants,
et je ne peux croire que ma sœur se prête à des gestes aussi
audacieux. Ça ne lui ressemble guère... Je suppose qu'il se
comporte en bon petit mari pudique et respectueux devant
elle et se reprend lors de ses fugues en ville!
Quelle idée lui a pris, aussi, de sonner à ma porte, je me
le demande encore! Il existait pourtant entre lui et moi une
entente tacite pour maintenir scrupuleusement les distances,
une sorte de convention jamais énoncée mais respectée rigou-
reusement de part et d'autre, à l'instar d'un territoire miné
sur lequel on ne devait jamais s'aventurer. Adhémar a tou-

*jours représenté pour moi un fruit défendu, un «pas-touche»,
quoi! Et je respectais cela. Nous n'avions jamais triché!*

*Coucher avec mon beau-frère représente, à mes yeux, la
pire des abominations, un véritable coup bas envers ma
pauvre Flo. Je ne me le pardonnerai jamais. Si, un jour, elle
apprend ce qui s'est passé, elle aura toutes les raisons du
monde pour m'assassiner. Ou me haïr à tout jamais. Et
j'aurai couru après!*

*Mieux vaut tenir cela mort, elle ne doit jamais
l'apprendre. Mieux vaut surtout ne plus recommencer. Plus
jamais, ma vieille, tu m'entends? Plus jamais! Qu'il aille au
diable, ce coureur de jupons, cet ensorceleur, ce Casanova de
la pire espèce, cet être sans conscience pas fichu de prendre soin
de sa famille et d'aimer sa femme comme elle le mérite.
Débardeur au port de Montréal... Peuh! Il en a de bonnes!
Monsieur Vachon s'imagine qu'il vient de dénicher l'emploi
du siècle alors qu'il est incapable de lever le petit doigt durant
cinq jours d'affilée. Plutôt expert dans le levage du coude et le
tétage de goulot, le beau-frère! Il a recommencé sa vie cent fois,
il a exercé cent métiers, il a fait cent fois cent promesses à ma
sœur et... il a rechuté cent fois! Et cent fois il a mis sa famille
dans le trou! Un vrai minable! Et moi, j'ai couché avec ça...*

*J'ai bien essayé de le haïr dès le début. Au moment de la
naissance des jumelles, je l'ai vu agir et traiter Florence
comme une servante. J'ai failli réussir à le détester. Mais il est
trop beau! Depuis le premier jour où je l'ai vu, quand nous
habitions à Saint-Didace, j'ai aimé son regard, sa stature, ses
cheveux, son cou, ses mains, ses fesses... J'avais quatorze ans.
Et maintenant, j'aime l'odeur de sa peau. La belle affaire!*

*Désormais, aurai-je le culot de regarder ma sœur en face?
Et la semaine prochaine, quand on célébrera Noël tous
ensemble à Mandeville, trouverai-je le courage de l'affronter
et de me mesurer à Adhémar comme si de rien n'était? Ma
faute ne sera-t-elle pas plutôt imprimée sur mon front en
lettres dégoulinantes? Et si j'avouais tout à ma Flo, pour me
faire pardonner et soulager ma conscience?...*

Non, jamais! Pas tant que je vivrai! Lui révéler cette cochonnerie ne ferait que déverser en elle un flot immonde de souffrances imméritées. Elle en a son lot, il me semble! Sa vie est suffisamment dure comme ça. Quand nous placoterons comme de vieilles amies retrouvées, elle et moi, sur le coin de la table de la cuisine, pendant que les autres dormiront à l'étage, comment vais-je réussir à garder contenance et faire semblant de rien? Je me réfugierai dans mon domaine, celui de l'hypocrisie et des faux-fuyants... Et je me tairai. Je tairai cette faute ignoble comme j'ai toujours tenu secrets les mensonges et les tricheries de ma triste vie d'amante. Oh! de poule luxueuse, bien sûr, mais de poule tout de même, pour ne pas dire de putain de luxe. Mon existence de second violon, quoi! Combien de femmes, à Montréal, ont des raisons de me détester? Au fond, je m'en fiche! Si leur mari les trompe, cela ne me regarde pas, ce n'est pas mon problème. Mais quand il s'agit de ma sœur, là, c'est une autre histoire.

De toute manière, ma trahison avec Adhémar ne constituera pas l'unique cachotterie apportée en guise de cadeau de Noël au lac Mandeville cette année... Mes frères aussi vont mentir. D'un commun accord, nous avons décidé de ne pas annoncer tout de suite à Florence le départ imminent de Guillaume pour l'Angleterre, avec la Royal Canadian Air Force, après le congé des Fêtes. Eh oui! notre petit frère a terminé son stage d'entraînement à Mont-Joli comme bombardier, et il va nous quitter bientôt pour les vieux pays. Dieu sait s'il reviendra de cette affreuse guerre. Rien que d'y songer me donne la nausée.

Pourquoi ternir le Noël de Florence et de ses petits avec cette sombre nouvelle? Il me semble préférable d'écouler le temps des Fêtes tous ensemble et joyeusement, et d'éviter momentanément les effusions douloureuses et les adieux déchirants. Au moment de s'embarquer, dans quelques semaines, mon frère l'annoncera lui-même à Flo dans une lettre. Dieu merci, Alexandre, lui, s'il continue sa formation avec l'infanterie, ne parle pas encore de partir.

Et puis, j'aurai peut-être une annonce heureuse à apporter aux miens. Il ne reste qu'à régler certains détails et donner ma réponse définitive... Après tout, la conscription pour le service militaire a ses bons côtés! Je n'ai pas trompé que ma sœur en couchant avec son mari... Oh là là!

Chapitre 25

Les Fêtes, cette année-là, furent à la fois les plus exaltantes et les plus navrantes de l'existence de Florence. Adhémar avait obtenu une maigre augmentation de salaire pour son emploi au port de Montréal. Elle pouvait donc se permettre, pour une fois, de recevoir ses frères et sa sœur pour célébrer Noël au lac Mandeville.

Enchantés de se retrouver dans le pays de leur enfance et de se replonger dans l'atmosphère des Fêtes d'antan, les visiteurs arrivèrent par le train, tout souriants et les bras remplis de boîtes mystérieuses. Florence se réjouissait de les revoir. Sa sœur, emportée par sa vie tumultueuse de citadine, n'était pas revenue très souvent après la naissance des jumelles, malgré ses promesses. Elle n'avait certes pas manqué d'envoyer des cartes et des cadeaux aux anniversaires de chacun, mais Florence aurait souhaité une relation plus personnelle, plus régulière entre elles. Entre la marraine et ses filleules aussi.

Guillaume et Alexandre, quant à eux, à cause de leur enrôlement dans l'armée, ne trouvaient guère de loisir pour visiter une sœur éloignée dont ils devaient se détacher par la force des choses. Florence les trouva beaux et séduisants et se montra fière d'eux. Dieu sait où cette maudite guerre mènerait ces deux-là... Les journaux qu'Adhémar rapportait parfois de la ville ne diffusaient que des mauvaises nouvelles. Les forces allemandes étendaient de plus en plus leurs tentacules sur l'Europe. Cette seule pensée la faisait frémir. Durant les trois jours qu'ils passèrent à Mandeville, elle ne cessa de les observer sous le manteau comme s'il s'agissait de leur dernière rencontre. Ces frères devenus adultes à son insu... «Non, ce n'est pas possible! Ils ne vont pas aller se faire tuer "de l'autre bord"! Ils ont à peine vingt ans! Ils sont trop jeunes, trop en santé, trop pleins de vie et de promesses. Trop beaux! Je ne veux pas qu'ils meurent, je ne veux pas...»

Jamais de sa vie elle ne les avait touchés pour leur manifester son affection, cela ne se faisait pas dans la famille Coulombe. Et voilà que, du jour au lendemain, elle avait envie de les prendre par le bras et de se coller timidement contre eux pour les combler de câlins et leur passer maternellement la main dans les cheveux. Les deux bonhommes la laissaient faire, trop heureux de devenir soudain l'objet de tant de tendresse. Ils ne semblaient nullement envisager les choses du même œil que leur sœur et se montraient détendus et rieurs. «Trop rieurs, songeait-elle. Ils veulent sans doute masquer leur peur d'aller se battre dans les vieux pays!» Mais les deux soldats affichaient l'optimisme et la candeur de leur jeunesse, cette force naïve du héros inspiré, convaincu de sa victoire, prêt à tout risquer pour défendre la liberté. Cette liberté dont ils avaient toujours inconsciemment profité depuis le jour de leur naissance valait-elle le sacrifice de leur vie? Florence, elle, ne la possédait plus, cette fameuse liberté, et personne ne se montrait prêt à mourir pour elle! De quel droit le gouvernement d'ici obligeait-il des jeunes à peine sortis de l'adolescence à aller se battre et à sacrifier leur vie pour de lointains inconnus? La conscription n'entravait-elle pas justement cette liberté qu'on voulait défendre à n'importe quel prix?

Au-dessus de la crèche, au pied de l'arbre de Noël, les anges annonçaient «Paix sur terre aux hommes de bonne volonté». Ils en avaient de bonnes, ceux-là! Ne remarquaient-ils pas, dans leurs envolées au-dessus de la terre, la chrétienté en train de se déchirer, de s'entretuer à coups de canons et de mitraillettes, ne voyaient-ils pas de jeunes Guillaume débouler des airs du haut de leur avion en feu, n'apercevaient-ils pas de beaux Alexandre de dix-neuf ans coupés en deux par des bombes, au fond des tranchées?

L'appréhension régnait dans le cœur de Florence. Elle détestait la guerre. Mais elle se secouait et chassait vite ces idées noires. C'était Noël, un temps pour s'égayer, rire, chanter, danser. Un temps pour oublier la dureté de l'existence. Les enfants, d'ailleurs, ne laissaient pas leur place pour créer diversion. Les jumelles se prirent d'affection pour leurs oncles. Les deux grandes, Nicole et Isabelle, ne juraient que par leur belle «matante Déanne» qui ne manquait pas, en riant, de leur barbouiller outrageusement les lèvres de rouge et les ongles de vernis. Même Désiré se laissa amadouer par son oncle Alexandre. On se retrouva vite sur le lac en train de patiner, ou derrière la colline sur le point de se lancer des balles de neige. L'écho ne manquait pas de transmettre les cris de joie mêlés au crissement des traîneaux sur la neige. Et, comble de bonheur, Adhémar se montra gai luron sans exagérer sur la bouteille. Ce qu'il pouvait être charmant quand il en avait envie!

Florence aurait voulu voir s'étirer indéfiniment ce temps d'allégresse, entourée des siens. Pour qu'ils ne partent plus, pour qu'ils restent resserrés auprès d'elle, joyeux, gaillards, solidaires les uns des autres comme au temps de leur jeunesse. Pour voir se prolonger l'insouciance et la folle exubérance du passé enfin renouvelées.

En cette nuit de Noël, Adhémar réussit à emprunter le vieux camion d'un ancien compagnon de travail. La température et l'état des routes le permettant, tous décidèrent, d'un commun accord, de se rendre à la messe de minuit, non pas à Saint-Charles-de-Mandeville, mais à Saint-Didace, la paroisse de leur enfance.

Entassés sur des coussins dans le coffre ouvert du véhicule et ensevelis sous des piles de couvertures comme on s'empilait autrefois dans les *boggies*, ils franchirent, à la belle étoile, la distance entre les deux villages. Chacun relatait de vieux souvenirs que l'on croyait oubliés et cela déclenchait les fous rires. Puis on se mit à chanter, et les deux musiciennes sortirent de l'oubli leurs vieilles connaissances de solfège pour moduler, l'une, d'une voix de soprano et l'autre, de celle de l'alto, tous les cantiques de Noël du répertoire, en se regardant dans les yeux. Florence croyait rêver. Le bonheur...

D'abord agités au départ, les cinq enfants ne tardèrent pas à s'endormir avant même d'arriver à mi-chemin. Même Désiré, qui voulait jouer au grand et écouter mine de rien la conversation des adultes, finit par fermer l'œil. La tête des jumelles, maintenant âgées de quatre ans, dodelinait sur chacune des épaules d'Andréanne qui n'osait bouger. Florence lui jeta un regard amical. Comme elle trouvait sa sœur ravissante avec son visage gracieux émergeant de la toque de fourrure de lapin et du collet remonté jusqu'aux oreilles! Le contact avec les enfants semblait tellement lui plaire. Florence se demandait pourquoi elle avait opté pour une vie fastueuse mais vide, alimentée par des amants bien nantis mais sans doute indifférents, avec rien d'autre à lui offrir que leur fortune, des rencontres clandestines et des plaisirs éphémères. Il n'existait pas de place pour l'amour, le partage, les enfants, les joies de la famille dans la vie d'Andréanne Coulombe, et sa sœur le déplorait sincèrement.

Dernièrement, sa cadette lui avait affirmé office de maîtresse auprès d'un homme d'un certain âge, marié, père de grands enfants et industriel prospère qui réclamait sa présence au cours de chacun de ses voyages d'affaires. Elle n'aimait pas vraiment ce nouvel amant, mais la richesse et le genre de vie qu'il lui offrait avec prodigalité en valaient la peine, selon ses dires. «Après tout, il se montre toujours gentil, avait-elle ajouté comme pour s'excuser. Et il a un fils beau à rêver, Laurent, à qui je ne ferais pas mal...»

«Quelle vie!» songea Florence. Non, malgré tous ses problèmes, elle ne jalousait pas sa sœur. Elle la regarda, tapie au fond de la camionnette, l'air réjoui de tenir contre son cœur les enfants d'une autre, et elle se dit que l'existence de ses petits valait bien tout l'argent et les admirateurs du monde entier. Elle souhaita ardemment, dans son for intérieur, qu'Andréanne rencontre enfin le véritable amour, un amour si grand et si profond qu'elle se sentirait prête à tous les sacrifices, autant celui de l'opulence que celui de sa liberté de belle femme convoitée par les hommes.

Elle savait qu'elle-même n'avait pas connu un tel amour. Oh! bien sûr, au début, avec Adhémar... Mais ça n'avait été qu'un feu de paille trop vite éteint. Si elle l'avait désiré sexuellement et le désirait encore à l'occasion, leur vie de couple lui paraissait cependant lamentable. L'alcoolisme dans lequel il retombait invariablement après quelques mois d'abstinence grâce aux Lacordaires, son peu d'ardeur au travail, son incapacité à assumer à ses responsabilités, son goût pour le libertinage et, surtout, surtout, son attitude crasse envers son fils Désiré qui ressemblait honteusement à de la haine voilée, tout cela avait empêché l'époux de prendre toute la place qu'il aurait pu ou aurait dû occuper dans le cœur de sa femme. Mais il lui avait donné cinq adorables enfants, et pour cette unique raison, elle se devait de renoncer à tout, même à l'amour véritable du docteur Chevrier. À bien y penser, il s'agissait là d'une aventure sans issue. Une impasse! À quoi servirait de superposer un amour illicite à sa condition déjà suffisamment épineuse? Elle savait bien qu'elle ne pourrait pas se défaire du carcan étouffant dans lequel elle tentait de survivre avec ses petits. Elle ne possédait plus la liberté; Vincent non plus. Tandis que sa sœur, elle, encore disponible et toujours belle, pouvait se permettre tous les rêves.

Ballottée contre la paroi du camion, Andréanne sentit que son aînée l'observait, et elle se retourna brusquement avec un sourire affectueux. Florence, émue, allongea le bras et lui tapota gentiment l'épaule sans prononcer une parole. Après tout, la vie de sa sœurette ne la regardait pas! Il n'était pas question de lui tenir un discours sur les priorités de l'existence! Jamais elle n'oserait d'ailleurs... Surtout en ce moment même, dans la benne de ce véhicule où rien ne les séparait, tous confondus, frères, sœurs, mari, enfants, oncles, tante, en cette nuit magique de Noël. En ce moment béni où ils redevenaient une véritable famille. Elle ne put s'empêcher de déposer un baiser sur le front de la petite Isabelle profondément endormie contre sa poitrine. Les anges aussi faisaient partie de la fête.

Une fois à Saint-Didace, toussotant et crachotant sous les rires des passagers et les regards des curieux, le fourgon monta à grand-peine jusqu'à la petite église blanche remplie de lumière. La famille Coulombe avait quitté le village depuis une dizaine d'années, et les vieux de la place mettaient une seconde ou deux avant de s'exclamer de surprise en reconnaissant les anciens résidants de la rue Saint-Joseph.

Le cœur joyeux, tous se mirent à grimper les degrés du perron de l'église. Soudain, retenue à l'arrière par une enfant qui avait perdu pied, Florence sursauta. Rêvait-elle ou Andréanne et Adhémar, qui la précédaient de quelques marches, venaient de se prendre furtivement par la main, l'espace de quelques secondes, en se jetant un regard à la dérobée? Non, non, cela ne se pouvait pas, voyons! Qu'allait-elle présumer là! Il s'agissait d'une simple méprise, l'un d'eux avait dû perdre l'équilibre et s'était appuyé sur l'autre, rien de plus! Elle avait l'imagination trop fertile. Franchement! Et la nuit de Noël! Allons donc! Elle chassa ces stupides soupçons basés sur rien, absolument rien du tout.

En voyant le banc des Coulombe occupé par une autre famille, elle se mordit les lèvres. Quelle joie c'eût été pour Camille, leur mère, de les voir ainsi réunis, entassés les uns contre les autres, ses enfants et ses petits-enfants. Et leur père Maxime, donc! Elle lui imaginait une fierté de paon. Même le curé avait été remplacé par un jeunot rempli d'enthousiasme. «Moins intransigeant que son prédécesseur, j'espère!» songeat-elle, se rappelant sa dernière visite au confessionnal.

Quand la chorale entama le *Minuit Chrétiens*, accompagnée par les accords tonitruants de l'harmonium, celui de mademoiselle Yvette évidemment, Florence eut envie de se rapprocher de sa sœur, assise à sa droite, mais elle se retint. Une méfiance souterraine venait de s'installer entre elles...

La messe s'étira en longueur, répétée à deux reprises. Vers la fin du troisième office, les enfants de chœur bâillaient aux corneilles et les assistants, dont plusieurs s'étaient esquivés, chantaient avec moins d'ardeur. Dieu merci, il était de coutume de s'embrasser et de se souhaiter joyeux Noël à la sortie, sur le parvis de l'église, ce qui eut l'heur de réveiller les plus ensommeillés. Cette fois, il n'y avait pas de doute: Florence vit son mari et sa sœur, perdus parmi la foule, s'embrasser un peu plus fougueusement qu'il ne l'aurait fallu, de toute évidence.

Les anciens voisins ne manquèrent pas de venir saluer chaleureusement les membres de la famille Coulombe. Même Simon Prud'homme se pointa et vint présenter sa femme et ses deux fils. Andréanne s'exclama sur la beauté des enfants, mais n'eut pas de regard pour la jeune épouse plutôt mal fagotée. Florence, de son côté, ne vit pas s'approcher le docteur Chevrier et les siens. Dans son affolement, elle avait oublié qu'il pût être présent dans l'église.

«Bonjour, ma petite famille Vachon! Je vous souhaite un joyeux Noël! Oh! mais, dis donc, voilà tous les Coulombe au grand complet! Andréanne, Alexandre, Guillaume... Quel plaisir de vous revoir!»

Il s'en fallut de peu pour que Florence, subitement désespérée par sa terrible suspicion, ne se jette dans les bras du médecin en hurlant. Il tendit la main à chacun en présentant sa femme et ses deux adolescentes. Florence reçut la poignée de main des trois femmes comme si elle eût serré la pince du diable. Manifestement, cette belle femme blonde, un peu plus âgée qu'elle, affichait un rang social distingué malgré son air absent et inattentif. Tout à coup, Florence se sentit la pire des hypocrites d'aimer secrètement cet homme, de penser à lui continuellement. Il ne lui appartenait pas, il ne lui appartiendrait jamais. Si ces femmes-là savaient... Si le monde entier savait! Si cette madame Chevrier savait que Florence Vachon rêvait chaque nuit de se blottir dans les bras de son mari, si ces jeunes filles savaient que leur père l'avait déjà embrassée en lui déclarant son amour en silence, de la manière la plus pure qui soit... Un amour défendu, pourtant, et un silence quotidien qui en disait long, si long... Où donc se trouvait la pureté? La transparence? Quatre ans déjà, depuis la grossesse des jumelles, que le beau docteur Vincent la regardait de la même manière amoureuse et muette, de loin, sans jamais faire un geste ni émettre une seule parole. Seulement, uniquement un regard. Un regard silencieux. Un silence qui parle... Et dans la démarche généreuse de l'aider pécuniairement quand le besoin s'en faisait sentir. C'est là qu'elle se trouvait, la pureté! Florence le savait.

Et si Andréanne et Adhémar vivaient la même chose, hein? S'ils s'aimaient eux aussi, en silence? Cela ne semblait pas impossible. Elle serait bien mal venue de leur jeter la pierre! Tout à coup, dans le cœur de Florence, la magie de Noël s'interrompit. Pouf! Éclatée comme un ballon trop gonflé! Tout à coup, la fête de l'amour et de l'espoir n'existait plus, soudain dissoute dans l'eau sale de la réalité. Une réalité de dissimulations et de comédie, de mensonges et de non-dits de la part des uns et des autres. Une réalité aberrante. Une réalité silencieuse et trompeuse. Une réalité d'horreur.

Andréanne ne sembla pas se douter du désarroi qui s'emparait de sa sœur. Pendant toute la durée du retour à Mandeville, elle se blottit contre elle et ne la lâcha pas de toute la durée du réveillon. Elle remarqua néanmoins sa pâleur et son mutisme soudain.

«Que se passe-t-il, ma Flo? Tu manques d'enthousiasme tout à coup! Tu ne chantes plus?

— Je me sens simplement fatiguée. Pas habituée de veiller jusqu'aux petites heures du matin, moi!»

Les frères et la sœur déposèrent, au pied de l'arbre de Noël illuminé de bougies, les multiples cadeaux apportés à leur arrivée, cause de la surexcitation des enfants au cours des derniers jours. Désiré trouva un magnifique canif importé de Suisse; les fillettes, de jolies poupées italiennes qui fermaient les yeux quand on les basculait à l'horizontale; les jumelles, d'adorables toutous de peluche à caresser et du matériel de bricolage pour fabriquer des bijoux de plastique. Puis vint le temps de déballer l'énorme boîte destinée à Florence et à Adhémar. Avec de grands cris d'exclamation, ils trouvèrent un appareil de radio RCA Victor. Enfin Florence ne serait plus coupée du monde, isolée au fond de sa campagne!

«Oh! merci! C'est le plus beau cadeau de ma vie!

— J'ai une autre surprise pour toi, ma grande sœur. Il s'agit d'une annonce me concernant. Tu ne devines pas?

— Euh...»

L'espace d'une seconde, l'image des deux mains se frôlant sur les marches de l'église, puis celle d'un baiser trop long effleurèrent l'esprit de Florence. Elle baissa la tête, la bouche crispée d'amertume, s'attendant au pire.

«Je me marie dans trois semaines!»

Chapitre 26

16 janvier 1944
Pas possible! Mes maudites menstruations ne reviennent
toujours pas! Tout cela tient du mystère. Je ne peux pas être
enceinte, je prends invariablement mes précautions pour
empêcher la famille. Comment cela se pourrait-il? Je n'arrive
pas à y croire... Enceinte comment? Et enceinte de qui? Mon-
sieur Chauvin ne manquait jamais d'enfiler un préservatif.
Mais j'y pense... Dieu du ciel! Adhémar Vachon, bien
sûr! Comment n'y ai-je pas songé plus tôt? Et il m'a fait ça
en une seule soirée, le salaud! Il faut dire que cette fois-là, les
capotes ont vite pris le bord! Oh là là!
J'attends un bébé... Je n'en reviens pas! Pour la deuxième
fois de ma vie, un être humain grandit au plus creux de mon
corps, dans la noirceur de mes entrailles. Encore que pour
survivre il faudrait qu'il naisse d'abord dans ma tête. Je n'ai
jamais regretté mon avortement sauf aux moments précis où
je prends les enfants de ma sœur dans mes bras. Il faut dire
que j'avais seize ans, à l'époque. Comment aurais-je pu
m'occuper d'un bébé? Mais maintenant, ces petites frimousses,
ces joues rebondies, ces mains et ces pieds minuscules, cette
peau si douce et surtout cette naïveté dans le regard... Cela me
donne l'envie de me prosterner chaque fois et de chanter un
hymne à l'innocence. J'en tremble rien que d'y songer!
Mais, avec un enfant dans ma douce vie d'égoïste, advien-
draient l'aliénation, une irrémédiable responsabilité et les
soucis quotidiens assurés. Comment pourrais-je assumer cela?
Un bébé, ça pleure la nuit et, quand ça devient grand, très

*grand, ça sort le soir et ça inquiète les mères! Tout un pro-
gramme, ça! Et d'une durée d'au moins vingt ans! Et quand
tu tombes sur un énergumène au caractère difficile, ou un
renfrogné comme Désiré, la vie ne doit pas ressembler à une
partie de plaisir! Ou pire, quand tu tombes, en plus, sur un
père qui ne mérite pas de l'être, tu dois te sentir en enfer. Et
s'il n'y avait pas de père?... Si mon bébé naissait sans père?
Un enfant illégitime, ça existe!*

*Du calme, du calme, ma vieille, ne prends pas panique!
Tu te maries demain matin, prends donc les choses une à la
fois. Au retour de ton voyage de noces, tu aviseras. Il sera
toujours temps de retrouver celui qui t'avait débarrassée de
cet encombrement, à l'époque.*

*À l'époque... Presque douze ans déjà que je vis sur la
pointe des pieds, dans une existence folle et superficielle, pour
ne pas dire une vie de débauche, d'un amant à l'autre.
Andréanne Coulombe, profession : putain de classe. Et pourquoi, à partir de demain, ne deviendrais-je pas la respectable
madame Laurent Junior Chauvin, épouse et mère? Pourquoi
ne pas changer de cap pendant que l'occasion se présente?
Pendant qu'il en est encore temps? Ne s'agit-il pas là d'un
signe du destin? Cet étrange mariage « arrangé » à l'amiable
et planifié trop rapidement ne tombe-t-il pas à pic? « Simplement pour rendre service », a supplié le père. « Si ça ne
marche pas entre nous, on se quittera sans faire d'histoire », a
juré le fils, non sans brandir la promesse d'une pension à vie
pour service rendu, de toute manière. Au fond, c'est donnant-
donnant : en se mariant, il se sauve de l'armée et protège sa
vie, et moi, j'assure mon avenir.*

*Je me demande ce que dirait mon fiancé s'il apprenait que
je suis enceinte... Fou de joie? Scandalisé? Courroucé?
Furibond? Le beau Laurent ne dira rien parce qu'il ne saura
rien! Absolument rien! Pas avant un mois du moins. Il va
croire ce que moi je voudrai bien lui faire croire. Demain, la
jolie mariée qu'il verra déambuler dans l'allée centrale de la
chapelle du Sacré-Cœur de Montréal aura, aux yeux de tous,*

des allures de pucelle, robe blanche, voile blanc, roses blanches. Et dans huit mois, l'enfant légèrement prématuré mais en bonne santé du fils d'un industriel bien connu du milieu des affaires fera son entrée dans le monde, au grand bonheur de ses parents. Et de sa mère!

De sa mère que le destin – ou la fatalité? – aura rendue féconde et replacée de force dans le droit et traditionnel chemin. Malgré elle. Et peut-être bien à son grand soulagement! Et de son père dont la fausse paternité constituera le prix à payer pour avoir voulu échapper au service militaire obligatoire dont les hommes mariés sont dispensés. L'exemption achetée à coups de pots-de-vin depuis trois ans ne tenant plus, le fils du millionnaire serait bien mal venu de refuser la conséquence naturelle d'un mariage qui l'arrange fort bien. De toute manière, comment pourrait-il se douter un seul instant que cet enfant ne provient pas de lui? Je me chargerai de lui créer toutes les illusions nécessaires...

Demain matin, il y aura des fleurs, du champagne, des invités de marque. Il y aura mes frérots Alexandre et Guillaume. Ce dernier ne s'en tire pas aussi bien puisqu'on a définitivement fixé son départ pour la fin de la semaine prochaine. Il y aura aussi ma sœur et, bien sûr, Adhémar pour me servir de témoin. Et il y aura la mariée, la plus jolie de toutes. Vive la mariée!

***

25 janvier 1944

New York a beau se montrer fascinant avec ses buildings, son trafic, ses attraits de toutes sortes, ses théâtres, ses clubs de nuit, ses restaurants chics, le Waldorf Astoria a beau s'avérer le plus luxueux hôtel de la ville, mon mari a beau se laisser manipuler comme une marionnette, je me languis déjà en compagnie de ce Laurent terne et ennuyeux. Il me tape sur les nerfs avec son souci de toujours me plaire, d'accéder à tous les caprices de «sa petite femme adorée».

Plutôt embourbé et sans initiative, le monsieur! Plus beau et plus jeune que son père, évidemment, mais pour l'assurance, la maturité, l'expérience, il en a encore à apprendre! Je préférais le père!

Eh bien! la petite femme adorée a la nausée et ne rêve que de rentrer au bercail pour dormir tout son soûl.

Je commence à croire que Laurent Chauvin ne fera pas un meilleur mari et encore moins un meilleur père qu'il n'aurait fait un bon soldat!

Chapitre 27

La Shawinigan Water and Power Corporation avait installé l'électricité dans la région depuis quelques années. Florence s'émerveillait encore de pouvoir lire ou faire de la couture tard le soir, sous la lumière éblouissante de l'ampoule électrique. La propriétaire de la maison rouge avait pris une entente, par l'entremise du notaire, pour inclure leur compte d'électricité dans le loyer. Adhémar se posa quelques questions au sujet de ces arrangements insolites, mais puisque cela profitait à son portefeuille, il ne s'en formalisa pas très longtemps.

Tout au long de ses journées, Florence gardait l'oreille rivée sur la radio reçue en cadeau. L'appareil diffusait, d'une voix nasillarde, des nouvelles du monde entier. Radio-romans, émissions de variétés ou de chansonnettes, nouvelles, entrevues, éditoriaux, annonces publicitaires, elle gobait tout, comme une eau de source. Enfin, elle ne se trouvait plus seule au monde avec ses enfants. Tino Rossi, Édith Piaf, Charles Trenet l'accompagnaient au long de ses journées et la transportaient au pays de la romance, les Joyeux Troubadours la faisaient rire, Albert Duquesne lui décrivait les réalités d'un monde jusque-là inconnu d'elle.

Elle apprit avec soulagement que le gouvernement avait institué un régime d'allocations familiales. Cela ne réglerait pas tous ses problèmes, mais ce chèque mensuel rédigé à son nom, si parcimonieux fût-il, lui permettrait de souffler un peu.

Par-dessus tout, les ondes la renseignaient sur la Deuxième Guerre mondiale. Guillaume les avait quittés pour l'Europe depuis trois mois. Il lui avait révélé son départ imminent durant le banquet de noces d'Andréanne, et cela avait gâché son plaisir de voir sa sœur se caser enfin. Bien sûr, lors de la fameuse nuit de Noël, l'annonce de ces épousailles étonnamment fortuites avait calmé ses inquiétudes au sujet d'une idylle possible entre sa sœur et Adhémar. Quelle sottise de s'être imaginé ces deux-là en train de se fréquenter à son insu, pendant le séjour d'Adhémar à Montréal alors qu'Andréanne prévoyait se marier avec un autre! Elle s'en était voulu d'avoir ébauché des soupçons aussi arbitraires et s'était promis de célébrer, le jour du mariage, la garantie concrète qu'une telle liaison amoureuse n'avait jamais eu lieu. Mais, devant la révélation de Guillaume énoncée froidement au moment de déguster le traditionnel gâteau aux fruits enrobé de glace à la vanille, elle avait éclaté en sanglots devant tout le monde, submergée par un déferlement d'émotions contradictoires. Voir son frère partir pour le front l'affolait au plus haut degré et jeta une douche froide sur l'allégresse de cette journée.

Trois jours plus tard, au moment de son départ, Guillaume lui avait envoyé une courte lettre : «*Ne t'en fais pas, ma chère Flo, ton petit frère s'en va se couvrir de gloire en Angleterre. Tu seras fière de moi!*» Le programme consistait à s'entraîner pendant quelques semaines là-bas, sur place, avant l'appareillage pour les véritables combats aériens. Il avait promis de la tenir au courant et de lui écrire le plus souvent possible. Mais depuis, elle restait sans nouvelles. Andréanne non plus ne l'inondait pas de lettres en cette morne fin d'hiver. Florence aurait bien voulu savoir, pourtant, comment sa sœur frivole et volage se débrouillait dans son nouveau rôle, tout de même contraignant, de femme mariée.

Heureusement, les enfants ne laissaient pas de

temps à leur mère pour entretenir sérieusement des pensées moroses. Nicole devenait une adorable fillette, sérieuse, dévoreuse de livres et première de classe. Isabelle, débordante de créativité, lui emboîtait le pas. Moins raisonnables, les jumelles ne donnaient pas leur place au chapitre de la dissipation, mais elles possédaient cette vivacité d'esprit qui faisait la fierté de leur mère. Dans un peu plus d'un an, elles iraient, elles aussi, s'asseoir sur les bancs de l'école, et Florence pourrait enfin souffler. Cependant, quand elle voyait Nicole tenter maladroitement de faire des tresses à sa sœurette, ou les jumelles se rapprocher de leurs grandes sœurs au moment où le méchant loup de l'histoire rencontrait le Petit Chaperon Rouge, Florence goûtait de courts instants de réel bonheur.

Au sujet de Désiré, les choses se compliquaient. Le fait qu'Adhémar demeure en chambre à Montréal durant la semaine évitait bien des tourments à Florence, entre autres l'inquiétude quotidienne de le voir surgir titubant, un bon après-midi, avec sa lettre de congédiement dans les poches ou, pire, de ne pas le voir rentrer du tout pendant quelques nuits. Mais surtout, cela éludait les habituelles altercations entre le père et le fils à propos de tout et de rien. «Des vétilles!» se rassurait Florence, portée à minimiser ces multiples disputes. Au fond d'elle-même, cependant, elle savait bien que ni l'un ni l'autre ne ferait jamais de concessions et que, à coup sûr, ils ne s'entendraient jamais. En grandissant, le garçon se butait obstinément et tenait de plus en plus tête à son père. Il lui arrivait même de lui répondre effrontément. Sans contredit, il le détestait royalement et Adhémar le lui rendait bien. Il suffisait que l'un dise blanc pour que l'autre oppose noir. Seule Florence venait à bout de calmer les esprits et d'éviter des éclats de violence.

L'autre jour, Désiré filait un mauvais coton et avait

refusé de terminer son repas. Son père lui avait donné l'ordre de manger toute son assiettée.

« Au prix que ça coûte, mon sacrament, tu vas pas jeter ça à la poubelle!

— Mais, papa, j'ai mal au cœur...

— M'en fiche! Allez, avale! »

Le garçon avait bien essayé d'obéir, mais, à un moment donné, il s'était promptement levé de table pour aller dégobiller sur le balcon. Furieux, Adhémar l'avait obligé à nettoyer les dégâts sous les regards dégoûtés de ses sœurs. Florence avait tenté d'intervenir, mais l'homme l'avait violemment remise à sa place.

« Mêle-toi pas de ça, la mère! »

Elle avait serré les poings et mordu ses lèvres pour ne pas lui crier par la tête les mots de haine qui lui venaient à l'esprit. Le jeune garçon avait fini par se réfugier au grenier, dans la chambre qu'elle avait insisté pour lui aménager, et, comme à l'accoutumée, il avait broyé du noir pendant des heures. Au bout du compte, elle était montée le trouver, mais n'avait pas réussi à le sortir de sa bouderie. Mille fois, devant son fils, elle aurait pu prendre parti pour lui et décrier l'être immonde qui lui tenait lieu de père; mille fois, elle aurait pu crier à l'injustice et laisser libre cours à sa rage. Mais elle n'aurait pas fait avancer les choses, sinon encourager l'animosité et cultiver la révolte de l'enfant. Adhémar refusait catégoriquement d'admettre son comportement pernicieux. Il n'avait pas accepté l'existence de cet enfant et ne l'accepterait jamais. Avec le temps, les choses ne feraient que s'envenimer, elle s'en doutait bien. Une fois de plus, elle choisit de se taire et espéra atténuer les blessures psychologiques de son fils par sa seule présence et son amour maternel indéniable.

« Viens, mon beau Désiré, il faut redescendre maintenant. Je t'ai préparé une tasse d'eau bouillie pour replacer ton estomac.

— Je le déteste, je le déteste!»

En réalité, à cause de son silence, Florence se sentait coupable de laisser perdurer une situation aussi malsaine. Mais que pouvait-elle faire de plus?

Désiré adorait sa mère et n'aimait pas l'entendre pleurer après chaque échauffourée. C'était pour elle, uniquement, qu'il finissait par quitter son refuge et descendre, penaud, le visage boursouflé d'avoir trop pleuré, et qu'il s'offrait pour essuyer la vaisselle ou fendre du bois. Si elle en avait eu les moyens, elle l'aurait envoyé pensionnaire dans un collège de Montréal, chez les jésuites ou les frères des Écoles chrétiennes. Là, au moins, il aurait pu respirer en paix et oublier l'atmosphère nocive de son foyer. Et, qui sait, avec son talent pour les études, il aurait pu entreprendre son cours classique, l'année suivante, et se rendre un jour jusqu'à l'université. Ah! Florence ne manquait pas d'ambition pour ce fils qui, bientôt, la dépasserait physiquement et intellectuellement. Au lieu de cela, elle le voyait tourner en rond, complexé, peureux, rembruni et sans initiative.

***

Fidèle à ses habitudes, le docteur Chevrier faisait un saut de temps à autre chez les Vachon. Il maintenait toujours une certaine distance vis-à-vis de Florence, et elle se demandait parfois si elle ne s'était pas imaginé, quelques années auparavant, que cet homme-là l'avait un jour embrassée par amour. Néanmoins, le médecin ne manquait pas de revenir, fidèle et jovial, apportant son chaud sourire et un peu d'air frais de l'extérieur pour lui rappeler que la terre continuait de tourner. Il aurait suffi d'une étincelle, présumait-elle, pour ranimer un feu qu'elle sentait couver sous les braises. Ce regard ardent qu'il plongeait furtivement dans le sien, à la dérobée, cette poignée de main un peu trop longue, et cette constance à la visiter... Elle se gardait bien de lui faire part de ses nombreuses inquiétudes au sujet de son fils, terrifiée à l'idée de craquer et de se mettre à pleurer. Le pas à franchir pour se jeter dans les bras du beau géant deviendrait alors trop facile. Et trop risqué! Malgré tout, ces rencontres occasionnelles représentaient pour elle des parcelles inavouées de douceur et des réserves précieuses pour les jours de tempête. Et Dieu sait combien il y en avait!

***

Il n'était pas dix heures du matin, ce jour-là, quand Florence aperçut une voiture inconnue qui s'arrêtait sur le devant de la maison. À sa grande joie, elle en vit sortir précipitamment Andréanne et son mari accompagnés d'Alexandre tenant une valise à la main. Le ventre proéminent de la jeune femme n'échappa pas au regard de son aînée, à travers la fenêtre.

« Andréanne! Tu es enceinte! Petite cachottière, va!

— Je voulais te faire la surprise au lieu de te l'apprendre bêtement par le courrier.

— Quel bonheur! Ah! comme je suis contente! Il n'existe pas de mots pour... »

Elle s'arrêta net. La future mère aurait dû rayonner de joie, les yeux pleins de rêve. Au lieu de cela, elle restait plantée là, muette comme les deux autres, immobile et le visage défait. Pas un son ne sortait de sa bouche tremblante.

« Mais parle, Andréanne! Dis quelque chose! Dis-moi ce qui ne va pas!

— Guillaume est mort.

— Quoi? Non, non... Est-ce que je rêve? »

Laurent Chauvin fit asseoir sa femme et prit la parole en se raclant la gorge.

« Un agent du gouvernement fédéral est venu nous porter l'enveloppe bordée de noir hier soir. Votre frère est mort en Grande-Bretagne au retour d'une mission de bombardement au-dessus de la ville de Berlin, voilà sept jours. Son avion a percuté une montagne par temps de brouillard et a explosé aussitôt. On n'a retrouvé aucun survivant. Un office religieux a été célébré pour le repos de son âme et celle de ses trois compagnons d'armes, dans le village où on a récupéré les corps. Ses restes sont enterrés dans le cimetière militaire de Harrogate, au nord de Londres. Tout cela est indiqué sur ce papier. »

Il poursuivit ensuite, manifestement mal à l'aise, non sans avoir jeté un regard en biseau à sa femme, comme pour se donner du courage :

« Nous avons tenté de rejoindre votre mari ce matin, avant de quitter Montréal, mais sa logeuse nous a affirmé ne pas l'avoir vu depuis trois jours. »

Les deux sœurs tombèrent dans les bras l'une de l'autre. « Une fois de plus, songea Florence, la douleur nous rapproche davantage que le bonheur ! » Laurent toussota légèrement.

« Je vous offre mes condoléances, madame.

— Appelez-moi Florence, voyons ! Et ne me vouvoyez plus, je vous en prie ! »

Tout à son chagrin, elle jeta à peine un regard distrait sur ce nouveau beau-frère qu'elle n'avait rencontré qu'au moment du mariage. Ainsi, elle ne reverrait plus Guillaume... Curieusement, l'image qui lui venait à l'esprit, en ce moment précis, était celle du petit garçon à l'air espiègle et aux grands yeux ronds, celui qui avait glissé une couleuvre sous son oreiller et mis du sucre dans la salière, celui qui aimait rire et taquiner, et regimbait sur ses ennuyeux devoirs d'école. Menuisier comme son père, il possédait un talent fou pour la sculpture sur bois qu'il pratiquait durant ses heures de loisir. Un jour, il lui avait remis une jolie sarcelle sculptée spécialement pour elle. Elle avait toujours gardé le canard de bois sur son bureau et, à chaque époussetage, elle formulait une pensée amicale pour son frère.

Elle ne pouvait croire que ce beau et grand jeune homme si amoureux de la vie venait de mourir, disparu à jamais sans lui avoir dit adieu. Comment ne s'en était-elle pas rendu compte il y a sept jours? À l'instant même de la catastrophe, elle aurait dû percevoir sa disparition par une prémonition, un pressentiment, une idée fixe, un frémissement même! L'intuition féminine, ça existe, non? Mais elle n'avait rien senti. Rien! Guillaume Coulombe les avait quittés sans crier gare, et cette seule pensée lui procura une sensation d'abandon effroyable, malgré les bras de sa sœur et la sympathie sincère de Laurent et d'Alexandre.

Alexandre... Au fait, où se trouvait-il, celui-là? Dans son abattement, Florence n'avait pas remarqué qu'il s'était dirigé au grenier, dans la chambre de Désiré, heureusement à l'école ce jour-là. Elle s'empressa d'aller le rejoindre et, dans l'entrebâillement de la porte, elle arrêta longuement son regard sur le jeune homme. Il pleurait à gros sanglots étouffés, la tête appuyée à la fenêtre et les épaules secouées de soubresauts. Bientôt, ce serait peut-être son tour... Elle remarqua, à ce moment-là seulement, qu'il ne portait pas l'uniforme comme à ses dernières visites. Elle se jeta contre lui et se mit à caresser ce dos d'homme large, solide, jeune, palpitant de vie.

«Alexandre, ne pars pas toi aussi, ne pars pas...»

Il se retourna brusquement et enfonça ses ongles dans les épaules de sa sœur avec tant de crispation qu'elle en eut le souffle coupé.

«Florence, veux-tu m'héberger? J'ai besoin de me cacher.»

Chapitre 28

31 octobre 1944

Mon fils est beau, mon fils a les yeux verts... À partir de sa naissance, je n'ai eu de cesse de scruter les deux billes grises qui lui mangeaient la figure et me regardaient fixement, tel un défi, avec l'air de me traiter de tricheuse. Petit à petit, je les ai vues prendre les teintes d'un vert trop connu, ce vert d'herbe tendre et de feuillage d'été, ce vert de la vie et de l'amour aussi. Ce vert canaille...

Son pseudo-père Laurent n'y voit que du feu. Il trouve tout de même mystérieux de voir l'azur de mes yeux mêlé au brun des siens virer au vert. J'impute le prodige à mes origines ancestrales françaises, sans hésitation! N'existe-t-il pas un vieil oncle, du côté de ma mère, depuis longtemps perdu de vue et dont j'ai vague souvenance, en plus de quelques lointaines cousines, pour regarder la vie à travers la vitrine de magnifiques yeux verts? Oui, oui, je me rappelle! Et au fond, qu'importe... Mon mari ne peut pas se douter. Personne ne devinera jamais rien de rien, surtout pas l'instigateur lui-même de mon agitation! Tout de même, quand je vois Laurent s'exciter devant celui qu'il croit son fils et le présenter aux siens avec une fierté de paon, j'ai honte au-dedans de moi et je me retiens d'éclater.

J'ai commis la pire des tromperies. Comment ai-je pu descendre aussi bas? Me voilà réduite à bâtir ma vie sur une répugnante imposture. Mon existence n'a toujours consisté qu'en cela: mensonges par-dessus mensonges. Soudain, tout me paraît faux: faux mariage d'amour, fausse paternité, fausse situation et... faux bonheur!

Même mes silences sonnent faux! Combien de temps encore vais-je résister et supporter ce sentiment de culpabilité à donner la chair de poule? Combien de temps encore avant d'étouffer? Avant de sauter, telle une désespérée, au fond du ravin? Ou d'aller exploser, comme une folle, sur la place publique pour avouer la vérité? Toute la vérité, rien que la vérité, dites «je le jure». Je le jure, je ne mentirai plus jamais. Mais non! Je me leurre! Je devrai mentir aussi longtemps que mon fils vivra!

Ah! tenir le coup, garder la tête haute, berner, duper, flouer et garder silence. Un silence sale, un silence maudit... Voilà dorénavant mon lot, mon enfer sur terre. Si Florence savait, elle n'y survivrait pas. Et voudrait m'assassiner! Ou me tiendrait rancune jusque dans l'éternité. Avec raison d'ailleurs! Adhémar non plus ne me pardonnerait pas d'avoir gardé, dans mes entrailles, le produit de son péché, la preuve vivante de ses honteuses transgressions. La vérité enclencherait la fin pitoyable de leur pitoyable couple... Et pourquoi pas après tout? Ma sœur n'a-t-elle pas connu suffisamment de misère? La libérer de son dépravé lui rendrait peut-être service, à bien y penser.

Tais-toi, vilaine! Cela ne te regarde pas. Et prends la résolution de te taire jusqu'à ton dernier souffle. Le silence demeurera éternellement ton pain quotidien. Ah! enterrer les mots et leurs secrets avec les morts pour ne plus être tentée de les prononcer. Les laisser se décomposer à l'usure du temps, comme les dépouilles des vieux ont emporté leurs mystères dans la tombe. L'oubli fera le reste, à la longue, il nivellera les doutes et les soupçons, il lissera ton chemin, ma belle Andréanne. Ne t'inquiète donc pas, et tais-toi seulement! Ah oui! tais-toi, tu as déjà fait assez de mal comme ça. Relève la tête bien haut avec un semblant de transparence et contemple simplement l'horizon avec le regard de ceux qui croient en l'avenir. L'espérance, connais-tu? Berce ton petit, ma chère, à l'instar de toutes les mères du monde. Les mères dignes et honnêtes, et les autres... C'est déjà suffisant pour te racheter.

Et deviens, avec Laurent Chauvin et votre fils Olivier, une famille, une modeste famille, normale et ordinaire.

Je n'en ai plus le choix maintenant. Sinon, que ferais-je dans ce château pour millionnaires, auprès d'un type qui se prend pour l'homme de ma vie et se pâme devant un fils qui n'est pas le sien? Cage dorée pour jouer à la poupée comme une petite fille en laissant le temps s'enfuir et me glisser entre les doigts. Je ne fais rien, je ne dis rien, je n'envisage rien. Je berce mon bébé en même temps que je berce mes illusions! Je reste là, pendant des heures, à presser sur mon cœur le seul être qui ait jamais compté dans ma chienne de vie.

Olivier, le petit, le grand, le magnifique Olivier... Lui, il est là, bien là, réel, palpable, vrai. Lui, il est propre. Et pur. Mon tout-petit, mon enfant, mon adoré, ma vie... Pour lui, je pourrais raconter tous les mensonges et endosser toutes les fourberies du monde. Pour lui, je pourrais supporter les maris les plus insignifiants du monde. Pour lui, je serais prête à tout.

Mais ne nous énervons pas. Laurent lui fera, lui fait déjà, un père acceptable avec sa bonhomie. Du plus profond de sa banalité et fort de sa prodigalité quand il s'agit d'argent, il jouera bien le rôle de l'excellent paternel. Olivier ne connaîtra pas la misère noire comme nous l'avons connue, nous, en arrivant à Montréal. Et comme la connaît encore ma sœur depuis son mariage d'amour avec son monstre aux yeux verts.

Ma pauvre sœur... Elle ne le sait pas encore, mais elle va recevoir une surprise de ma part d'ici peu. Si seulement les agents de la Gendarmerie royale peuvent cesser de me harceler et de sonner ici à toute heure du jour et de la nuit. C'est qu'ils manquent de savoir-vivre, ces effrontés! Ils entrent dans la maison sans même avertir et sans se donner la peine d'enlever leurs grosses bottes sales. Je veux bien croire que la maison est remplie de domestiques, mais ce n'est pas une raison! Un peu de tact, que diable! Ils voient bien qu'il n'est pas tapi ici, le frérot Alexandre!

Fasse le ciel qu'ils ne découvrent pas le pot aux roses et ne mettent pas au jour l'existence d'une sœur aînée à la *campagne. Ce serait vraiment le bout du bout pour Florence et les siens. J'ignore les sanctions auxquelles on condamne les complices des déserteurs. Aussi bien ne pas le savoir!*

L'autre soir, en l'absence de Laurent, ils ont rebondi ici pendant que j'allaitais Olivier. Je leur ai tenu tête, à ces deux armoires à glace, et les ai fait attendre dans le vestibule, en face de moi, pendant toute la durée de la tétée. Il y a toujours bien des limites! De voir un sein nu a dû les impressionner, car ils n'ont pas bronché ni protesté. Ils se sont même excusés avant de repartir bêtement. Ils peuvent bien aller au diable avec leur maudite guerre qui réussit à me rejoindre jusque dans mon salon! J'ai bien assez de ma propre vie à vivre, moi. Qu'ils me fichent la paix avec leur conflit mondial! Mon petit frère, ils ne l'auront pas!

Chapitre 29

«Vite, Alexandre, cache-toi! Je vois un camion approcher de la maison!

— Trop tard pour le chalet, je monte au grenier!»

Qui aurait pu deviner qu'au fond de la penderie de la chambre de Désiré, Adhémar et son beau-frère avaient bâti une double cloison derrière laquelle le déserteur pouvait se glisser rapidement en cas d'urgence? Heureusement, il n'avait pas encore eu à se servir de cette cachette. La police fédérale, pour une raison inexpliquée, ignorait l'existence d'une autre sœur qu'Andréanne dans la vie du sergent Coulombe. Certes, on était venu enquêter à Saint-Didace où tous les Coulombe étaient nés, mais on avait abandonné les recherches de ce côté-là quand on avait appris que la famille Coulombe avait quitté les lieux pour la ville depuis belle lurette, sans laisser d'adresse. Aucun paroissien n'avait mentionné le nom de Florence Vachon, pourtant installée au village limitrophe de Saint-Charles depuis des années. Elle s'était demandé s'il s'agissait là d'un acte de charité ou la conséquence de l'indifférence ou de l'oubli de son existence par les anciens voisins de sa famille.

La sécurité d'Alexandre restait tout de même précaire. On avait expliqué aux enfants la nécessité absolue de se taire et de ne jamais évoquer, auprès de leurs amis et compagnons de classe, la présence de leur oncle à la maison. Cependant, imposer le silence aux jumelles relevait de la pure utopie. Il aurait suffi d'une seule question habilement posée pour que les deux babillardes dévoilent candidement la vérité.

Cette année-là, durant toute la durée de l'été et de l'automne, Alexandre avait occupé le chalet sur le bord de la plage. Florence allait lui porter, à la noirceur, sa nourriture et ses vêtements frais lavés. Par prudence, elle se gardait de les suspendre à sécher à l'extérieur, sur la corde, de peur de susciter la curiosité des passants. Après tout, Adhémar ne pouvait se changer aussi souvent! Le fugitif ne quittait jamais les lieux en plein jour. Il en avait profité pour repeindre les murs du vieux camp de plus en plus délabré, réparer les moustiquaires et changer discrètement quelques carreaux aux fenêtres et lattes au plancher.

La perspective de l'hiver avait changé le scénario. Non seulement des pas sur la neige entre la maison et le chalet risquaient de trahir la présence d'un pensionnaire, mais le froid, à travers les multiples interstices, aurait fini par avoir raison de la santé du jeune homme. On avait donc envisagé de lui installer une chambre au grenier, juxtaposée à celle de Désiré et derrière la double cloison. Adhémar avait protesté bien haut.

«Trop risqué! Il suffirait de fouiller sérieusement la maison pour découvrir que quelqu'un habite cette chambre et pour s'interroger sur son identité.

— Tu as raison, avait soupiré Alexandre. J'ai une autre proposition à vous faire.»

C'est ainsi qu'il avait offert de payer, à même ses propres économies, les études de Désiré et son séjour comme pensionnaire dans un collège d'enseignement classique, à la grande joie de Florence qui n'en espérait pas tant. Depuis le temps qu'elle y rêvait!

«Je vous dois bien ça! Ce sera ma façon de vous payer ma dette, en autant que mon cher neveu veuille bien s'inscrire en éléments latins. Je pourrais habiter sa chambre en son absence, regarder passer les belles filles sur la route, et surtout surveiller la venue d'enquêteurs éventuels à travers le rideau baissé. En cas de danger, je disparaîtrai rapidement entre les deux parois de la garde-robe.»

Florence et Adhémar se réjouirent de cette solution, mais le cher neveu manifesta peu d'ardeur. Toutefois, son père ne lui laissa pas le choix. Un bon lundi de septembre, on le vit partir, la mine basse, tenant à la main sa valise minutieusement préparée par Florence. Adhémar, à ce moment-là employé d'un dépôt militaire de l'est de Montréal, eut la charge de l'accompagner le premier jour, et ne put réprimer un sourire de contentement en déposant un baiser sur le front de sa femme émue de voir partir son grand garçon.

«Salut, ma princesse! Bonne semaine! T'en fais pas, ton fils va te parler en latin quand il va revenir à Noël. Allez, ouste, le grand dadais! On débarrasse la place!»

Prononcés sur ce ton badin, ces mots ressemblaient à une gentille taquinerie, mais personne ne se leurra, surtout pas Alexandre qui s'était pris d'amitié pour Désiré et se sentait coupable d'avoir provoqué ce nouveau désarroi chez le garçon. Trop souvent témoin des gifles multiples subies par l'enfant à cause de son père, l'oncle s'était cru bien inspiré de l'éloigner, de façon positive et utile, de cette atmosphère malsaine où croupissaient aussi Florence et ses autres enfants. Il plaignait sincèrement sa sœur de supporter les bêtises de ce mari de la pire espèce qu'il s'était mis à détester en sourdine. Évidemment, il eût été bien mal placé pour le démontrer, lui qui profitait de son hospitalité depuis déjà plusieurs mois! Quelques jours avant le départ de Désiré, par contre, il n'avait pu s'empêcher de s'interposer entre le fils atterré et le père complètement saoul qui le menaçait, un madrier à la main.

«Tu vas voir de quel bois je me chauffe, sale bâtard!
— Eh! va te coucher, le beau-frère! Tu divagues...

C'est moi qui ai brisé la poignée de la porte, pas lui! Désiré n'a rien à voir là-dedans. Pis disparais, tu ne tiens même pas debout, espèce d'ord...»

Alexandre avait ravalé les insultes et les jurons qui lui montaient à l'esprit envers ce tyran dégoûtant en train de briser physiquement et moralement son fils. Il voyait déjà dans l'enfant de onze ans un être éteint, écrasé et dépouvu d'enthousiasme. Non seulement le père ne lui laissait pas le loisir de vivre en paix, de croire au bonheur et en la vie, mais il détruisait sa confiance en lui-même et sa joie de vivre. L'oncle avait aussitôt endossé l'idée de Florence de l'envoyer au collège dans l'espoir de voir les prêtres et les instituteurs arriver à sauver ce qu'il restait à sauver. S'il en restait!

Le séjour d'Alexandre à Mandeville l'avait aussi rapproché de sa grande sœur qu'il affectionnait particulièrement. Jamais il n'aurait pu imaginer dans quel ghetto elle réussissait à survivre bon an mal an. Il se jurait de la tirer de là une fois cette satanée guerre terminée. Mais allait-elle jamais se terminer?

Il avait abondamment pleuré dans ses bras quand il avait appris, au mois de juin précédent, la mort de ses compagnons du régiment des Fusiliers Mont-Royal. Un grand nombre avaient péri durant le débarquement en Normandie. N'eût été de sa désertion, il aurait probablement compté parmi les morts, lui aussi. Et ce fait l'ancra encore plus profondément dans sa décision de se dérober à l'armée et de fuir la guerre.

Quand la paix reviendrait, on le traiterait sans doute de lâche, non sans raison, et on le montrerait du doigt. On n'aurait pas tort. Qu'importe, il serait encore en vie pour le voir et l'entendre. Et la vie n'avait pas de prix à ses yeux, même pas celui de l'honneur. On changerait peut-être d'avis en apprenant qu'il avait déjà sacrifié un frère au nom de la liberté. Son seul et unique frère... Sacrifice inutile et aberrant qui n'avait absolument rien changé au déroulement de l'Histoire. On continuait encore de séparer les amoureux, d'arracher des pères à leurs enfants, on additionnait toujours les morts, on accumulait les blessés, on soignait les mutilés, on continuait de chercher désespérément les déserteurs. On tuait, tuait, tuait, et la guerre continuait de plus belle et dévorait chaque jour son lot de victimes innocentes. Pourquoi les soldats de vingt ans parachutés dans le conflit devenaient-ils les boucs émissaires de tous les pays? Ils avaient le droit de vivre, eux aussi! La guerre s'avérait la plus effroyable des folies humaines. Bien sûr, les Alliés avançaient, on en parlait continuellement à la radio. On annonçait même des percées victorieuses et le recul des Allemands. On finirait par la remporter, cette foutue victoire, mais à quel prix? Pas au prix de sa vie à lui, Alexandre Coulombe. Il préférait vivre encore quelques mois, ou même quelques années, recroquevillé dans ce coin perdu des Laurentides, emmuré en quelque sorte, mais vivant! Au moins vivant! Et il le resterait jusqu'à quatre-vingts ans! Après tout, pour le moment, il n'avait pas de raison de se plaindre, entouré de sa sœur et de ses adorables enfants.

À la vue du camion qui tournait le coin, il eut tout juste le temps de grimper les marches quatre à quatre et de s'enfourner au fond du placard avant d'entendre frapper à la porte. Florence prit tout son temps avant d'ouvrir avec l'air innocent de la femme dérangée au milieu de ses tâches ménagères. En vérité, elle se sentait prête à affronter les policiers, toutes griffes sorties, et à mentir de la façon la plus audacieuse pour sauver son frère.

Un homme trapu et vêtu à la diable se présenta, carnet à la main. Elle eut tout juste le temps d'apercevoir ses deux compagnons en train d'ouvrir la porte arrière du camion. Ces hommes ne ressemblaient en rien à des agents de la police fédérale.

«Madame Vachon? C'est pour le piano.

— Le piano? Quel piano?

— Le piano que vous avez commandé.

— Désolée, vous faites erreur. Je n'ai pas commandé de piano.

— Vous êtes bien madame Adhémar Vachon, 66, chemin du Lac, Mandeville?

— Euh... oui, mais...

— Et vous connaissez bien madame Laurent Chauvin de Montréal? Nous avons pris livraison du piano chez elle ce matin. Tenez! Elle m'a demandé de vous remettre cette enveloppe de sa part.

— Dieu du ciel!»

Florence dut s'asseoir sur le bout d'une chaise pour garder contenance. Elle lut, d'un regard mouillé, le petit mot d'Andréanne.

Ma chère Flo,

Je te renvoie avec plaisir le piano familial. Il te revient de droit et depuis longtemps. Trop longtemps! J'aurais dû le faire bien avant. Pardonne ma négligence. Mais, crois-moi, ce piano m'a sauvée de la déprime plus d'une fois. J'ai insisté auprès de mon mari pour le remplacer par un autre, plus moderne, et il a accepté. J'ai pensé te ménager la surprise. N'est-ce pas que j'ai réussi? Puisses-tu en profiter autant que moi! Je sais que dans ce meuble, enchâssés sous les notes de ce clavier, se tapissent tes amis les compositeurs. Ils ne t'ont jamais trahie, eux... Voilà qu'ils te reviennent aujourd'hui. Fais-leur la fête en pensant à moi qui t'aime plus que tout.

Ta sœur Andréanne

À travers la porte, Florence reconnut le piano en acajou massif, avec ses pattes torsadées et ses touches d'ivoire jauni. Elle le caressa de la main comme on touche un ami longtemps perdu et enfin retrouvé.

Les livreurs n'avaient pas encore disparu

qu'Alexandre s'empressa de descendre de son refuge. Sans attendre, elle se mit à jouer timidement.

«Ouf! je me sens rouillée!

— Ça va te revenir, voyons! Je ne suis pas inquiet!

— En autant qu'Adhémar ne chiale pas trop...

— Chialer pourquoi? Parce que tu joues du piano?

— Ça prend de la place dans le salon et ça fait du bruit. La musique, lui, tu sais... Quoique quand Andréanne jouait jadis, il ne détestait pas ça!»

Soudain, des émotions oubliées surgirent autour de l'instrument. Ah!... sur ce piano, elle avait tant rêvé au bel Adhémar Vachon sans qu'il le sache! Pendant toute une saison, ce fut pour lui qu'elle s'exerçait et apprenait toutes les partitions par cœur. Pourtant, il l'écoutait à peine, d'une oreille distraite. Si peu... Trop peu! Bien sûr, il préférait les boogie-woogies endiablés de sa sœur, et cela la frustrait, l'humiliait. Tant de temps à mettre au point une fugue ou une sonate... Elle eût mieux fait de jouer pour elle-même et de continuer à soupirer au prince charmant au lieu de mettre à exécution ses ridicules projets de bonheur et de vie familiale harmonieuse avec le beau parleur. Mais le mal était fait depuis presque douze ans. Elle n'avait pas le choix de continuer à composer avec ce que la vie lui offrait: cinq magnifiques enfants, un mari impossible, un frère attachant et une sœur généreuse et trop éloignée. Et, à partir de maintenant, un piano. Son piano...

Alexandre s'approcha d'elle par-derrière et passa ses bras autour de ses épaules.

«Pourquoi pleures-tu comme ça, ma grande sœur?

— Oh! je ne pleure pas! C'est juste l'émotion. La joie sans doute...

— Joue-moi un prélude de Bach, tu sais, celui qui commence pas *tut tut-tut, tut tut-tut...* Tu le jouais si bien, le soir, quand j'étais un petit garçon et que j'essayais de m'endormir. J'adorais ça! Je t'écoutais attentivement et ne manquais pas une note, tu sais. Je ne l'ai jamais dit, mais je rêvais d'apprendre le piano, moi aussi!

— Tu veux dire celui-là?»

Elle se mit à chercher à tâtons sur les touches.

«Je ne m'en rappelle plus... Mais si tu montes au grenier, tu vas trouver au fond de mon grand coffre de bois placé sous la fenêtre, insérés dans une pile d'oreillers brodés de coquelicots, mes vieux cahiers de piano. Je les ai toujours gardés... Peux-tu me les apporter, s'il te plaît?»

Chapitre 30

12 mai 1948

Ma sœur a toujours su la vérité au sujet de mon fils, mais elle s'est toujours gardée d'en parler. Je le sais maintenant, j'en suis même certaine! Comment peut-elle assumer une telle souffrance sans m'arracher les yeux? Sans me lancer des accusations fielleuses par la tête? Sans jamais dire un mot plus haut que l'autre? Sans me détester? En continuant de m'accueillir avec un sourire bienveillant?

Je l'ai pourtant vue sourciller, hier, durant le souper de famille, quand Nicole a maladroitement souligné la ressemblance évidente entre Olivier et Adhémar. Et, pour mal faire, la vilaine a précisé bien haut:

« Et ils ne sont parents que par alliance! Tu parles d'un mystère!»

La vache! Comme s'il s'agissait d'une énigme! Pas très futée, la nièce! Elle aurait pu se taire et garder ses impressions pour elle! À quatorze ans, on est plus naïve que malicieuse, je suppose. Elle n'a même pas réalisé le malaise et la chute instantanée de toutes les conversations créés par sa remarque. Tout de même, les secrets de famille, ça doit rester en famille! Pas nécessaire de les répandre jusqu'à l'oncle André et aux siens. Encore moins à mon frère Alexandre. Jamais, au grand jamais, je n'ai divulgué la vérité à personne, moi. Pas une seule fois! Pas même à Adhémar. Surtout pas à lui...

Au début, j'aurais été prête à tout avouer à Florence et à lui demander pardon, question de me soulager la conscience. Après tout, son mari l'a trompée avec tant d'autres femmes.

Que sa sœur compte parmi elles, de temps en temps, était-ce si grave? Oui, ma chère, c'était grave, c'était très grave. Et très laid. C'était même dégueulasse! Je suis une belle salope et ne vaux guère mieux qu'Adhémar Vachon. Si j'avais eu l'âme en paix, je ne me serais pas tant énervée quand cette stupide Nicole a innocemment énoncé ses doutes devant la galerie.

Ce poids sur ma conscience pèse lourd, trop lourd. Je n'en peux plus de voir Florence se pencher sur Olivier avec tendresse. C'est vrai qu'il n'y est pour rien, le pauvre petit! Et il adore sa tante! Et tout autant son cousin Désiré et les jumelles qui le dorlotent sans bon sens. À quatre ans, le second fils non déclaré d'Adhémar Vachon est devenu un petit roi. Même son parrain Alexandre lui envoie des cadeaux des États-Unis.

Ah! il me manque, celui-là! Et il manque à ma sœur aussi. J'étais si contente de le voir, hier, au cours de cette belle fête de retrouvailles. Cré frérot! Il me fait penser à papa. Même gabarit, même port de tête. Quelle idée aussi d'aller s'installer à Albany! Évidemment, prendre la relève de l'oncle André dans sa compagnie de textiles en pleine expansion représentait une chance inespérée pour mon frère. Surtout que le chômage a repris de plus belle ici. En s'exilant, il a évité les sarcasmes de ceux qui ont eu le front de le juger et de le prendre de haut après l'amnistie. Maintenant, il brasse de grosses affaires et semble avoir déniché la femme de sa vie aux États-Unis. Deux petites filles, déjà, et ce n'est pas fini d'après ses dires. Deux adorables poupées qui ne comprennent pas un traître mot de français... Dommage, on ne le verra plus qu'aux grandes occasions, c'est-à-dire aux mariages et aux enterrements. Au moins, il semble heureux.

Je n'ai pas sa chance. Le matin où j'ai pris mes cliques et mes claques, incapable de supporter Laurent Chauvin une minute de plus, je ne savais pas que je plongerais allègrement dans la solitude et la désolation. Pas question de reprendre mon métier de femme de petite vertu avec un enfant sur les bras. D'ailleurs, avant longtemps, on préférera de jeunes pou-

lettes plus fraîches, et il faudrait me contenter de vieux mecs puants. Pouah! À partir du moment où j'ai accepté de garder le bébé dans le secret de mon ventre, j'ai mis une croix définitive sur ce passé à la fois lumineux et ténébreux. Finis la richesse, le grand luxe, les voyages, les grandes sorties, les beaux appartements! Finies aussi les cachotteries, les dissimulations et l'existence clandestine! Et vive la vie ordinaire! Et le calme plat. Vive l'ennui...

Dieu merci, et tel qu'entendu lors de notre mariage «arrangé», Laurent s'est montré magnanime au moment du divorce, et il a offert une large pension pour Olivier et pour moi. Grâce à ses généreux chèques, je peux continuer de mener un bon train de vie. Après tout, le bougre me doit la vie. N'est-ce pas grâce à moi s'il n'est pas allé se faire massacrer à la guerre comme mon frère Guillaume? Ça vaut bien son pesant d'or! Mais le pauvre ne réalise pas encore la manipulation dont il fait toujours l'objet. Qu'importe, il joue son rôle de père et je lui en sais gré. Mon fils s'appelle et s'appellera toujours Olivier Chauvin.

Hélas! Mon mensonge m'a sauté à la figure hier, à la fête de famille, celui-là même qui s'interpose depuis quelques années entre ma sœur et moi. Un mensonge dévoilé à travers une ressemblance physique évidente et de plus en plus prononcée, entre le fils et son vrai père. Je n'avais pas réalisé qu'Olivier incarnerait lui-même ce mensonge. Je sais maintenant qu'il affichera sur son visage ma faute passée, tel un étendard, avec une arrogance inconsciente tout au long de son existence et même au-delà de la mienne. Un mensonge vivant qui s'ignore, un mensonge insolent de vérité. Un mensonge candidement endossé par un enfant de quatre ans. Un mensonge cruellement attachant. Un mensonge avec d'adorables yeux verts... Un mensonge qui n'aura pas échappé au regard perspicace de ma sœur, je le crains.

Pardonne-moi, Florence...

Chapitre 31

Si le temps s'amusait à décoller ses bardeaux et à pourrir ses poutres, la vieille maison n'en retentissait pas moins journellement d'éclats de voix : celle, rêche, du jouvenceau et celles, claironnantes, des jeunes demoiselles et de leurs sœurettes, en plus de celles du père et de la mère, l'une criarde, l'autre douce et apaisante sur fond d'envolées mélodieuses du piano.

Au fil des années, Florence tenait le coup et résistait, vaille que vaille, aux défaillances de son couple. Elle trouvait une vague consolation dans ses contacts fidèles mais platoniques avec le docteur Vincent.

Mille fois elle avait eu envie de se blottir contre lui en le suppliant de l'amener à l'autre bout du monde, mille fois elle s'était retenue et avait gardé le silence. Un jour, il l'avait surprise en train de jouer du piano, seule dans la maison. Il lui apportait du ravitaillement comme à l'accoutumée. Elle jouait machinalement, l'esprit ailleurs, rivé sur une scène de la veille où Adhémar, ivre mort après avoir vomi sur le plancher de la maison, était venu la trouver au lit pour faire l'amour. Incapable de supporter son haleine fétide et sa peau couverte de sueur, elle s'était levée d'un bloc et s'était enfuie à l'extérieur en pleine nuit.

Le médecin s'approcha d'elle avec un sourire bienveillant.

« Comme tu joues bien !

— Oh ! non... pas aujourd'hui !

— Qu'est-ce qui se passe, ma petite Florence?

— Euh... rien. Je suis juste fatiguée.»

Vincent n'avait pas insisté. La distance qui les séparait semblait devenue un mur dense et épais, infranchissable. Chacun vivait sa vie de son côté, chacun pour soi. De toute évidence, l'homme demeurait fidèle à sa femme et il le resterait toujours. Si ses aveux d'autrefois, de cette seule et inoubliable fois, avaient bouleversé les états d'âme de Florence, Vincent avait aussitôt colmaté la brèche entrouverte dans le mur par son attitude irréprochable et désespérément correcte, cet écart silencieux qu'elle souhaitait et déplorait en même temps. Cet homme ne lui appartiendrait jamais, elle ne se faisait plus d'illusions.

Elle compensait par ses rapports affectueux avec chacun de ses enfants. Pour Nicole et Isabelle, la relation parentale avec leur mère se métamorphosait peu à peu en rapports d'amitié entre femmes, nourris de respect et de complicité. Non seulement on s'échangeait des confidences et des petits secrets, mais on partageait les corvées et participait aux mêmes activités: musique, lecture, jardinage, artisanat, travaux de couture et de cuisine. Même les vêtements contenus dans les commodes n'appartenaient en propre à aucune d'entre elles. Mais, plus que tout, une confiance réciproque à toute épreuve liait, d'un ciment indestructible, la mère et ses deux adolescentes. Adhémar n'osait s'opposer à ce bastion qu'il appelait, avec un sourire malicieux, «le clan des totons».

Si le buveur aimait ses filles comme il aimait sa femme, cet amour tout aussi tiède et mitigé s'avérait insuffisant pour lui donner envie de se prendre en main et de lâcher sa chère bouteille. Il lui aurait fallu plus de motivation pour mettre un terme définitif à la vie misérable qu'il imposait à ses enfants depuis leur naissance, une vie de renoncement, d'insécurité, de résignation. Une vie de pauvreté.

Pour les jumelles, âgées d'une dizaine d'années, il s'agissait d'une autre histoire. Le père adorait Marie-Claire et Marie-Hélène, et leur passait tous leurs caprices. Les fillettes se transformaient petit à petit en véritables manipulatrices. Florence se demandait ce qu'il adviendrait d'une telle éducation distillée entre une mère exigeante et un père outrageusement permissif. Il lui arrivait de croire qu'Adhémar ne revenait encore à la maison que pour l'amour de ses benjamines toujours identiques, tant pour le caractère que pour le physique.

Quant à Désiré, il poursuivait paisiblement son cours classique au collège Brébeuf, au grand contentement de sa mère et au désintérêt manifeste de son père. Malgré son émigration chez les Américains, l'oncle Alexandre continuait toujours d'en assumer le coût en guise de remerciement à la famille pour l'avoir hébergé jusqu'à la fin de la guerre. Devenu un jeune homme plutôt costaud, joli garçon par surcroît, Désiré était la réplique physique exacte de son père, à l'instar de son cousin Olivier. Seuls lui manquaient le regard frondeur et le sourire narquois d'Adhémar. En effet, le fils restait taciturne et morose, et se montrait indubitablement plus sage que son père à cet âge. «Du moins pour l'instant», se disait Florence. Elle l'observait souvent, de loin, et lui trouvait un air mélancolique. «Mon fils n'est pas heureux. D'ailleurs, il ne l'a jamais été!» Qu'y pouvait-elle, sinon se contenter d'être là pour lui, mère aimante et disponible, prête à le dorloter et à l'écouter lors de chacun de ses retours du collège. Mais il n'y avait rien à écouter. Désiré Vachon ne confiait jamais rien à personne.

«Mon fils habite dans une bulle!» avait-elle l'habitude de lancer en le regardant monter dans le refuge de sa chambre sans même se donner la peine de répondre à ses questions trop insistantes sur ses activités extra-collégiales.

Adhémar s'était empressé de rétorquer, en haussant les épaules :

« Laisse-le faire! On ne tirera jamais rien de celui-là! »

Florence soupirait et jetait un regard mauvais à son mari. Le repli sur soi malsain de Désiré ne lui disait rien de bon. La vie d'injustice et de malveillance que lui menait encore son père continuait d'accomplir tranquillement ses ravages, elle en avait la certitude.

Pour survivre à tous ces tiraillements, elle s'évadait dans la musique. Après avoir retrouvé son instrument, quelques années auparavant, elle s'était sérieusement remise à son activité favorite. Elle savait dans son for intérieur que cela lui sauvait la vie. Elle avait commencé à enseigner les rudiments de la musique à ses filles et à quelques enfants du voisinage.

Un jour, le curé l'avait fait venir à son bureau en affichant un air solennel. Inquiète, Florence l'avait suivi jusqu'au presbytère en se demandant bien quelle tuile allait encore lui tomber sur la tête.

« Madame Vachon, j'ai une proposition à vous faire. L'accompagnatrice des chants pour les offices religieux vient de m'annoncer son déménagement en Gaspésie. Accepteriez-vous de la remplacer comme musicienne attitrée de la paroisse? La rémunération n'a rien de mirobolant mais... c'est toujours ça de pris! »

Florence bondit de joie.

« Vous croyez que je pourrais?

— Madame Vachon, je vous ai écoutée jouer sur l'orgue maintes fois, derrière un pilier de l'église. Vous êtes une excellente musicienne. »

Trop contente de sortir enfin de sa tanière, elle avait accepté le poste sans même consulter son mari. Après tout, il ne se gênait pas, lui, pour disparaître quand bon lui semblait! Et pour aussi longtemps que ça lui convenait!

À partir de ce jour, l'existence de Florence bascula d'un côté plus ensoleillé. On finit par la connaître au village et par l'apprécier. Elle se fit des amis. Soudain, elle eut l'impression d'être enfin devenue quelqu'un. Elle se donna corps et âme à ce nouvel emploi. Une fois la semaine, le samedi après-midi, elle se rendait au sous-sol de l'église où on avait installé un piano pour les répétitions. Elle décida même d'élargir le répertoire de la chorale et de déborder du catalogue religieux. Elle intégra donc un certain nombre de chansons à la mode dans le but de les présenter lors de concerts populaires. Quelques vieilles dames protestèrent bien un peu, au début, mais un nombre surprenant d'adultes, hommes et femmes, allongèrent la liste d'inscriptions au chœur. Tous voulaient s'y joindre pour chanter les beaux airs de Piaf, Trenet, Alice Roby, Maurice Chevalier et des Compagnons de la Chanson.

Florence jubilait et ne ménageait ni son temps ni ses énergies, trop contente de retrouver, à peine altérés, ses talents d'enseignante et d'animatrice de sa jeunesse. Elle se rendit par le train au magasin Archambault, à Montréal, dans le but de se procurer des partitions de musique semi-classique, d'airs d'opérettes et de mélodies populaires. Elle travailla même le solfège avec les meilleurs solistes, certains soirs, dans une petite salle du presbytère mise à sa disposition. Le chœur *Les Mandevillois* acquit rapidement une réputation d'excellence et entreprit de se produire régulièrement. On se mit à venir de très loin pour l'entendre.

Si Florence se sentit renaître, il en alla tout autrement pour son mari, de plus en plus abruti et devenu chômeur à temps plein. En désespoir de cause, elle lui avait obtenu un emploi de bedeau à la paroisse. Le curé l'avait accepté davantage par charité que par conviction. Adhémar, d'ailleurs, ne s'intéressait guère à son travail. Il n'était pas rare qu'une fois les choristes repartis après une répétition, Florence ne change elle-même, en douce, la nappe de l'autel, époussette chacune des statues et verse de l'huile dans la lampe du sanctuaire après avoir remplacé les lampions consumés au pied des autels latéraux. Le prêtre la voyait vaquer à l'entretien de l'église et ne disait mot. Au contraire, il ne tarissait pas d'éloges pour le bon travail de son bedeau et continuait de lui remettre, d'un air satisfait, l'enveloppe de son salaire hebdomadaire. Florence acquiesçait en silence, d'un simple signe de tête. Entente tacite, complicité muette sur laquelle reposait la survie de toute une famille. Encore chanceuse quand son mari ne disparaissait pas pour deux ou trois jours avec l'argent!

Que lui importait, maintenant, de traîner Adhémar comme un boulet et d'endurer encore ses fredaines? Son mari ne lui était plus rien et elle le supportait, sans plus, comme on remplit un devoir sans le remettre en question. L'éclat des yeux verts s'était éteint à jamais pour Florence, et la princesse d'autrefois, si jamais elle avait existé, avait sombré dans l'océan de misère où l'avait maintenue son médiocre chevalier.

Maintenant, elle s'était découvert une nouvelle raison de vivre: la musique, et cela suffisait à lui procurer un certain bonheur. Du moins, elle essayait de s'en convaincre. Désormais, elle pouvait donner libre cours à une passion qui l'avait toujours habitée, une occupation bien à elle, valorisante et enrichissante. Elle avait cessé de jouer le rôle de l'ombre solitaire et silencieuse qui se faufilait derrière les fenêtres de la maison rouge, sur le bord du lac Mandeville.

Florence Vachon, professeur de piano et de solfège, directrice de la chorale, était redevenue vivante.

Quant à ses rapports avec sa sœur Andréanne, ils semblaient baigner dans l'huile, malgré une tension inavouée. Bien sûr, l'éloignement et les non-dits aidaient à éluder les mensonges et étouffer les rancœurs. Les deux sœurs réussissaient tout de même à se voisiner de temps à autre. Le plus souvent, la citadine venait passer quelques jours au lac avec son fils Olivier. Elle avait divorcé d'avec le faux père moins d'un an après la naissance de l'enfant.

Évidemment, dès le premier contact, au moment même où elle avait pris le petit dans ses bras, Florence avait deviné la vérité au sujet de la paternité. Sans équivoque, Laurent Chauvin n'avait rien à voir dans la conception de cet enfant-là. Elle ne s'était donc pas trompée, lors de cette fameuse nuit de Noël où elle avait vu Adhémar et Andréanne se rapprocher un peu trop. Ainsi, ils avaient bel et bien vécu une idylle à son insu...

La rage et le dégoût avaient envahi son cœur au début. Franchement, la chipie s'était comportée comme une belle écœurante. Qu'elle prenne des amants, passe encore! Mais qu'elle couche effrontément avec le mari de sa sœur, fût-il le plus cavaleur des maris... Non! Elle avait dépassé les bornes. Florence décida de la bannir à jamais de sa vie.

Mais une fois le premier choc passé, sa bonté naturelle avait refait surface. Andréanne représentait pour elle la personne la plus précieuse au monde. Elle avait finalement choisi de se taire devant les mesures prises par sa sœur. Ce mariage improvisé pour sauver la face, ce pseudo-père naïf, aimant et correct, ce semblant de famille... Après tout, elle avait bien droit au bonheur avec un petit, elle aussi, après sa vie de misère. Pourquoi anéantir cette chance dans une guerre de rancune? Dévoiler la vérité n'aurait rien changé à la situation sinon tout détruire.

Selon ses habitudes de survie, Florence s'était réfugiée dans le silence, cet espace sans frontière qu'elle pouvait remplir, à son gré, de pensées destructives ou magiques. Petit à petit, l'acceptation remplaça la révolte.

Les deux sœurs n'en parlèrent jamais, et ce mutisme, à la longue, réussit à maintenir un lien relativement amical en reléguant les origines d'Olivier dans le coffre des secrets de famille, ces gardiens des alliances et des compromis. Gardiens de la réputation des uns, de la sérénité des autres. Gardiens des haines informulées, mais aussi des amours inavouées. Gardiens de la paix, d'un silence à l'autre...

Florence ignorait totalement si Adhémar reconnaissait cet autre fils bâtard et s'il lui vouait une affection particulière et discrète. De toute manière, Dieu sait combien d'enfants illégitimes le trousseur de jupons avait pu semer sur son chemin! Chose certaine, elle n'avait pas pardonné à son mari plus facilement qu'à sa sœur.

À quatre ans, Olivier manifestait déjà un caractère difficile. Mais rien ne lui faisait plus plaisir qu'un séjour à la campagne chez sa tante Flo. Il aimait bien aussi son cousin Désiré. Le grand adolescent aux allures dégingandées s'était pris d'affection pour le bambin. Le petit ne demandait pas mieux que de le suivre à la pêche ou dans ses activités estivales. En lui résidait l'unique modèle masculin auquel il pouvait s'identifier, car son père officiel, Laurent Chauvin, se manifestait de moins en moins dans l'existence de son fils. L'homme d'affaires avait refait sa vie avec une femme riche et peu maternelle qui regimbait après chaque visite encombrante du bambin.

Désiré devina-t-il qu'Olivier était son demi-frère? Lui non plus ne le mentionna jamais malgré la ressemblance évidente. Au fond, que lui importait? Le grand et le petit faisaient la paire. Ne les désignait-on pas en les appelant «les quatre-z-yeux verts»?

***

Ce matin-là, le ciel s'était marbré de toutes les teintes

de gris dès l'aube. Mais, en fin de matinée, un rideau de plomb le recouvrait, et la zone noire et opaque qui s'avançait de l'autre côté du lac n'augurait rien de bon. Avant longtemps, une pluie diluvienne inonderait la région.

Florence se dépêcha de rentrer les draps et les serviettes qui battaient au vent sur la corde à linge. Puis, elle s'en fut à la hâte dans la remise pour chercher des seaux et des vieilles casseroles qu'elle posa ici et là dans le grenier. Elle commença par la chambre de Désiré. Deux récipients sur le lit, un sur la commode, quelques autres dans l'espace consacré au rangement ici et là dans l'entretoit. Ouf! L'orage pouvait venir, elle se sentait prête.

Il vint, en effet, plus violent que jamais. Les contenants débordèrent en peu de temps, l'eau s'infiltra dans les multiples fissures de la maison et commença à se déverser un peu partout dans la cuisine et les chambres du bas. Florence accourait de l'un à l'autre pour les vider et ne savait plus où donner de la tête.

Adhémar entra sur ces entrefaites, buta contre une chaudière et s'étala de tout son long sur le plancher recouvert d'eau. Il lança un juron.

«Sacrament! Tu ne pourrais pas avertir quand tu places un siau d'eau drette devant la porte?

— Si tu avais été là pour m'aider, ça ne serait pas arrivé, mon mari!

— Maudite chiotte! C'est rien que bon à mettre le feu d'dans!»

Florence l'aida à se relever et constata qu'il empestait l'alcool une fois de plus.

«Donne-moi un coup de main pour ramasser l'eau au moins. Moi, je vais voir en haut. Le lit de Désiré doit être détrempé. Faudrait réparer cela, Adhémar, faudrait faire quelque chose.»

Elle le lui demandait depuis des années. Les dégâts empiraient d'une averse à l'autre. C'était pire lors des dégels du printemps. Cette fois, les ravages dépassaient les bornes. Elle décida d'en parler au notaire le jour même, pour le prier d'en faire part aux propriétaires. Après tout, la maison ne lui appartenait pas et il n'incombait pas à elle d'exécuter des réparations de cette envergure. Elle n'en avait ni la force ni les moyens. Puisque Adhémar refusait de s'en occuper...

Depuis la vente de la maison, Florence n'avait jamais rencontré la mystérieuse acheteuse. Chaque mois, elle remettait le montant du loyer à l'homme de loi et il continuait de se charger lui-même du versement. Pour un temps, elle avait soupçonné sa sœur d'avoir acquis la propriété pour les tirer d'un mauvais pas, mais elle avait dû se rendre à l'évidence : Andréanne n'y était pour rien.

Le notaire promit de transmettre le message en priorité. Il rappela, le soir même, pour organiser un rendez-vous dès le lendemain matin à dix heures. Le propriétaire viendrait constater de visu l'ampleur du problème et déterminer les travaux nécessaires. Florence avait sourcillé quand il avait prononcé «le» propriétaire, mais elle ne posa pas de questions. Elle avait toujours cru qu'il s'agissait d'une femme.

Elle s'empressa de tout mettre en ordre. On verrait que pauvreté n'était pas synonyme de malpropreté. Elle aurait souhaité qu'Adhémar assiste à l'entrevue, ce matin-là, mais il ne daigna pas se lever. À dix heures pile, on frappa à la porte. Elle manqua perdre pied en découvrant le beau visage du docteur Vincent.

«Ah! bonjour! Quel bon vent t'amène?

— Bonjour, ma belle "toi"? Comment vas-tu?

— Je suis toujours heureuse de te voir, Vincent, mais ce matin, tu arrives au mauvais moment. J'attends la – ou plutôt le – propriétaire de la maison. Tout s'en va en ruines ici. La toiture coule sans bon sens et...

— C'est moi, le propriétaire de la maison, Florence.

— Toi? Comment cela? On m'avait dit que c'était une femme!

— En effet, c'est ma femme. J'ai mis la maison au nom de ma femme, mais au fond, elle m'appartient en totalité. Penses-tu, mon amie, que j'allais prendre le risque de vous laisser mettre à la porte, toi et tes petits, par un acheteur anonyme et sans scrupules? Dès qu'on a mis la maison en vente, je me suis porté acquéreur, tu penses bien!»

Non, elle n'y avait pas pensé. Pas l'ombre d'une minute. Elle dut canaliser toutes les forces de sa volonté pour ne pas se jeter dans les bras de son sauveur. Une fois de plus, Vincent avait secrètement pris soin d'elle...

«T'en fais pas, ma belle, on va réparer tout ça!»

Trop émue pour répondre, elle tourna son visage vers la fenêtre afin de dissimuler les larmes qu'elle n'arrivait pas à retenir. Dans le ciel lumineux des lendemains d'orage, elle vit des couples d'hirondelles virevolter follement dans les airs en se lançant des cris perçants.

Cris de joie et cris d'amour...

Chapitre 32

22 mai 1948

Il était environ huit heures du soir. Ils ne m'ont pas entendue venir. J'ai bien remarqué la voiture du docteur Chevrier stationnée sur le devant et, pour un moment, j'ai craint que quelqu'un ne soit malade. Mais, en approchant de la maison, j'ai entendu sa voix par la fenêtre ouverte, une voix chaude et veloutée, emportée par une mélodie à faire chavirer toutes les femmes de l'univers. Je me suis soudain sentie enveloppée d'un voile de mélancolie.

Parlez-moi d'amour,
Redites-moi des choses tendres...

Du piano s'égrenaient des notes perlées, si légères, si aériennes qu'elles semblaient s'envoler dans l'air comme les étincelles d'un feu de brindilles. Ah! que c'était beau! J'ai grimpé sur le vieux banc de la galerie et me suis délectée de ce moment de grâce. «Parlez-moi d'amour...» On m'a tant parlé d'amour durant ma vie, moi, la catin dont on a abondamment profité. Mais m'a-t-on jamais vraiment aimée? Qui, de Simon Prud'homme autrefois jusqu'à Laurent Chauvin, en passant par Adhémar Vachon et combien d'autres, m'a vraiment aimée? Certes, on m'a chanté la pomme, on m'a désirée et adulée au-delà de mes attentes, mais parlé d'amour, du véritable amour, profond et durable, celui qui donne envie de se perdre, d'offrir sa vie, celui qui donne des ailes, celui qui fait croire en Dieu et en l'éternité, jamais! Non, je n'ai pas connu ce privilège.

Ma sœur non plus d'ailleurs. Ce qui aurait pu devenir un grand amour entre elle et le docteur s'est transformé en amitié. Une amitié tendre, certes, mais chaste et pure, et vécue au grand jour. Dommage... Ils n'ont pas le choix, les pauvres, engagés chacun de leur côté, Florence à son moineau de mari, Vincent à son épouse folle.

Il paraît que la dame, complètement déconnectée de la réalité, passe la majeure partie de sa vie à Saint-Jean-de-Dieu, l'hôpital psychiatrique de Montréal. A perdu la boule depuis vingt ans, la belle femme du docteur... Et sa sœur plus âgée a dû élever leurs deux filles jusqu'à la maturité. Autrefois, durant les courtes périodes de rémission de sa femme, Vincent la ramenait à Saint-Didace avec les enfants. Maintenant, on ne les voit plus. Les filles ont grandi et poursuivent leurs études à l'extérieur. Et le docteur, en homme intègre et fidèle, continue de quitter son village tous les dimanches pour aller visiter ses filles et sa femme qui ne le reconnaît même pas la plupart du temps. Quelle histoire pathétique! Dire qu'il n'en a jamais parlé à personne...

Florence a toujours adoré cet homme, je le sais, même si elle ne l'a jamais confié à personne. Je devine ces choses-là, moi, je les sens! Avouer un tel sentiment de sa part aurait risqué de l'officialiser. De le rendre possible et vivable. Un sentiment coupable... Je connais ma sœur! Mais quelle femme ne tomberait pas en amour avec le docteur Chevrier? Rien de superficiel ou de frivole chez ce colosse. Que du profondément humain. Beau, grand, fort. Charmant et charmeur. La bonté à l'état pur! La force et la grandeur d'âme incarnées. L'un des piliers de la région...

Quand la musique a cessé, je n'ai pu résister à l'envie de jeter un œil indiscret à travers la vitre. Après une telle chanson d'amour en duo, on aurait pu s'attendre à une chaleureuse étreinte entre les exécutants. Eh non! La prof et son élève de solfège se sont simplement mis à battre des mains en riant comme deux enfants. Puis ils se sont remis sagement à la dégustation de leur tasse de thé. Ouf!... Vertu, moralité, intégrité, transparence. Grands dieux! Comment font-ils? Je ne peux croire que Florence et Vincent, depuis toutes ces années, ne sont jamais allés plus loin dans leur relation!

Tandis que moi...

Pour empêcher les remords de m'envahir de nouveau, j'ai aussitôt frappé à la porte. Florence m'a accueillie avec surprise, car je devais reprendre mon fils le lendemain seulement. Depuis le souper, le petit, fatigué d'avoir sans cesse suivi son cousin Désiré dans ses travaux autour de la maison, dormait à poings fermés. Le docteur s'apprêtait à partir et enfilait déjà son veston. Florence le supplia de rester encore un petit moment. Pourquoi ne pas faire de la musique à trois puisque une occasion unique se présentait?

Je me mis à pianoter sur le vieux piano familial et, tous les trois, nous reprîmes le beau Parlez-moi d'amour. Leurs deux voix s'emmêlèrent et se fondirent, chevrotantes d'émotion, dans la même mélopée. Je me mordis les lèvres et me gardai bien de chanter. Étrangement, c'est Florence et moi qui sommes tombées dans les bras l'une de l'autre, une fois la chanson terminée. Le docteur se contenta d'applaudir timidement.

C'est à ce moment-là seulement que je remarquai la présence d'Adhémar, tapi au fond de la cuisine. Ma sœur aura-t-elle droit à une crise de jalousie? Vincent nous quitta rapidement sans même nous gratifier d'un pudique baiser sur le front. Mais le soupir à peine perceptible que poussa ma sœur en refermant la porte derrière lui n'échappa pas à mon oreille avisée. Il contenait, il me semble, tous les regrets du monde.

Chapitre 33

Une fois les gros travaux de réparation de la toiture terminés avec l'aide d'un entrepreneur chevronné, le docteur Chevrier fit construire de nouvelles armoires dans la cuisine et installer une baignoire dans la salle de bain. Un réservoir connecté au poêle à bois fournissait maintenant de l'eau chaude pour les lavages et les bains. Florence n'en revenait pas de ce nouveau confort. Elle considérait ces améliorations comme un cadeau, une faveur de la part de son bienfaiteur. «Ton docteur», comme l'appelait Adhémar avec une pointe de raillerie.

Avait-il deviné la vertueuse affection qui unissait ces deux-là? Jamais il n'en avait fait mention, mais il s'esquivait sous le moindre prétexte dès l'apparition de Vincent dans le décor. Déni ou désintéressement? Florence se posait la question. Elle aurait souhaité voir se déclencher une flambée de protestations de la part de son mari. Au moins, cela aurait démontré qu'il lui restait un peu d'attachement pour elle.

Mais rien! Adhémar buvait son mal de vivre du matin jusqu'au soir, et le reste de l'existence lui était devenu négligeable. Il était retourné chez les Lacordaires à maintes reprises, sans véritable succès. Pour quelques semaines ou quelques mois, il redevenait, même sans alcool, l'ombre de celui qui avait séduit la jeune institutrice rêveuse d'autrefois. En réalité, ni l'un ni l'autre n'étaient plus les mêmes. À la longue, elle s'était désillusionnée. Toujours belle et séduisante, elle entre-

235

tenait maintenant un écran de froideur et de désaffection vis-à vis de son mari. De son côté, l'homme, d'arrogant et sûr de lui qu'il semblait jadis, s'était transformé en une loque humaine de près de cinquante ans. Si l'abstinence arrivait, à l'occasion, à allumer chez lui de maigres sourires, l'usure des années et la déchéance avaient trop ravagé son corps et son beau visage pour susciter une ombre de fascination aux yeux de sa princesse.

En outre, la similitude physique hurlante de vérité entre Désiré, le fils rejeté, et Olivier, le fils inavoué, suffisait à rappeler à Florence que cet homme avait toujours honteusement obéi à ses instincts sans jamais tenir compte d'elle, ni des blessures, ni des humiliations, ni des misères qu'il lui infligeait. Les Lacordaires, s'ils l'avaient aidé de temps à autre à réprimer la béquille fournie par l'alcool, n'avaient abouti, en fin de compte qu'à ramener à la surface son mal-être chronique et à rendre plus vive la carence qui l'avait constamment empêché de fonctionner normalement. Florence n'avait jamais réussi à s'expliquer cela. Et encore moins à le contrecarrer.

Maintenant il était trop tard. Ne restaient plus entre le mari et la femme que de vieilles habitudes et une indifférence irréversible, pour ne pas dire un amour mort. Florence se demandait parfois pourquoi elle ne le détestait pas davantage.

***

Un jour, le docteur Chevrier se pointa avec de nombreux pots de peinture dans le coffre de sa voiture. Sa venue coïncidait avec le retour de Désiré du collège pour les vacances d'été. Florence soupçonna son ami d'avoir forcé cette concordance, mais se garda bien de le mentionner. Le jeune homme venait de terminer brillamment sa versification, mais il rentrait au bercail sans éclat. Sans joie, sans fierté. Sans projet non plus. Sa mère lui avait suggéré d'offrir ses services comme commis dans l'un des rares magasins à rayons de la région. Pourquoi pas à Saint-Gabriel-de-Brandon où Nicole et Isabelle exerçaient déjà, pour l'été, la fonction de «faiseuses de patates frites» pour les touristes de la plage publique? Grâce à leurs salaires joints à son maigre pécule de musicienne et à celui, de plus en plus injustifié, d'Adhémar comme bedeau, elle finirait par boucler les prochains mois, en autant qu'elle puisse compter sur la température clémente pour la pousse des fruits et des légumes cultivés dans son jardin derrière la maison.

Parfois, elle regrettait de n'avoir pas fui vers Montréal avec ses enfants. Les emplois y étaient plus nombreux de même que les organismes d'assistance aux familles nécessiteuses. Mais elle n'aimait pas la ville, à cause de ses bruits et de son anonymat. Les foules grouillantes l'horripilaient. De toute façon, chacun avait pris racine dans la région. Il était maintenant trop tard pour y penser.

Vincent posa la main sur l'épaule de Désiré.

«Écoute, mon vieux. Je cherche un bon peintre en bâtiment pour achever de rénover cette maison. Si tu aimes le rouge... Tu en as pour l'été à sabler les poutres, les planches, les madriers, et à les repeindre. Il y a aussi le découpage en blanc autour des fenêtres, sans compter les nouveaux volets et les boîtes à fleurs que je voudrais ajouter.»

Des volets et des boîtes à fleurs sur la maison rouge, comme dans l'ancienne maison familiale de Saint-Didace! Florence sentit son cœur défaillir. Elle en avait toujours rêvé! Mais, de tout temps, elle avait chassé de son esprit ces aspirations ridicules. Pourquoi se permettre de désirer des objets insignifiants et sans utilité quand on possède à peine de quoi manger? Le superflu, le beau pour le beau, le culte du plaisir, cela n'avait jamais existé pour elle, sauf en musique.

«Alors, jeune homme, qu'en dis-tu? Je t'offre un dollar de l'heure.»

Désiré se contenta de baisser la tête en signe d'acquiescement. C'est sa mère qui bondit.

«Un dollar de l'heure! Mais voyons, Vincent, cela n'a pas de sens! C'est plus que la paye d'un ouvrier d'expérience!

— Tut! tut! Je suis le propriétaire, c'est moi qui décide! Un bon travail mérite un bon salaire.»

Le docteur se racla la gorge en caressant négligemment sa barbe.

«Et puis Désiré pourra aider sa mère à boucler son budget... N'est-ce pas, mon grand?»

Le grand réussit à émettre un piètre sourire et s'apprêta à porter ses bagages au grenier sans rien ajouter.

«Es-tu prêt à commencer lundi?

— Quand vous voudrez, docteur.»

L'éclaircie, dans le cœur de Florence, n'avait été que de courte durée. En regardant son fils monter l'escalier d'un pas lourd, elle sentit un douloureux pincement. Quelque chose ne tournait pas rond dans la tête de cet enfant-là. Mais quoi?

***

L'aspect de la maison s'améliorait de jour en jour. «Un vrai palais!» se plaisait à lancer Florence sur un ton admiratif. Elle ne se lassait pas d'en faire le tour, plusieurs fois par jour. Chaque matin, Désiré se mettait à la tâche, Olivier sur ses talons. Si le petit restait sage et ne dérangeait pas trop, la récompense en fin de journée consistait en une partie de pêche sur le lac ou de chasse aux papillons dans la forêt avec son cousin. Bien sûr, l'enfant rentrait souvent barbouillé de rouge aux heures de repas, mais les vieux vêtements ne manquaient pas dans la maison. Florence ne pouvait s'empêcher de sourire en voyant son neveu attifé de guenilles. « Si ma sœur le voyait, elle si coquette pour elle-même et pour son fils! »

Mais la sœur ne le voyait guère, trop occupée à mettre sur pied son futur magasin de chapeaux, coin Saint-Hubert et Bellechasse. Trois semaines encore et tout serait prêt, selon ses prévisions. Ce commerce, s'il marchait bien, tiendrait Andréanne occupée et assurerait sa pitance jusqu'à ses vieux jours. C'était mieux que son ancien gagne-pain, devenu chose du passé, semblait-il. Florence se réjouissait de cette initiative et avait offert de donner un coup de main à sa manière, durant l'installation, en gardant l'enfant tout l'été.

« Laisse-moi le petit! Un séjour à la campagne lui fera du bien. Et les jumelles vont m'aider. Cela va les tenir occupées.

— Dans ce cas, je vais les rémunérer.

— Pas question! Ne fais pas cela, Andréanne. Il s'agit de leur cousin. Ils auront du plaisir tous ensemble, au bord du lac. Et laisse donc mes enfants apprendre à rendre service sans attendre de récompense. Quelques semaines seront vite passées!

— Quelle mère louable et quelle bonne tante tu fais, ma sœur! »

Contrairement aux attentes de leur mère, les jumelles s'étaient vite désintéressées du petit, peu docile et plutôt gâté, et préféraient se rendre chaque matin au village où l'on avait organisé des loisirs pour les jeunes dans la cour de récréation de l'école. Désiré, sans trop s'en apercevoir, avait pris la relève auprès de l'enfant. Ses activités de peinture et de menuiserie dans l'atelier installé par Adhémar dans la cabane derrière la maison ne manquaient pas d'intérêt pour le jeune enfant. Le docteur Vincent avait exigé de remplacer aussi les marches du perron et le garde-fou de la galerie. Le collégien accepta ce surplus de travail sans protester. Il travaillait en solitaire, sous l'œil imperturbable de son père affalé, comme toujours, sur la chaise berceuse, sa bouteille de «robine» à la main.

S'il arrivait encore que les contacts entre le père et le fils dégénèrent en bataille rangée, ce genre de situation se produisait de moins en moins souvent, compte tenu de la carrure de Désiré et de sa forme physique nettement supérieure à celle de son père. La paix se maintenait à ce prix: un silence total et hypocrite. Silence de béton, indestructible et opaque comme la nuit, plus sournois qu'un terrain miné. Adhémar semblait indifférent aux travaux de rénovation, mais il n'en était rien. Les coups d'œil qu'il jetait à son fils, à la dérobée, frisaient la démence, Florence le savait. Tôt ou tard, une bombe éclaterait. Lequel des deux tuerait l'autre? Le père enragé ou le fils bafoué? La pauvre femme vivait sur le qui-vive et tenait tant bien que mal le rôle de tampon entre ces deux êtres qui se détestaient tacitement.

La présence d'Olivier, avec son ingénuité et sa fraîcheur, arrivait parfois à désamorcer les tensions. Mais certains jours, en ce début d'été torride, Florence souhaitait le retour de septembre pour voir son fils reprendre le chemin du collège et son neveu, celui de la rue Sherbrooke à Montréal. Là seulement, elle recommencerait à respirer.

Cet après-midi-là, la nature figée baignait dans une chaleur moite, insupportable pour les humains. Florence se trouvait seule à la maison, les deux grandes à leurs frites, les jumelles chez des voisins, et Adhémar parti à Montréal depuis la veille. Après avoir nourri ses «deux ouvriers» d'une salade rafraîchissante, elle annonça, harassée, qu'elle s'offrirait une petite sieste en début d'après-midi.

«Je ne sais pas comment tu fais, Désiré, pour continuer de travailler par une chaleur pareille!

— C'est parce que "je le m'aide", matante!»

Cette repartie d'Olivier déclencha le rire chez le grand cousin. Pour une fois, Florence vit une véritable éclaircie sur le visage habituellement fermé de Désiré. On aurait dit un rayon de soleil venant de l'intérieur, d'un coin secret où il y avait encore place pour l'attendrissement, l'émerveillement devant la candeur d'un enfant. Et cela la rassura. Son fils était bien vivant, même s'il ne le montrait pas. Ou si peu.

Elle s'étendit sur le divan, sous la fenêtre où aucun air ne pénétrait, et s'endormit d'un profond sommeil. Lorsqu'elle se réveilla en sursaut, il approchait quatre heures. La maison restait déserte et silencieuse. Dehors, le ciel s'était assombri et un orage montait à l'horizon. Elle s'en fut au grenier, dans la chambre de Désiré, pour fermer la fenêtre. Au moins, avec la réparation de la toiture, elle n'avait plus à s'inquiéter des dégâts causés par l'eau.

C'est alors que, de loin, elle les vit, tous les deux batifolant comme des fous sur le bord du lac, complètement nus.

Interloquée, elle plissa les yeux pour mieux les observer. Ils semblaient sortir du petit chalet inhabité depuis des années. Pourquoi s'étaient-ils déshabillés de la sorte? Ils auraient dû porter leurs maillots de bain comme à l'accoutumée s'ils avaient l'intention de se baigner. La maison ne se trouvait qu'à deux cents pieds de la plage après tout! Ou s'ils avaient décidé de sauter dans l'eau spontanément, à la dernière minute, ils auraient pu garder leurs sous-vêtements. Se baigner nus, ça ne se faisait pas!

De loin, elle ne pouvait pas les entendre, mais elle savait qu'ils riaient. «Désiré, Désiré, que fais-tu là, bon Dieu de la vie?» Voilà que son fils prenait le petit dans ses bras et l'embrassait partout! Partout... même sur les parties intimes! Et l'enfant semblait se tordre, se tortiller de plaisir. «Ah! Seigneur! Mon fils, arrête, ARRÊTE! Es-tu devenu fou? Je dois rêver. Je vais me réveiller... Vite, il faut que je me réveille!»

Un lugubre coup de tonnerre interrompit brusquement l'étrange ballet. Du haut de son point de vue, Florence vit les deux fils d'Adhémar se rhabiller à la hâte et rentrer en courant. Elle comprit que le grondement sourd ne faisait pas que déchirer la quiétude de cette journée. Il venait aussi de donner le signal de la chute dramatique de sa vie au fond d'un précipice sans nom.

Avant que les deux garçons n'aient franchi la porte de la maison, elle avait commencé à vomir dans la toilette, secouée de spasmes et de sanglots, anéantie par cette scène dont elle n'aurait jamais voulu, de toute sa vie, être le témoin.

Chapitre 34

Montréal, 26 juillet 1948

Ma chère sœur,

Tu dois me trouver sans-cœur de ne pas te donner de nouvelles plus souvent et, surtout, de ne pas visiter mon fils chaque fin de semaine, tel que promis. Mais je le sais en bonnes mains auprès de tes enfants, et je me réjouis de le voir profiter de l'air pur de la campagne. D'ailleurs, tu sauras sûrement mieux que moi mater son petit caractère déjà capricieux. Alors, je ne me sens pas inquiète du tout. Évidemment, je m'ennuie de lui, mais l'organisation du magasin, en plus de mon cours de chapelière, prend tout mon temps. Je n'avais pas prévu que la fabrication de chapeaux requerrait autant de matériel : tissus de toutes sortes et de toutes les couleurs, feutres, plumes, fruits et fleurs, tulle, paille, paillettes, brillants, fourrures, rubans, fils, sans parler des machines à coudre et autres articles de couture, et de tout l'attirail pour les clients : fauteuils, miroirs, petites tables et, bien sûr, les mannequins à installer dans les vitrines. N'oublie pas d'ajouter la caisse enregistreuse, le permis d'exploiter et la police d'assurance. Je dois aussi m'abonner à plusieurs magazines de mode de Paris, New York, Londres, ma chère, pour demeurer à la fine pointe de la mode.

Bref, je suis à un million de milles de Mandeville pour le moment. Ne t'en fais pas, je redeviendrai moi-même quand tout cela sera mis en marche. Serait-ce abuser de ta bonté de te demander de prolonger le séjour d'Olivier chez toi jusqu'à la fin de l'été ? Ici, l'air est chaud et irrespirable et, sincèrement, je ne pourrais pas m'occuper de lui. Son père passe l'été en Europe et ne s'intéresse même pas de savoir où se trouve son fils. Il reviendra d'Italie avec des tonnes de cadeaux hors de prix pour lui, et le tour sera joué. Le cher monsieur Chauvin aura le sentiment d'avoir accompli son devoir de père. Dieu merci, grâce à ses chèques mensuels, il tient mon fils loin de la misère, c'est au moins cela! Pour le reste... Un jour, peut-être, la Providence mettra-t-elle sur mon chemin un homme à chérir qui deviendra à la fois un bon conjoint pour moi et un père adoptif pour cet enfant. Crois-moi, Olivier vaut mieux que la vie que je lui offre en ce moment...

Prenez soin de lui, vous tous, mes amours de Mandeville. Je vous revaudrai cela un de ces jours. Pourquoi ne profiteriez-vous pas de ma grande maison à moitié vide, dans une des plus belles rues de Montréal? Nicole et Isabelle, si vous poursuivez vos projets d'aller un jour à l'École normale ou dans une autre école spécialisée, pourquoi ne pas venir habiter chez moi? Votre logement est tout trouvé! Et vous, les jumelles, un petit séjour chez votre vieille « matante » de la ville, ça vous dirait quelque chose? Laissez-moi arriver en septembre en même temps que tout le monde et, ensuite, on fera des projets, d'accord?

Je vous charge d'embrasser mon petit chéri pour moi. Dites-lui que sa maman ne l'oublie pas et pense à lui très souvent. Je ferai un saut à Mandeville dès que je pourrai me libérer, c'est promis.

Affectueusement,
Andréanne

Chapitre 35

Cette nuit-là, Florence n'arriva pas à fermer l'œil. Le spectacle de son fils nu cajolant et embrassant le corps d'Olivier sur la plage remontait à la surface de ses pensées comme une obsession. Ce n'était pas possible, elle avait dû rêver! Ou il ne s'agissait que d'un jeu, un simple jeu anodin et sans malice. C'est elle qui voyait du mal partout. Un bon garçon comme Désiré ne pouvait agir d'une façon aussi dépravée. Pas à son âge, voyons! Adhémar, peut-être, dans le pire des scénarios, pourrait démontrer un comportement immoral, mais pas un jeune collégien en train de découvrir sa sexualité, allons donc!

Elle se tournait et se retournait sur son oreiller, incapable d'y aménager un nid confortable, tantôt assiégée de bouffées de chaleur, tantôt frissonnant et claquant des dents. Elle regrettait d'avoir envoyé Désiré à l'internat d'un collège. Encouragée par son frère Alexandre, elle avait vu là une solution au rejet et aux mauvais traitements infligés par Adhémar. Cette décision avait pourtant exigé d'elle de durs sacrifices : celui de renoncer à la présence quotidienne de ce fils adoré et celui, par-dessus tout, de confier à quelqu'un d'autre la responsabilité de son éducation. Était-ce étroitesse d'esprit d'avoir cru trouver pour lui le salut dans le cadre d'un pensionnat? Était-ce maladresse d'avoir remis ses besoins affectifs sur les épaules d'éducateurs anonymes? Si le garçon semblait en train de se transformer en débauché, avait-elle à se blâmer, à se sentir coupable?

Mais Désiré était-il réellement devenu vicieux? Non, non! Elle en venait trop vite aux conclusions! Les deux cousins avaient simplement décidé d'aller nager et s'étaient dévêtus sans même y songer. La pudeur entre hommes différait de celle des femmes. N'allaient-ils pas tous uriner côte à côte dans les toilettes publiques de Montréal, sans cloison entre les urinoirs? Adhémar lui avait déjà raconté cela, un jour, et elle en était restée stupéfaite. Quoi? Les hommes n'avaient donc pas de pudeur? Jamais les femmes n'oseraient agir de la sorte. Plutôt mourir que de soulever sa jupe pour se soulager devant une autre femme! Eux ne se faisaient pas de problèmes avec ce genre de choses. Désiré se trouvait sans doute familier avec ces coutumes. Au collège, les pensionnaires se déshabillaient vraisemblablement les uns à côté des autres sans faire d'histoires. Oui, oui, tout cela paraissait plausible. Pourquoi n'y avait-elle pas songé plus tôt au lieu de se tourmenter de la sorte? Elle se tournait sur un côté puis sur l'autre, tirait sur les couvertures puis les repoussait, lançait de longs soupirs à la recherche de quelques provisoires instants de répit.

Mais les idées sombres ne manquaient pas de revenir la hanter. Et les caresses alors? Elles les avait bien vues! Mais non! Il ne s'agissait pas de caresses à proprement parler, mais de simples chatouillements sans gravité. D'inoffensifs guili-guili comme en font naturellement tous les adultes aux jeunes enfants en mal de sensations fortes. La veille, encore, sur le divan du salon, Désiré s'était transformé devant tout le monde en soi-disant loup-garou sur le point de dévorer sa victime, et il s'était mis à mordiller Olivier sur la poitrine et le ventre. Et l'enfant, tordu de rire, en redemandait. Personne, dans la famille, ne s'était formalisé de ce jeu innocent. Quand donc allait-elle cesser de voir du mal partout?

Ah oui! Elle s'en faisait pour rien! Pourquoi toutes ces appréhensions, ces idées morbides basées sur rien, absolument rien? D'ailleurs, en rentrant de leur baignade, tous les deux n'avaient-ils pas affiché l'air le plus candide du monde? Ils n'avaient même pas parlé de leur trempette, trop surpris de trouver Florence agenouillée sur le tapis de la salle de bain, en train de vomir ses tripes dans la cuvette. Quelle idiotie!

Elle ne trouva le sommeil qu'à l'aube et n'entendit pas rentrer Adhémar qui bascula de son côté du lit sans un regard ou un geste pour elle.

***

La requête d'Andréanne pour prolonger le séjour d'Olivier à Mandeville, trouvée le lendemain matin dans la boîte aux lettres nouvellement installée devant la maison, revint troubler Florence. Elle tournait en rond dans sa cuisine, incapable d'entreprendre quelque travail que ce soit.

Elle avait peut-être réussi à se rassurer à moitié, la nuit précédente, mais les idées claires du matin lui apportèrent d'autres considérations. Comment Désiré, mal aimé et sans cesse écarté par son père, aurait-il pu se bâtir une personnalité normale et équilibrée? À coup sûr, un volcan se réveillerait un de ces jours... D'un autre côté, comment ne pas développer une attirance pour la gent masculine, quand on est enfermé à longueur d'année dans une institution exclusivement remplie d'hommes? Qui sait si quelque prêtre ou professeur n'avait pas abusé pernicieusement de son fils sans qu'il en parle jamais, renfrogné comme il était. De là à reproduire le geste envers un adorable petit garçon de quatre ans, il ne lui restait qu'un pas à franchir.

«Non, non, je ne veux pas! Mon fils est pur et digne de confiance, il ne pourrait pas faire de mal à Olivier!»

Justement, il ne voyait peut-être aucun mal à l'aimer sans respecter la barrière de l'interdit. D'ailleurs, que savait-il de la morale, des gestes répréhensibles, de la censure? Qui le lui avait enseigné? Certainement pas Adhémar! Et elle non plus! Désiré l'adorait, ce petit cousin au père absent qui ne demandait pas mieux qu'une présence masculine, qu'un modèle masculin, qu'un amour masculin. À cet âge-là, les enfants ne sont pas sexués et différencient peu la part du bien et du mal. Ils sont innocents. Mais les grands de presque dix-sept ans? S'avèrent-ils aussi innocents? À n'en pas douter, les religieux se faisaient gardiens de la morale dans les collèges. Par conséquent, on avait assurément avisé Désiré sur les dangers des «affections particulières». Non, son fils ne pouvait prétendre à l'innocence...

Innocence, innocence! Ce mot martelait la tête de Florence. Elle se sentit de nouveau prise de crampes, mais décida de ne pas y porter attention. Elle entendait s'esclaffer Olivier, dans le salon, en compagnie de Marie-Hélène qui lui jouait *Un éléphant, ça trompe, ça trompe* sur le piano, en tentant d'imiter le barrissement dc l'animal avec les notes du registre grave. L'enfant écoutait avec un regard émerveillé et se mettait à rire. L'innocence...

« Venez déjeuner, les enfants! »

Désiré descendit les marches de l'escalier deux à deux, le visage fripé et la tête ébouriffée. «Mon fils semble avoir bien dormi. Du sommeil du juste... se rassura Florence. Il a donc la conscience en paix!» Vite! que le petit retourne chez sa mère! Elle n'allait pas vivre sur le qui-vive et rongée par le doute durant tout le reste de l'été, quand même!

Mais la lecture de la lettre d'Andréanne chavira tous ses espoirs de retrouver momentanément une certaine tranquillité d'esprit. Quel prétexte pourrait-elle inventer pour refuser d'héberger l'enfant plus longtemps que prévu? Elle n'allait tout de même pas confier à sa sœur ses présomptions de tendance à la pédophilie chez Désiré! Après tout, elle n'avait pas vu grand-chose. À peu près rien en réalité! Alors, pourquoi paniquer de la sorte?

Et si elle en parlait à son fils lui-même? Doser sa réaction, écouter sa réponse, évaluer son point de vue lui donneraient une idée de la vérité. Par contre, s'il se trouvait irréprochable, Désiré ne pardonnerait peut-être pas à sa mère d'avoir nourri de tels soupçons à son égard. Et s'il avouait? Non! il n'avouerait rien! Rien du tout! Pas son fils. Pas Désiré Vachon! Pas son petit garçon! Parce qu'il n'y avait rien à avouer. Surtout se méfier d'elle-même... Ne pas en venir aux conclusions trop rapidement. Laisser aller les choses en jouant la prudence. Donner sa chance à l'innocence, à la vertu. Surveiller mais cesser de soupçonner. Rester vigilante, aux aguets. Protéger le petit, mais aussi le grand. Le garder loin de la tentation, de cette folie sans nom. De cette horreur... Au-delà de tout, prendre soin de tenir Adhémar loin de ces hantises maternelles inutiles.

Et éviter de devenir folle.

***

Les jours suivants achevèrent de rassurer Florence. Rien d'inusité ne se passa. Désiré complétait la peinture du dernier mur de la maison du côté de la cuisine d'été, et Adhémar abattait quelques arbres, histoire d'agrandir le potager. Chaque matin, les filles prenaient sagement le chemin de la friterie de Saint-Gabriel, et les jumelles, celui du terrain de jeu de Saint-Charles. Si Olivier suivait souvent Désiré dans ses activités de rénovation, Florence réussissait, mine de rien, à l'attirer sous ses jupes.

«Aujourd'hui, Olivier, toi et moi, on fait des

biscuits. Et ensuite, tu m'aideras à placer le linge sur la corde. C'est toi qui me présenteras les épingles. »

L'enfant consentait volontiers, sans se douter qu'on tentait désespérément de l'éloigner de son cousin par tous les moyens. Il protesta bien un peu quand Florence voulut l'amener une deuxième fois au presbytère pour assister à d'ennuyeuses leçons de solfège à des paroissiens.

« Moi, j'aime mieux rester avec Désiré, bon! »

Mais la promesse de quelques friandises suffisait à le faire changer d'idée. Si elle avait pu, Florence l'aurait placé dans une bulle de verre afin de le protéger contre le danger. Mais quel danger? Elle repoussait sans cesse l'idée que Désiré puisse s'avérer anormal... et dangereux! Il lui suffisait d'y songer une seconde, et les douleurs abdominales recommençaient à la secouer de plus belle. Elle préférait opter pour sa propre bêtise, celle d'avoir vu du mal là où il n'y en avait pas. Une vraie divagation de mère poule! Ou plutôt de tante poule! Cependant, elle comptait les jours, et même les heures avant de voir se terminer cet été infernal.

Souvent, le soir, elle berçait le petit avant de le mettre au lit. Elle le serrait contre elle avec l'impression d'étreindre Désiré en même temps, ce grand escogriffe devenu insondable et si peu accessible. Elle adorait ces deux garçons aux yeux verts, ces deux êtres qui la faisaient souffrir et se morfondre cruellement sans même s'en douter le moins du monde.

Il restait deux semaines avant le départ officiel d'Olivier pour Montréal quand se produisit un autre événement qui la plongea en enfer. Cette fois, il s'agissait de l'enfer de la certitude. Et cette certitude s'avéra plus terrible que toutes les phobies et appréhensions du monde, et généra la souffrance à l'état pur chez la mère déjà fragile et démunie.

Depuis quelques minutes, par la fenêtre de sa cuisine, elle entendait rire Désiré, d'un rire convulsif, guttural et forcé. Lui qui ne riait jamais... Elle s'empressa de monter à l'étage pour vérifier de là-haut ce qui se passait le long du mur de la maison. Elle vit le jeune homme, grimpé sur la première marche d'une échelle, en train de peindre le rebord d'une fenêtre. La tête d'Olivier arrivait à la hauteur de son sexe, et le petit s'amusait à lui faire des câlins à travers son pantalon. Soudain, Désiré s'arrêta de rire et redescendit la marche.

« Stop! Olivier, stop! J'ai une grosse envie de pipi. Ah! zut! J'ai les mains couvertes de peinture! Tiens! j'ai une idée: pourrais-tu ouvrir ma fermeture-éclair et sortir mon pénis, s'il te plaît? »

L'enfant s'exécuta volontiers, et Désiré urina sur le bord de la maison sans faire d'histoire sous le regard impressionné de l'enfant.

« Il est gros, ton pénis, Désiré!
— Tiens, touche-le ici... et là...
— C'est drôle, il est tout dur!
— Pourrais-tu le remettre à sa place maintenant? Mais... si tu veux, tu peux continuer à le chatouiller, ça me fait rire! Et si tu lui donnais un bisou?... Encore! Encore! »

Les rires fusèrent de nouveau. Mais aux oreilles de Florence, ils résonnèrent comme des cris d'horreur, l'éclat de l'impensable, de l'inacceptable. De l'épouvantable. Elle s'en fut dans sa chambre enfouir sa tête sous l'oreiller pour étouffer ses hurlements. Puis, se ressaisissant, elle sortit dehors à la volée. Ils allaient avoir affaire à elle, ces dévoyés!... Mais les deux garçons rangeaient paisiblement leurs pots de peinture comme si rien ne s'était passé. Elle resta là, sans bouger, abasourdie, incapable de prononcer une parole.

De retour du village, une heure plus tard, les jumelles la trouvèrent prostrée sur le grand banc de la galerie, muette et plus blanche qu'un cadavre.

« Maman, qu'est-ce qu'on mange pour souper ? »

Florence revint alors à la réalité. Mais elle savait qu'à partir de ce moment-là, elle ne serait plus jamais la même pour le reste de son existence.

Ce soir-là, un commentaire d'Olivier, au moment où elle lui donnait son bain, souffla sur son ultime lueur d'espoir et confirma ses derniers doutes.

« Désiré, l'autre jour, a mis beaucoup de savon sur mon "pipi" et il a frotté très fort. Ça ressemblait à de la crème fouettée, hi ! hi ! »

Anéantie, Florence ne répondit pas. Dans sa tête défilaient les parties de pêche seul à seul, à l'autre bout du lac, les excursions en copains dans la montagne, la cueillette des petits fruits et les pique-niques à deux dans le boisé, les heures de menuiserie dans la cabane. Comment aurait-elle pu deviner et prévenir ? Elle se mit à trembler de tous ses membres et faillit perdre pied en aidant l'enfant à sortir du bain.

« Viens ! Mon petit Olivier d'amour, je vais te bercer avant d'aller te coucher.

— Vas-tu me chanter *La Poulette grise* ?

— Non, pas ce soir, mon trésor. Matante n'a pas le goût de chanter ce soir. »

L'enfant s'aperçut-il qu'elle l'étreignait plus fort qu'à l'accoutumée ? Vit-il rouler sur ses joues les larmes qu'elle n'arrivait plus à retenir ? Entendit-il les pardons qu'elle lui demandait silencieusement à grands battements de cœur ? Mesura-t-il le temps qu'elle le garda contre elle, seule avec lui sur la berceuse de la cuisine, alors que la maisonnée vaquait à d'autres occupations ? Et, plus tard, entrevit-il l'horizon prendre la couleur du sang, à travers la fenêtre de la cuisine ? Entendit-il monter le chant des criquets dans la nuit et battre le rythme de la douleur de sa tante comme l'élancement d'une plaie vive, affreusement infectée jusqu'au fond de son âme ? Prit-il conscience qu'elle le berça durant toute la nuit pendant que les autres dormaient à poings fermés?

Et, aux petites heures du matin, encore blotti dans ses bras, s'aperçut-il de l'arrivée de son cousin Désiré, tenant à peine sur ses jambes et empestant l'alcool, à l'instar de son père? Et elle, s'en aperçut-elle, impassible sur sa chaise, l'œil vide et les lèvres pincées, bras noués autour de l'enfant? Remarqua-t-elle le regard de détresse que lui lança son fils avant de gravir les marches menant à sa chambre, sans même porter attention à l'enfant endormi?

Il eût peut-être suffi alors d'un geste, d'une main qui se tend ou d'un mot, un simple mot, ou même d'une gifle pour désamorcer le drame. À tout le moins pour engager une explication, une recherche de solution. Les confessions n'invitent-elles pas au pardon et au recommencement? Un geste, ou un simple mot pour semer une graine d'espoir. Pour créer une éclaircie, un rai de lumière, même lointain, même chimérique, même inaccessible. Pour réinventer l'impossible. Pour tout recommencer à neuf...

Mais ni le fils, ni la mère, ni l'enfant ne bronchèrent, ni n'ouvrirent la bouche. Le silence, en maître, pouvait poursuivre son œuvre de destruction.

***

Deux jours plus tard, Andréanne, folle d'inquiétude, se trouva dans l'obligation de venir chercher Olivier. Florence, tombée gravement malade, était devenue incapable de garder l'enfant plus longtemps. Désiré termina en catastrophe ses travaux de peinture et, sur l'invitation de l'un de ses amis du collège, alla passer les derniers jours de ses vacances à Joliette. Florence, dépassée par les événements, ne demanda aucune explication sur ce départ précipité, et ne fit rien pour le retenir.

Après la fête du Travail, il revint, pour quelques heures, prendre ses affaires. Puis il s'en fut à Montréal faire son entrée au collège, la tête haute et en toute dignité. Sa mère le regarda partir en se mordant les lèvres, prête à bondir, prête à le prendre par les épaules et le secouer, l'assommer de questions. Pour tirer les choses au clair, pour comprendre enfin les pourquoi et les comment... Sinon, elle allait mourir étouffée. Étouffée de honte, d'écœurement, de désarroi. Étouffée de remords aussi. Même si elle ne comprenait pas, même si elle ne savait pas définir sa culpabilité. Mais elle ne bougea pas, atterrée, paralysée d'épouvante.

Les grandes retournèrent à l'école secondaire du village, et les jumelles, au primaire. Adhémar, s'il se douta de quelque chose, n'en fit jamais mention. Il manifesta tout de même une certaine autorité auprès de ses filles afin qu'elles aident leur mère malade, au retour de l'école. Lui-même, pour une fois, fit preuve d'un nouveau zèle dans l'exercice de ses fonctions de sacristain.

Mais rien de tout cela ne s'avéra suffisant pour améliorer l'état maladif de Florence. Le docteur Vincent diagnostiqua d'abord une gastro-entérite aiguë, mais il dut bien vite se rendre à l'évidence : l'origine du mal dont son amie souffrait ne se classait pas dans l'ordre des infections alimentaires ou virales.

Chapitre 36

«Bonjour, Florence! Comment vas-tu ce matin?»

La femme étendue sur son lit d'hôpital haussa les épaules sans répondre. Qu'aurait-elle pu dire? Que servait de prétendre qu'elle allait bien alors qu'elle se sentait précipitée au fond d'un puits sombre et glacial, un trou béant d'où on ne revient pas? Elle eût mieux fait de hurler sa douleur et de proclamer à la société de se méfier de l'être pervers qu'elle avait mis au monde. Qu'aurait servi de crier sur les toits que tout tournait pour le mieux alors qu'elle avait élevé un fils déviant, dangereux, obsédé par le sexe des petits garçons? Une souillure... Cela aurait-il réglé quelque chose? On ne change pas la nature sordide des humains, on ne peut que la dompter, la mater, la brimer. Mais elle demeure profondément ancrée. Les racines du mal restent là, pourries, infiltrant insidieusement leur sève empoisonnée.

Désiré, homosexuel à seize ans! Et pédophile par surcroît! Quelle horreur! Et on s'attendait à ce qu'elle prétende bien aller! Une farce... Une farce d'incompréhension. Ou plutôt d'ignorance. Elle avait failli sur toute la ligne. Pourquoi ne s'était-elle pas fait avorter, jadis, comme Adhémar le lui recommandait? Ou pourquoi n'avait-elle pas laissé le bébé en adoption aux États-Unis, ainsi qu'elle l'avait d'abord décidé?

Pour l'amour de cet enfant, pour lui sauver la vie, pour lui donner sa chance d'exister, elle avait épousé Adhémar Vachon. Et à cause du petit, elle avait supporté l'ivrogne durant des années, elle avait défendu son premier-né, l'avait protégé contre la désaffection et les abus de son père, elle avait tenté de créer un semblant de famille normale. Pour l'amour de lui, elle s'était sacrifiée, jour après jour. Vainement! Une abomination, un échec dégoûtant sur toute la ligne!

Et voilà que le petit garçon chéri venait de se transformer en démon affligé d'un mal abominable. Combien d'enfants son fils allait-il souiller durant sa longue existence? Combien d'innocents réussirait-il à pervertir, à rendre comme lui?

Et lui, qui lui avait fait ça? On ne devient pas spontanément corrompu de la sorte sans avoir été contaminé au préalable! Qui diable l'avait dévié de la voie ordinaire et naturelle? De la voie normale. De la simple voie normale? Qui? Certainement pas Adhémar qui le détestait! Elle ne pouvait imaginer l'homme à femmes en train de le caresser. Jamais il n'aurait touché à ce fils dédaigné, elle en avait la certitude. Alors? Son oncle Alexandre, quand il habitait chez eux durant la guerre? Son exil précipité aux États-Unis après l'amnistie... son empressement à payer les études de Désiré... S'agissait-il d'un prétexte pour éloigner le garçon de l'environnement protecteur de la maison? Pas si protecteur que ça, l'environnement de la maison! La preuve: cela n'avait pas empêché Désiré d'abuser d'Olivier! Non, Alexandre avait toujours semblé équilibré et bien dans sa peau, probe, honnête, intègre. Un être pur. Non, son frère ne méritait pas de tels soupçons. Alors? Un professeur du collège peut-être? Un de ces vieux frères obsédés qui venait réveiller l'adolescent, la nuit, pour le tripoter? Mais alors, pourquoi Désiré n'en avait-il jamais parlé? Pourquoi ce silence? À cause de la honte? De la peur de l'incompréhension, du blâme, la crainte d'une réaction outrée du paternel? Ah! mon Dieu, qui t'a fait ça, mon fils, qui t'a fait ça?

L'ombre qui l'avait questionnée se pencha au-dessus du lit de Florence, et une main chaude s'empara de la sienne pour la porter doucement à ses lèvres humides. Le contact avec la barbe soyeuse acheva de ranimer la malade.

«Vincent, tu es venu...»

L'espace d'une seconde, elle eut envie de tout raconter à son ami et de déverser en lui le poids trop lourd de son impuissance. Sans doute pourrait-il évoquer un semblant de solution à sa déroute? Peut-être connaissait-il un remède, une thérapie pour ce genre de maladie sexuelle, qui sait? À l'âge de Désiré, pouvait-on entretenir l'idée d'un retour à une sexualité normale? Ou cela s'avérait-il une utopie, une pure illusion de mère? Devrait-elle admettre que son fils demeurerait un être dépravé pour le reste de ses jours? Ou l'espoir existait-il réellement?

Et lui, son fils, ce pauvre bougre, comment se sentait-il face à ce problème, ces attirances anormales plus fortes que lui, ces pulsions morbides, là, tout seul avec son secret, au milieu de la foule, au milieu de son collège et de tous les siens? Se trouverait-il quelqu'un au monde, quelque part, pour ne pas le juger et lui jeter la pierre? Quelqu'un pour lui tendre la main? Amalgamées à sa répulsion, des bouffées de tendresse maternelle venaient ajouter à la confusion de Florence.

Et le petit Olivier alors? En garderait-il des séquelles? Comment composer avec la réalité? Comment éviter les rencontres entre ces deux-là? Et toutes les autres rencontres avec tous les autres enfants de tous les autres univers? Pour les mères de pédophiles, existait-il un espace pour oublier, ne serait-ce qu'un moment, qu'elles ont conçu un misérable? Un monstre... Existait-il un lieu, autre que le cabinet de toilette, pour avoir moins mal au ventre? Et moins mal au cœur?

«Florence...»

Elle détourna la tête en se mordant les lèvres. Personne ne connaîtrait jamais son secret. Personne ne devrait jamais savoir. Nul son ne sortirait jamais de sa bouche, nul cri de détresse, nul appel au secours, nulle lamentation, nulle révolte. Nulle miette de vérité. Rien d'autre que le silence, son pain quotidien moisi depuis toujours et qu'elle n'arrivait plus à digérer. Qui lui donnait la diarrhée dix, vingt fois par jour. Et qui la ferait peut-être mourir. L'hémorragie rectale massive subie trois jours auparavant l'avait littéralement foudroyée. Par un pur hasard, Adhémar se trouvait dans les parages à ce moment précis. Envoyé par la Providence ou simple caprice du destin? Elle ne le saurait jamais. Qu'importe! Il aurait dû la laisser mourir... En la voyant affalée dans une mare de sang, la tête appuyée contre le lavabo de la salle de bain, il avait aussitôt appelé le docteur Chevrier. Le médecin, accouru à la hâte, avait froncé les sourcils et mené lui-même la malade à la clinique la plus proche.

Transfusions, sérums, analyses, rayons X, on ne l'avait pas lâchée depuis son arrivée. Ce matin-là, en voyant Vincent pénétrer dans sa chambre d'hôpital avec son dossier entre les mains, elle savait que le verdict tomberait sur sa tête comme un couperet. On avait enfin établi le diagnostic. Infection? Ulcère? Cancer? Quoi de pire encore? Elle s'en fichait royalement. Perdre la vie lui apporterait le plus grand soulagement. C'est tout ce qu'elle attendait maintenant de l'existence : en finir. En finir avec l'alcoolisme d'Adhémar et la folie de son fils, en finir avec la misère, la pauvreté, le silence. Les filles, elles, se débrouilleraient bien toutes seules. Ah oui, en finir, cesser d'exister...

« Florence, ma "petite toi" chérie... »

Pourquoi le docteur Chevrier s'adressait-il à elle avec cette voix poignante, au timbre trop doucereux? Cette voix à laquelle elle pouvait à peine résister? Ah oui, en finir aussi avec cet amour larvé, cette attirance interdite, cette envie plus forte qu'elle-même de se jeter dans les bras de l'homme adorable qui ne lui appartenait pas, qui ne lui appartiendrait jamais. « Mon amour, mon amour, je t'aime tant! Va-t'en! Je t'en supplie, va-t'en! Je n'en peux plus de lutter, de t'aimer en secret et de dire non au destin, de te dire non et de me dire non. Pars, Vincent, pars, va-t'en trouver ta femme et tes filles, là où se trouve ta place. Que viens-tu faire ici, à mon chevet? Cet hôpital est rempli d'autres médecins tout aussi compétents, ils me soigneront, ne t'inquiète pas. Sors de ma vie, mon Vincent chéri, le bonheur n'est pas fait pour moi. Encore moins pour nous deux ensemble. Laisse-moi mourir paisiblement et m'enfoncer dans ma noirceur, dans mon monde de silence. Le silence est tout ce qui me reste, ne le vois-tu pas? Si tu veux encore faire quelque chose pour moi, prends soin de mes filles et de mon fils, si tu le peux, car moi, je n'ai pas su... Rien que cela, je te demande rien que cela. »

Mais Vincent Chevrier n'entendit aucun de ces mots silencieux qui s'agitaient dans la tête de Florence. Il s'assit sur le bord du lit et pressa la main de la malade contre sa poitrine avec ferveur, comme s'il s'agissait de la chose la plus précieuse du monde. Il n'en fallait pas plus pour rompre les écluses. Elle se mit à sangloter sans pouvoir s'arrêter. Il la prit dans ses bras et commença à la bercer, là, au milieu de la cohue, devant les autres patients et sous les regards curieux des infirmières et des religieuses qui déambulaient entre les chambres. Le docteur Chevrier avait de bien drôles de manières de soigner et de consoler ses patientes... Mais ce matin-là, le médecin se contrefichait des qu'en-dira-t-on. Sa malade se trouvait en détresse, elle avait mal, un mal physique, certes, mais surtout un mal chronique de vivre. Et une envie aiguë de lui-même, il le savait. Pour une fois, il serait là pour elle.

Il lui apprit la nature de sa maladie longtemps après que, encore secouée par les sanglots, elle eut récupéré un semblant de sourire.

«Il va falloir se parler, ma "petite toi"...

— Tu vas me dire que j'ai un cancer?

— Non, tu ne souffres pas de cancer, du moins pas dans le sens médical du terme. Ni d'infection ou de maladie du sang susceptibles de provoquer des saigne-ments. Tu souffres de colite ulcéreuse grave, et je crois pouvoir affirmer que la cause est somatique.

— Somatique? Ça veut dire quoi?

— Quelque chose te ronge à l'intérieur de toi, Florence. Pas dans ton corps mais dans ton esprit. Quelque chose de contesté et de blessant que tu évacues inconsciemment par des diarrhées à répé-tition. Ton tube digestif se trouve maintenant dange-reusement irrité, au point de développer des ulcérations susceptibles de saigner de façon chronique ou de déclencher des hémorragies aiguës comme l'autre jour.

— Et on peut mourir de cela?

— Il y a un risque. Cela me surprendrait, mais ça reste dans le domaine du possible. À long terme, tu développeras de l'anémie à cause de ces saignements, et ton système de défense se trouvera amoindri. De là à attraper d'autres maladies, il n'y a qu'un pas.

— Et ça se guérit?

— La situation peut certainement s'améliorer si on règle la cause initiale du problème. Il faut me parler, Florence. Je suis ton ami et je... je t'aime, tu le sais. Tu dois me faire confiance. Dis-moi franchement ce qui ne tourne pas rond, tout à coup, dans ta vie. Je sais que ton mari... Mais une réaction physique aussi subite et foudroyante me surprend, je t'avoue, après toutes ces années. Que s'est-il donc passé? Quel nouveau drame est survenu, ma pauvre toi?»

La perle jaillie au coin de l'œil du médecin faillit faire basculer la patiente. Ah! tout lui raconter, se vider, se libérer enfin, enfin. Mais elle serra les dents et détourna son regard vers la fenêtre. Elle ne dirait rien, elle sauverait la réputation de son fils, coûte que coûte. Il persista.

«Il faudra bien, tôt ou tard, crever l'abcès et en parler à quelqu'un. Dis-moi ton secret, Florence. Tu peux me faire confiance, tu le sais bien. Notre amitié...»

La femme prit finalement une longue inspiration et se lança, comme une âme perdue, dans le tourbillon périlleux des émotions trop longtemps refoulées.

«Vincent Chevrier, pour une fois, laisse-moi te parler, t'expliquer. À mes yeux et à mon cœur, tu vaux mille fois plus que le meilleur des amis. Tu es mon amour, Vincent, tu es mon amour depuis longtemps. Si longtemps... Mon amour défendu, mon amour caché, mon amour silencieux, mon amour jamais énoncé, jamais réalisé, jamais possédé. Mon amour à qui je rêve à toute heure, et dont j'espère la venue apaisante à chacun des jours de ma vie, toi, l'homme que je guette sans cesse, que j'attends à travers ma fenêtre de cuisine, toi que je vois partir à regret après chacune de tes visites sans jamais le formuler.»

Florence s'était remise à sangloter, les mains crispées sur le drap blanc de son lit d'hôpital. Elle criait presque maintenant.

«Tu représentes la seule personne en ce bas monde à qui je voue une confiance totale. Mais le secret qui me ronge le cœur, je ne peux pas te le dire. Je ne le dirai jamais, tu comprends? À personne! Parce que cela ne se dit pas! Jamais! Je t'en supplie, Vincent, n'insiste pas, n'insiste pas...»

Elle avait hurlé ces derniers mots, et ils avaient

retenti dans la chambre comme une déchirante suppli-
cation.

«J'espère que tu ne m'en veux pas, Vincent, c'est
au-delà de mes forces.

— Je peux comprendre cela, mon amour. Je vais
respecter ton désir et ne plus t'interroger. Mais je reste
là pour toi. Je t'aimerai et te protégerai jusqu'au
dernier jour de mon existence, comme je l'ai toujours
fait. Je te le promets.»

Le baiser qu'ils échangèrent resta chaste et à peine
effleuré. Elle n'en fut pas frustrée, ne s'étant jamais
permis de rêver à autre chose. Il quitta les lieux d'un
pas rapide, sans un regard en arrière. La guérison de
la femme qu'il aimait serait plus ardue que prévu.

Chapitre 37

14 février 1952
Florence m'inquiète. Plus lointaine que jamais, sombre,
peu loquace, repliée sur elle-même. Et quelle maigreur! Ses
joues creuses prennent, sous les yeux, la couleur du charbon,
et des fils d'argent se mêlent déjà à sa chevelure terne. On
dirait que ma sœur porte en elle une fêlure, comme une souf-
france intérieure jamais dévoilée.

Il n'y a plus moyen d'établir une véritable conversation
entre nous. Elle se défile! Notre belle complicité d'autrefois,
nos fous rires, nos remarques dingues sur tout et sur rien,
nos bons moments écoulés auprès du piano, nos échanges de
recettes, plus rien de tout cela n'existe. Même ses lettres se
font rares et impersonnelles. Des chefs-d'œuvre d'indiffé-
rence! Ma sœur est passée maître dans l'art de contourner la
réalité. Elle traite de la pluie et du beau temps, mais d'elle-
même et des siens, de nous deux, de notre vie, des vraies
affaires, jamais! Quelque chose s'est brisé, quelque chose de
mystérieux dont je n'arrive pas à saisir le sens. Il ne peut
s'agir des origines douteuses d'Olivier, après tout ce temps.
Ce problème-là, s'il n'a jamais été réglé entre elle et moi, est
certainement tombé dans l'oubli depuis belle lurette.

Non... À vrai dire, notre relation fraternelle s'est détériorée
d'année en année à partir du début de sa maladie, au cours
de ce fameux été où elle a gardé Olivier parce que j'ouvrais
mon magasin. Quatre ans déjà! Qu'a-t-il donc pu se passer à
ce moment-là? Quel malencontreux incident, quelle bévue
aurait commise mon fils pour qu'elle n'accepte plus, ensuite,

de le prendre sous son aile? À cet âge-là, l'enfant n'a pu se montrer turbulent et insupportable au point que sa tante le bannisse à jamais de son existence et refuse de l'accueillir chez elle de temps à autre. Je ne peux y croire!

À l'époque, j'ai eu beau interroger Olivier, il m'a toujours regardée d'un air fuyant comme si je lui demandais de m'expliquer le mystère du siècle! Il adorait pourtant séjourner chez sa tante Flo, en compagnie de ses cousines et de son cousin. Mon pauvre enfant, sans frère ni sœur, souffre maintenant d'ennui, trop souvent seul à cause d'une mère trop occupée et d'un père totalement absent.

Il faut dire qu'avec le temps Olivier ne s'est pas transformé en garçon modèle. Bien au contraire! À l'école, d'une année à l'autre, les institutrices se plaignent de son indiscipline. On le dit perturbateur et agressif envers les autres. De plus, il manque de concentration. Je me demande bien d'où il tient ce sale caractère, celui-là! Son vrai père, sans doute! Moi-même, je l'avoue, n'aimais pas beaucoup les études, mais de là à me montrer aussi rebelle... Tant pis pour lui et tant pis pour moi! Qu'on l'endure et s'occupe de lui quand il se trouve à l'école, moi j'ai bien assez de le supporter le soir et les fins de semaine!

Dieu merci, Isabelle et Nicole viennent souvent en visite. Quel plaisir de recevoir mes nièces à souper ou pour de courts séjours chez moi. Depuis qu'elles étudient à Montréal, j'ai l'impression de posséder deux grandes filles adoptives. L'an prochain, ce sera probablement le tour des jumelles. Qui sait si elles ne viendront pas habiter ici le temps de se trouver un emploi? Si je me trouve encore dans les bonnes grâces de ma sœur, évidemment! À force de s'éloigner, je crains qu'on en vienne à ne plus se retrouver, Florence et moi!

Désiré aussi, quand il peut se libérer du collège, vient faire son tour. Ah! lui et mon fils font une belle paire! On dirait deux frères. En vérité, ils le sont! Deux frères ignorant leur lien de sang mais qui s'adorent. Depuis le début de sa philo, mon neveu peut facilement obtenir des permissions de sortie. Il fait un excellent gardien pour Olivier, certains soirs ou week-ends où il me prend des envies de sortir. Après tout, j'ai bien le droit, moi aussi, d'aller au cinéma ou au restaurant avec des amis. Autant je me sentais volage autrefois, autant je suis devenue casanière maintenant. Me voilà une sage petite «madame», la femme abandonnée qui gagne bravement sa vie et celle de son fils en vendant des chapeaux dans sa boutique du coin de la rue.

Certains jours, pourtant, je donnerais cher pour retrouver l'insouciance de mon enfance et l'air pur de la campagne. À ce moment-là, il m'arrive d'aller faire un saut au pays de ma jeunesse en compagnie d'Olivier. Je pousse alors ma route jusqu'à Saint-Didace, histoire de me retremper dans mes bons souvenirs. Rien n'a changé là-bas. À peine une maison ou deux se sont ajoutées aux confins de la rue principale. Le docteur Chevrier, le beau ténébreux, habite toujours au même endroit, et mon premier amoureux, Simon Prud'homme, élève sa famille dans la maison voisine de la nôtre. Il doit posséder un régiment d'enfants à l'heure actuelle. Dire que j'ai fait disparaître le premier... Si je ne m'étais pas fait avorter, à l'époque, j'aurais un fils ou une fille de vingt ans, comme ma sœur. Il m'arrive d'éprouver des regrets, de me demander qui était cet enfant, ce qu'il aurait pu m'apporter dans la vie. Et si c'était Simon qui avait raison? Si c'était lui qui détenait le secret du bonheur? Chose certaine, j'en suis passée à cent lieues!

Parfois, je vais jusqu'à Mandeville pour une courte visite, rarement un séjour d'un jour ou deux comme autrefois. Je ne me sens plus la bienvenue et, d'ailleurs, on ne m'y invite pas. Bien sûr, Florence m'accueille poliment, mais je perçois toujours un malaise. Je la vois tendue, sur le qui-vive, j'ignore pourquoi. Un jour, je tirerai les choses au clair au sujet de la paternité d'Adhémar et lui demanderai pardon si là se trouve véritablement la barricade qui nous sépare. Pour le moment, Florence semble trop épuisée par la maladie, ce maudit mal chronique qui lui apporte des hauts et des bas. Plus de bas que de hauts, à bien y penser! Quand les jumelles quitteront le nid, je lui suggérerai, comme je le répète souvent, de déménager à Montréal auprès de moi. Je la soignerai et veillerai sur elle. Reste à savoir si Adhémar y consentira. Il ne s'améliore pas dans l'amabilité, celui-là!

En attendant, je souhaiterais tellement voir ma Flo retrouver un semblant de sérénité. Son mari lui en fait voir encore de toutes les couleurs, certes, mais cela ne représente rien de nouveau sous le soleil! Ne pourrait-elle pas trouver enfin un peu d'apaisement du côté de ses enfants? Désiré achève son cours classique et verra bientôt s'ouvrir devant lui les portes de l'université et une perspective sur les professions libérales. Il y a là de quoi alimenter la fierté d'une mère, il me semble! Quant à Nicole, son brevet d'enseignement au primaire lui procurera, dans quelques mois, une profession stable et intéressante. Et Isabelle entreprendra son cours d'économie familiale l'an prochain. Tout cela, ce n'est pas rien, tout de même! Même les jumelles semblent s'assagir avec l'âge et manifestent déjà quelque intérêt pour le commerce!

Quelle belle famille que celle de ma sœur, malgré les âneries du père! Pourquoi cette morosité, ce vague à l'âme chronique? Pourquoi ce silence? Avant longtemps, ses filles se marieront et lui feront des petits-enfants. Elle fait de la musique, dirige la chorale, donne des cours de piano et de solfège, entretient des liens d'amitié avec le beau docteur. Sa frustration proviendrait-elle justement de ce côté-là? Je me le demande parfois.

Tout compte fait, Florence ne me semble pas si misérable depuis quelques années, à part ce mal physique qui la mine sans bon sens. En période de crise, selon mes nièces, la colite ulcéreuse la tient, tordue de douleur, sur le siège d'aisances à cœur de jour. Où cela va-t-il la mener, grands dieux? J'en ai le frisson. Je ne pourrais pas supporter de la perdre! Heureusement, Vincent veille sur elle, la visite régulièrement, la conduit gentiment à l'hôpital pour des examens.

De loin, cela me rassure un peu.

Chapitre 38

Le temps fuyait inexorablement, martelé au rythme du tic-tac de l'horloge de la cuisine et des bruits familiers de la maison, appel en trompette du réveille-matin, les jours d'école des jumelles, ronrons de l'attisée du matin dans le vieux poêle de fonte, grincement des portes et couinement des lattes du plancher, pas pesants ou précipités dans l'escalier de bois, sonnerie grêle du téléphone installé dans le vestibule. Deux autres années s'écoulèrent.

Au grand bonheur de Florence, son aînée Nicole décrocha un emploi d'institutrice dans une école de Berthier, à une trentaine de kilomètres de Mandeville. Tant mieux! sa grande ne s'éloignerait pas trop! Certes, un étudiant en génie la fréquentait assidûment et élaborait des projets d'avenir avec elle, mais les temps avaient changé et le statut de femme mariée n'interférait plus dans la pratique féminine de l'enseignement.

Au moment de son départ définitif, Florence lui donna tout ce qu'elle put trouver de lingerie et de vaisselle disparates. Elle voyait partir sa fille avec une nostalgie mal dissimulée. Il s'agissait du premier morcellement de la famille.

« T'en fais pas, ma petite maman, je vais revenir toutes les fins de semaine. Je ne m'expatrie pas à l'autre bout du pays, voyons! Allons, sèche tes larmes, et dis-moi plutôt d'où proviennent ces magnifiques taies d'oreiller brodées de fleurs rouges?

— Ta grand-mère trouvait ces fleurs trop petites pour des coquelicots, mais moi, je les ai toujours vues comme telles. Ces enveloppes d'oreiller proviennent de mon coffre d'espérance, au grenier. Elles n'ont jamais servi. Je les brodais en rêvant, comme toi, de faire la classe aux enfants et, plus tard, de fonder une famille avec un prince charmant. Tu vas concrétiser mon rêve, au bout du compte, ma chérie. Après plus de vingt ans...

— Mais, maman, à l'époque, tu aimais bien papa, non? N'as-tu pas réalisé ce rêve? Pourquoi ces couvre-oreillers n'ont-ils pas servi?

— Je ne sais pas. Je n'ai jamais eu envie de les utiliser.»

Sans s'en rendre compte, Nicole les avait pressés contre elle comme on étreint un objet de valeur, symbole d'un bien-être assuré. Et ce geste candide avait consolé Florence. Au moins Nicole, et chacune de ses autres filles, pouvait aspirer encore à une vie heureuse. Avant longtemps, Isabelle suivrait, elle aussi, un diplôme en poche. La mère lui trouverait bien quelque tablier ou napperons brodés à l'emblème de la petite fleur rouge témoins de ses fantasmes de jadis et jamais utilisés. Indubitablement, ces objets conjureraient le sort et assureraient à ses filles la réussite de leur vie.

Elle se demandait parfois comment ses enfants pouvaient aspirer au bonheur et croire encore à l'amour après tout ce qu'ils avaient vécu dans la maison rouge. Sauraient-ils fonder un foyer serein et équilibré, eux qui n'avaient jamais connu cela? Comment envisager l'avenir avec confiance? L'irresponsabilité de leur père, son indifférence, ses tricheries, sa violence envers leur frère, voire sa haine... Sans oublier l'inertie, l'indolence de leur mère impuissante qui n'avait peut-être pas toujours su contrebalancer, pallier, blinder ses enfants contre la pauvreté du corps et du cœur. «*La misère*», lui avait jadis écrit sa sœur, dans une chanson pour Noël. Mais la misère des petits Vachon outrepassait largement la gêne économique générale vécue dans ce Québec de la Grande Noirceur. Elle était de celles qui tourmentent le cœur et se répercutent jusque dans les mystères insondables de l'âme. Adorés maladroitement par leur mère et mal aimés par leur père, les petits Vachon... Ah oui! Une misère! Il n'y avait qu'à voir les déviations honteuses de Désiré pour le comprendre!

Florence avait dû se battre ferme pour l'accès de ses enfants à l'instruction. Dans le but d'obtenir des bourses d'études ou des réductions notables, sinon la gratuité totale pour l'inscription de Nicole et d'Isabelle dans des écoles d'enseignement, elle n'avait pas hésité à marcher sur son orgueil et à brandir leur indigence chronique en même temps que leurs résultats scolaires méritoires auprès des institutions. Elles avaient terminé maintenant. Le tour des plus jeunes arrivait.

Dorénavant ne resteraient à la maison que les jumelles et, bien sûr, Adhémar. Les fillettes se montraient fort peu portées sur les études, au grand désespoir de leur mère. Déjà, elles parlaient de se trouver un emploi en ville, une fois leur cours secondaire achevé. Insouciantes et pleines de vitalité, elles semblaient impatientes de mordre follement dans la «vraie vie».

«Ben quoi? Est-ce si dégradant de gagner sa vie comme vendeuse? Marie-Hélène et moi, on va commencer par apprendre le métier et, plus tard, on pourra s'ouvrir une boutique à Montréal comme tante Andréanne. Elle va sûrement nous aider.»

Andréanne... Une autre que la félicité n'avait pas étouffée! Dieu merci, elle s'était rattrapée, ces dernières années, avec son magasin de chapeaux de la rue Saint-Hubert. Sa sœur ne refuserait pas de soutenir les jumelles, Florence n'en doutait pas un instant. Elle avait même offert de les héberger. Mais la mère hésitait à les lui envoyer. Elle se sentait affreusement coupable vis-à-vis de sa sœur pour le comportement honteux de Désiré envers Olivier et elle évitait les rapprochements. Bien sûr, elle avait vu à ce que ces gestes impudiques ne se reproduisent plus, mais... sait-on jamais!

La simple évocation de cette période lui redonnait des crampes. S'était-elle mis la tête dans le sable en évitant d'affronter directement le problème durant ces dernières années? Elle aurait dû en parler franchement avec Désiré. Et avec le docteur Vincent. Au moins cela. Une bonne conversation peut régler parfois bien des choses. Il s'agissait probablement d'une simple passade, une folie d'adolescent à la découverte de sa sexualité, une bizarrerie passagère vite oubliée par les intéressés eux-mêmes, sauf elle.

Elle, au lieu de cela, avait failli en perdre la tête... et la santé! Elle n'avait cessé de fabuler, de s'inquiéter, de se tourmenter. Et elle s'était rendue malade. Malade d'inquiétude, mais surtout malade de culpabilité pour n'avoir pas su prévenir. Malade dc peur, aussi, de ne pouvoir s'assurer parfaitement que cela ne se reproduirait plus jamais. Malade de silence...

Désiré venait très rarement à la maison maintenant. Il avait passé ses deux derniers étés comme moniteur au camp Orelda pour garçons, à Saint-Gabriel. En juin, il terminerait ses études classiques et son oncle Alexandre cesserait probablement l'envoi de ses chèques. Désiré pourrait-il se permettre d'envisager des études universitaires?

Le timbre du téléphone vint interrompre la songerie de Florence, assise à la table de la cuisine, le menton appuyé sur ses paumes. Deux grands coups, un petit coup, c'était pour elle! Sans doute une autre demande d'information sur la prochaine saison des « Mandevillois ». On avait fait une excellente critique du dernier récital, dans le journal de Lanaudière et, depuis, le téléphone ne cessait de troubler le calme de la maison. Les activités du chœur doté maintenant d'une cinquantaine de membres allaient bon train. Florence le menait de main de maître, et la gestion, tant administrative qu'artistique, occupait la majeure partie de son temps. Cette activité s'avérait des plus bénéfiques pour sa santé. En plus d'occuper sainement son esprit, elle lui servait en quelque sorte de bouée de sauvetage. Quand elle se penchait sur les partitions, quand elle étudiait les accompagnements, quand elle dirigeait les répétitions, elle ne pensait plus à Adhémar trop souvent parti en escapade, elle ne voyait plus l'image de Désiré, au bas de l'échelle, en train de se faire tripoter par un enfant, elle ne songeait pas, non plus, à la douceur imaginaire des étreintes de Vincent jamais concrétisées. Quand elle dirigeait la chorale, n'existaient plus que la musique et tous ces êtres humains qui chantaient devant elle comme des anges. Des hommes et des femmes qu'elle considérait comme ses amis.

« Allo? Maman? Où étais-tu? L'opératrice a sonné au moins dix fois!

— Heu... J'étais dans la lune! Comment vas-tu, mon fils préféré? Les examens, au collège, ça se passe bien?

— Oui, oui, justement, j'ai une excellente nouvelle à t'annoncer et je veux te la dire de vive voix. M'invites-tu à souper? Je pourrais prendre le train de deux heures, cet après-midi, si cela te convient.

— Bien sûr que ça me convient, voyons! Pourquoi me demandes-tu la permission? Tu n'as pas besoin d'invitation! Tu possèdes toujours ta place ici, Désiré, même si tu n'en profites presque plus.

— Alors, attends-moi, j'arrive!

— Moi aussi, j'aurai une bonne nouvelle à t'apprendre. »

À quatre heures, elle le regarda venir, au tournant du chemin. Son grand fils... N'eût été sa chevelure moins longue et sa démarche définitivement plus lente et posée, ç'aurait pu être Adhémar, celui d'autrefois, celui-là qui l'avait charmée et embobinée. Et, hélas, celui-là même qui l'avait maintenue en enfer durant toute sa vie. Elle le trouva beau et séduisant, son fils... Nulle femme ne lui résisterait, pour sûr! Mais... les femmes représentaient-elles, à ses yeux, des objets de désir? L'espace d'un moment, elle oublia ses doutes et ses idées obsessives à son égard. Après tout, à vingt et un ans, celui qu'elle avait imaginé homosexuel et pédophile autrefois avait eu le temps d'évoluer et de reprendre le chemin de la normalité. Comme ces pensées positives lui étaient douces! Elle accueillit le jeune homme à bras ouverts avec l'impression de presser tendrement sur son cœur l'objet à la fois de ses tourments et de ses plus beaux rêves de mère.

« Maman, je viens de recevoir mon acceptation au Grand Séminaire de Montréal. Je vais devenir prêtre. »

Elle réprima un mouvement de stupéfaction. Quoi! Son fils, prêtre? Cela n'avait jamais effleuré l'esprit de Florence. Désiré n'avait jamais exprimé une foi et une piété ardentes à ce point! Puis, à bien y penser, elle poussa un soupir de soulagement. Son fils avait enfin trouvé sa voie, un chemin tout tracé où s'épanouir et évoluer sans l'oppression paternelle et ses abus de pouvoir. Loin, surtout, de la déviation sexuelle morbide vers laquelle il avait semblé prendre la tangente au moment de son adolescence.

Florence se sentit soudainement délestée d'un poids démesuré. Terminées, les appréhensions terrifiantes! Disparu, le spectre de la pédophilie! Évanouis, les souvenirs amers! Le fils de Florence Vachon demeurerait désormais chaste et pur. Pour le reste de ses jours. Au service de Dieu et des hommes. Quelle merveilleuse vocation! Et quel réconfort pour sa mère!

Et il avait accompli son cheminement seul, il s'était

sorti des griffes du diable sans l'aide de personne. Désiré redevenait soudain un homme intègre et droit. Enfin, enfin! Merci, mon Dieu, merci! Remarqua-t-il le geste inconscient de sa mère qui redressa fièrement la tête malgré les larmes qu'elle ne pouvait retenir? Elle lui sauta au cou et l'embrassa avec effusion.

« Mon fils, prêtre! Mon fils, membre du clergé! Oh là là! Quel honneur tu fais à ta mère! Tu seras un excellent curé, j'en suis sûre!

— Je ne suis pas convaincu de cela, maman, mais je vais essayer très fort.

— C'est toute une surprise pour moi, je t'avoue!

— J'y songe depuis l'âge de seize ans. Cette idée ne m'a plus quitté. La prêtrise sera ma planche de salut.

— Ta planche de salut? Pourquoi, ta planche de salut?

— La vocation sacerdotale ne se manifeste pas toujours facilement, maman. Dieu prend souvent des détours pour effectuer son appel. Il le fait à travers des événements, des épisodes pénibles et éprouvants de la vie. Il faut y voir clair, saisir le sens, comprendre... »

Florence se demanda si l'appel de Dieu, dans la vie de son fils, était passé par la haine d'Adhémar ou par une attirance physique pour un certain petit garçon nommé Olivier... Mais Désiré s'empressa de changer de sujet.

« Dis donc, n'avais-tu pas promis une bonne nouvelle, toi aussi?

— Ta sœur Nicole se marie en septembre. »

***

Quelques heures plus tard, quand elle fit part de l'engagement de Désiré à Adhémar, ce dernier se contenta de hausser les épaules.

« Me semblait aussi qu'il choisirait une job de

paresseux! Avec ses grands mots et ses grandes théories, il ne pouvait faire autrement que d'aller moisir dans un presbytère pour le reste de ses jours avec les statues et les lampions! Peuh!

— Et de travailler pour le salut des âmes, Adhémar. Tu sembles oublier qu'un prêtre évolue parmi les malades, les mourants, les pauvres, les miséreux, les enfants à baptiser et à instruire du catéchisme. Il a les hôpitaux, les écoles, les communautés, les paroisses à visiter, le culte à exercer, les pécheurs à convertir. Les pécheurs comme... j'en connais! Et tu appelles ça une job de paresseux, toi, le bedeau de la paroisse qui n'est même pas foutu de laver les bénitiers une fois par mois?»

L'homme fit une grimace qui échappa à la femme, et sortit en claquant la porte.

Chapitre 39

Au début de novembre, Adhémar se leva un matin, au petit jour, au grand étonnement de Florence qui l'avait vu rentrer tard, la nuit précédente, complètement saoul. Il manifesta son intention de chasser le canard sur le lac. Elle lui prépara un goûter et sortit ses combines et ses chaussettes les plus chaudes du tiroir.

« On gèle! Es-tu certain que c'est une bonne idée? Il ne doit plus rester un canard au pays, pour sûr!

— Oui, oui, j'en ai vu traverser le ciel, hier matin, en direction du sud. Tu t'inquiètes toujours pour rien!

— As-tu au moins réparé la chaloupe? Elle prenait l'eau, la dernière fois, tu te souviens?

— Demain, ma princesse, tu vas pouvoir mettre deux beaux canards dans tes bines à la mélasse. »

Elle le regarda partir vers la plage, d'un pas chancelant, son fusil dans une main et, dans l'autre, son sac de victuailles et sa bouteille de gros gin. Il avait l'air plus vieux que jamais, le cheveu rare, la bouche molle, le dos courbé, l'œil et le nez exhibant la teinte violacée et indélébile de son vice.

De toute la matinée, elle n'entendit qu'un seul coup de feu. Sur l'heure du midi, elle se mit à surveiller, à travers la fenêtre, le retour de la vieille verchère décolorée. Un vent frisquet agitait les branches dénudées du petit érable planté devant la galerie. « Tant pis! se dit-elle, je vais avaler ma soupe toute seule! S'il a décidé, avec sa tête dure, de rapporter deux canards, il ne reviendra pas avant d'avoir attrapé le deuxième!»

Mais les heures s'écoulaient et aucune embarcation ne s'approchait de la rive. Elle commença à éprouver quelques appréhensions et décida de se rendre sur la grève, le cœur battant, pour voir de plus près ce qui se passait. Rien ne bougeait. Au large, le vent soulevait des moutons blancs et, sur la plage, les courtes vagues roulaient des cailloux en léchant le sable mouillé. Une corneille déchira le silence et se mit à croasser lugubrement. Florence frissonna et resserra son châle autour de ses épaules.

Elle vit alors, à l'autre bout du lac, la chaloupe flotter à la dérive sur le bord du marais, sans son passager. Convaincue qu'Adhémar, ivre encore une fois, s'était tout bonnement endormi sous un banc, elle se sentit quelque peu rassurée et s'achemina vers le village. Elle avait rendez-vous, cet après-midi-là, avec la directrice de l'école primaire au sujet de cours de piano à offrir aux enfants après les heures de classe. Une aubaine pour Florence, et qui rapporterait de l'eau au moulin. «Quand je reviendrai dans deux heures, se dit-elle, Adhémar sera rentré et, s'il n'était pas trop rond pour bien viser ce matin, j'aurai au moins un canard pour mes fèves au lard.»

Elle l'imaginait, tout fier et tenant à peine sur ses jambes, en train de brandir joyeusement le produit de sa chasse sous le nez de sa femme. «Pauvre bougre... Pas si méchant, à bien y penser. Si seulement il n'était pas si soûlard! Et si fainéant! Et si maquereau! Et si menteur! Et si mauvais père! Et si... Tais-toi, Florence, et cesse d'énumérer les défauts de ton mari!»

Toutefois, à son retour à la maison, Adhémar n'était toujours pas revenu. Elle s'alarma en revoyant la chaloupe toujours ballottée par les flots, au fond du marécage. Cette fois, il se passait quelque chose d'anormal. Son mari n'aurait pu dormir aussi longtemps sur le plancher de bois dur et humide de l'embarcation. Qui sait s'il ne se trouvait pas malade ou blessé, incapable de ramer, en train de geler littéralement. Il fallait lui porter secours de toute urgence.

Elle revint à la maison en courant. À qui demander de l'aide? Elle songea à Vincent. Mais, à cette heure, il devait se trouver sur la route en train de visiter des malades. Elle pensa au maire qui saurait rejoindre rapidement des policiers, au curé qui ne ferait qu'apporter ses bénédictions. Tout cela prendrait trop de temps! Il fallait se dépêcher et se rendre sur le lac immédiatement pour tirer Adhémar de ce mauvais pas. Elle se mit à courir jusque chez le fermier le plus proche, celui qui possédait une embarcation à moteur. Vite! vite! Dans moins d'une heure, la brunante étendrait son ombre, et on n'y verrait plus guère.

Le voisin partit à la hâte, accompagné de ses deux fils. Les mains crispées sur sa poitrine, Florence resta sur la rive, silhouette figée, dressée, conjurant le sort et tous les saints de lui ramener son homme, tout vilain qu'il fût. Mais ils revinrent sur la plage bredouilles, tirant la verchère à moitié remplie d'eau sur laquelle flottait une bouteille vide. Rien de plus.

«Désolé! Votre mari ne se trouvait pas dans la chaloupe, madame.»

Florence répondit par des hurlements.

***

On découvrit le corps d'Adhémar Vachon pris dans les glaces, en eau peu profonde, le lendemain matin, à l'aube. Son beau visage avait éclaté sous l'impact d'une balle de fusil sous le menton. Un unique coup de feu avait effectivement retenti, au cours de la journée, selon les dires de l'entourage. Les enquêteurs conclurent à une mort accidentelle. L'homme avait dû perdre pied et actionner la gâchette en basculant dans l'eau glacée.

Florence avait une tout autre théorie qu'elle se garda bien de divulguer aux policiers. Son silence ne changerait rien, de toute manière. Adhémar était bel et bien mort. Et peut-être mort volontairement, selon ses pressentiments. Elle ne le saurait sans doute jamais. Ces pensées résonnaient dans sa tête comme le gong d'un destin qui s'acharnait à marteler son existence d'épreuves et de tourments.

Malgré les remords, elle ne raconta à personne que la nuit précédente, après avoir passé la journée à Montréal, Adhémar était revenu en état d'ébriété avancée. Aux petites heures du matin, il avait vécu une nouvelle crise aiguë de désespoir comme cela lui arrivait de plus en plus fréquemment, ces derniers temps. Il s'était traité de vaurien et de salaud, et avait braillé comme un bébé dans les bras de sa femme. Accoutumée à de tels excès, Florence ne disait rien et se contentait de passer distraitement la main dans les cheveux de celui qui avait ruiné sa vie. Celle de leur couple, et celle de sa famille.

Contrairement à son habitude, l'homme ne s'était pas calmé en jurant par tous les dieux de ne plus prendre une goutte et de se réinscrire une fois de plus chez les Lacordaires, ce qui avait invariablement l'heur de l'apaiser et d'enrayer la crise. Curieusement, il avait persévéré dans son état de lucidité pessimiste et s'était enfoncé dans son dégoût de lui-même. Un dégoût irréversible et meurtrier.

«Je ferais mieux de mourir, ma princesse. Je t'ai déjà fait assez de mal. Je vous ai maintenus dans la misère, toi et les enfants. Je t'ai trompée mille fois, j'ai même couché avec ta sœur, le savais-tu? Je suis un minable, le plus écœurant des écœurants!»

Puis, il s'était penché au-dessus d'elle, puant l'alcool, et lui avait lancé, à brûle-pourpoint:

«Veux-tu savoir le pire? Ton bâtard de fils est un violeur d'enfants! Un pédophile. Je le sais, je l'ai toujours su! Encore dernièrement...»

Il avait craché par terre. Spontanément, Florence s'était retournée et, pour la première fois de sa vie, avait giflé son mari de toutes ses forces, sans rien dire. Elle aurait dû prendre la défense de Désiré. Elle aurait dû s'indigner, protester, s'opposer, contredire. Et plus que tout, elle aurait dû questionner Adhémar sur la provenance de ses allégations. Que signifiait cet «Encore dernièrement...»? Elle aurait dû, elle aurait dû... Ou peut-être aurait-elle dû bercer cet homme anéanti, comme elle le faisait de coutume? Partager avec lui ce terrible secret? Se ressaisir à deux, prendre ensemble des dispositions si Désiré était toujours possédé par ce mal?

Cette fois, elle n'avait rien dit et rien fait. Anéantie, elle s'était levée, s'était habillée et s'était enfuie dans la campagne pour le reste de la nuit en souhaitant que le jour ne se lève jamais. Et pour cela, pour ce silence, ce mutisme inexplicable, pour cette fuite, elle éprouverait des regrets le reste de ses jours.

***

La thèse de l'accident fut adoptée d'emblée sans autres mesures judiciaires. On put donc arranger des obsèques religieuses pour Adhémar. Il fut mis en terre chrétienne, trois jours plus tard, dans le cimetière de Saint-Didace, sur la colline derrière l'église, là même où il s'asseyait autrefois, le dimanche midi, pour voir Florence revenir des leçons de catéchisme avec ses élèves.

L'abomination de sa mort attira toute la parenté et de nombreux curieux. Pas plus que les parents du défunt, la veuve, vêtue de noir de pied en cap, ne versa une larme quand on descendit la bière au fond du trou, juste à côté de Camille et de Maxime Coulombe. On mentionna son courage et sa dignité. Tous les assistants furent d'accord pour affirmer que Florence ne restait pas démunie et seule au monde. Soutenue par son fils, ses quatre grandes filles et son nouveau gendre, tous aussi impassibles qu'elle à côté du convoi funéraire, elle ne manquerait certainement pas d'attention et d'affection. Personne ne remarqua la belle-sœur du défunt, Andréanne, restée en retrait de la foule. Elle avait les yeux rougis et tenait, d'une main tremblante, celle de son petit garçon. Personne ne releva, non plus, la présence d'Alexandre, le frère de Florence et d'Andréanne, venu des États-Unis sans sa femme et ses enfants.

Malgré les multiples messages de condoléances, les nombreux gestes de sollicitude et les déclarations sincères d'appui moral, ce fut aux regards lointains et secrètement amoureux du docteur Chevrier, ami officiel de la famille, que Florence s'accrocha désespérément pour ne pas s'effondrer.

Après l'enterrement, toute la famille se retrouva dans la maison rouge, autour de la table de cuisine. L'absent ne manquerait sans doute à personne, mais l'atmosphère restait tout de même feutrée et imprégnée d'amertume. Providentiellement, le jeune Olivier, avec sa vivacité et ses emportements, suffit à dissiper la mélancolie. Batailleur, plein d'entrain et insubordonné, il ne cessait de tabasser son grand cousin Désiré, ce qui eut l'heur de ramener à la surface les nouvelles appréhensions de Florence. Les paroles d'Adhémar, la veille de sa mort, ne cesseraient jamais de l'obséder. Ces deux-là, en train de se tirailler en riant aux éclats, n'avaient nullement changé leur comportement, même après toutes ces années. On aurait pu croire qu'ils avaient maintenu leurs rencontres régulièrement. Elle avait pourtant tout fait pour éviter le moindre tête-à-tête. Mais nul ne l'avait jamais mise au courant des visites régulières de Désiré chez sa tante Andréanne, à Montréal.

L'espace d'un moment, une intuition atroce s'abattit sur elle. Et si Désiré avait clandestinement continué d'abuser du petit? Non, non, cela ne se pouvait pas, elle fabulait! Cette méchante histoire était terminée depuis belle lurette sauf dans sa tête à elle! La preuve en était l'inscription de Désiré au Grand Séminaire de Montréal. Elle avait l'imagination trop vagabonde! Évidemment, la fatigue et les cauchemars des derniers jours lui avaient enlevé sa sérénité et sa confiance, et ruiné son nouvel optimisme à peine éclos. Qu'avait donc su Adhémar au sujet de son fils? Il avait bien prononcé les mots terribles de violeur d'enfants et de pédophile... Évoquait-il un événement récent ou un vague souvenir datant de quelques années? Il avait pourtant bien dit «dernièrement»... Aurait-il pu inventer cela seulement pour la choquer, l'écœurer? Pour lui laisser entendre qu'il le détestait plus que jamais? Qu'il voyait en lui un détraqué qui n'avait jamais mérité de vivre? L'homme n'en aurait pas été à son premier mensonge...

Une autre chose tracassait Florence. La veille, l'étreinte un peu trop longue entre Désiré et son oncle Alexandre, à l'arrivée de ce dernier, n'avait pas été sans retenir son attention. Le mal viendrait-il de là? Durant le séjour de son frère au lac Mandeville, une dizaine d'années auparavant, elle avait été témoin du même genre de relation d'amitié entre Alexandre, en pension chez eux, et le petit Désiré tout aussi pur et naïf qu'Olivier. Mais rien à ce moment-là, absolument rien n'avait éveillé ses soupçons et laissé entendre que les choses aient pu prendre une tournure sexuelle. Pas du tout! La relation entre l'oncle et le neveu lui avait même semblé des plus saines et des plus bénéfiques pour l'enfant détesté par son père. Florence s'était réjouie qu'un modèle masculin adéquat apparaisse enfin dans l'existence de son fils. Et Alexandre, depuis sa naissance, s'était toujours comporté comme un être droit et fiable. À part sa désertion de l'armée, naturellement.

Se serait-il passé quelque chose à son insu? Des gestes, une attitude, des écarts de conduite auraient-ils pu lui échapper? Le fuyard terré chez eux aurait-il pu semer le germe de cette pourriture? Non! Elle n'osait y croire, elle refusait d'y croire! Pas son frère Alexandre, voyons! Elle voyait du mal partout, maintenant! Pourtant, depuis sa terrible découverte, une méfiance injustifiée avait assombri les souvenirs de son frère exilé aux États-Unis, et un doute morbide avait grugé petit à petit l'image d'intégrité de l'ancien soldat. Sans qu'elle le réalise, les gestes abjects de Désiré l'avaient non seulement rendue malade, mais ils l'avaient, de plus, éloignée de son frère et de sa sœur.

D'un autre côté, il devait bien se trouver un responsable de la contamination de son fils! Mais qui? Qui, mon Dieu, avait amené Désiré à agir de la sorte avec un enfant? Qui l'avait corrompu autrefois? Qui était le salaud? Aurait-il pu s'agir de celui qu'on venait d'ensevelir le matin même sous six pieds de terre boueuse? Quels secrets Adhémar emportait-il dans sa tombe?

Ramassée au fond de sa chaise, Florence restait à cent lieues de la conversation générale. Si elle ne saisissait pas l'occasion de parler à Alexandre dès aujourd'hui, elle le regretterait toute sa vie. Son frère devait prendre le train à la première heure le lendemain matin. Mais en aurait-elle le courage? Isabelle lui assena un petit coup de coude.

«Maman, tu es dans la lune!

— Euh... excusez-moi! Ce doit être l'émotion.»

Son coup de chance se présenta en fin de soirée, après le départ d'Andréanne et d'Olivier pour Montréal, au moment où le reste de la maisonnée décida de se mettre au lit. Alexandre parla de sortir pour fumer une pipe avant de monter se coucher.

«Je t'accompagne, frérot. J'ai la migraine. Un peu d'air frais me fera le plus grand bien. »

Il tombait une grosse neige collante, la première de la saison. Déjà, sous la lueur blafarde des fenêtres, le paysage aux abords de la maison se couvrait d'une couche immaculée. «C'est fou comme un peu de neige peut tout effacer, tout rendre propre et net! songea Florence. Puisse cette conversation maintenir ma représentation d'Alexandre aussi claire et blanche que jadis!»

Elle adorait son frère, et son départ pour Albany après l'amnistie lui avait causé un certain dépit. Bien sûr, il avait le droit de tenter sa chance ailleurs, mais pourquoi si loin? Guillaume, mort au combat, lui manquait déjà bien assez! Pourquoi la priver de l'unique frère que la vie lui avait laissé? Presque neuf ans s'étaient écoulés depuis son départ, et à peine lui avait-il rendu visite quelques fois, aux grandes occasions. Père de quatre fillettes, toujours l'époux de la même femme, l'homme vieillissait bien, et les mèches grises de son front ne le rendaient que plus séduisant et semblable à leur père Maxime. Ils se serrèrent l'un contre l'autre et déambulèrent bras dessus, bras dessous, le long du sentier. Florence respirait à petits traits. Elle se mordit les lèvres et plongea.

«À quoi songes-tu, Alexandre? Es-tu en train de brasser les souvenirs de ton séjour ici pendant la guerre?

— Euh! oui, un peu! Adhémar et moi, ça n'allait pas trop entre nous, tu penses bien! Je peux te le dire maintenant. Son comportement envers vous tous me révoltait, mais cela ne me regardait pas. Peut-être aurais-je dû m'en mêler? Je me sentais mal placé pour protester. Je lui devais de m'héberger chez lui et de m'éviter la guerre, tu comprends!

— Alexandre, je voudrais te parler de Désiré...

— Désiré? Qu'est-ce qu'il a, Désiré? »

Elle lui raconta tout d'une voix chevrotante et d'un

même souffle, sans omettre un détail. Il s'était arrêté net de marcher, saisi de stupeur.

«Quoi? Désiré a fait ça au fils d'Andréanne? Au petit Olivier sans défense? Ah!... le salopard! le fumier! C'est dégueulasse!»

Alexandre frappait dans ses mains avec une violence inouïe, comme s'il pouvait atteindre Désiré lui-même. Florence ne s'était pas attendue à une telle réaction. Bien sûr, cela suffisait à la rassurer sur l'irréprochabilité de son frère, mais cela n'amoindrissait en rien la gravité des gestes de son fils. Bien au contraire!

«Calme-toi, Alexandre. Ça s'est passé il y a très longtemps. Mais je n'ai jamais pu l'oublier, et cela m'inquiète encore, je t'avoue. Adhémar, la veille de son... de sa... de son décès, m'a laissé entendre qu'il était au courant. Il a, pour ainsi dire, réveillé les morts! Je ne sais pas s'il évoquait un souvenir ancien ou bien s'il parlait d'un événement récent...»

Florence, à bout de forces, s'écroula dans les bras de son frère. Mais au lieu de la consoler, l'homme se mit à la secouer, fou de rage.

«Te rends-tu compte? Ton fils est un pédophile! Et tu ne l'as jamais dit! Mais il aurait fallu le déclarer sur la place publique, le pendre par les couilles, cet abruti, cette ordure, ce fou à lier! À tout le moins le faire soigner... Je n'en reviens pas!

— Que voulais-tu que je fasse? Appeler la police? Allons! ne le juge pas si sévèrement! Désiré a probablement eu des écarts de jeunesse, certes, mais il s'est racheté depuis ce temps. Qui n'a jamais commis d'erreurs, hein? Il a terminé son cours classique haut la main et entreprend maintenant des études en théologie. Cela ne prouve-t-il pas qu'il s'est amendé?

— Tu te leurres, ma pauvre sœur! Une soutane et un collet romain n'ont jamais arrangé les choses. Ce n'est absolument pas une garantie. Lui en as-tu parlé au moins?

— Non, je n'ai jamais trouvé le courage. Tout ça s'est passé il y a si longtemps...

— Tu as le devoir de prévenir, Florence, afin que ça ne se renouvelle plus. Veux-tu que je le fasse pour toi?

— Non, non! Ces gestes ne se sont pas reproduits depuis ce temps, je te le jure! J'ai exercé une surveillance des plus vigilantes.

— Comment peux-tu dire ça et en avoir la certitude? Il n'y a pas qu'Olivier au monde! Il existe d'autres enfants, que je sache! Il faut en parler à Désiré, le conscientiser, le faire examiner, je ne sais pas, moi! L'important, c'est de protéger les autres enfants. Tous les autres enfants...»

À voir son frère continuer de frapper aussi rageusement dans ses mains, Florence conclut qu'il avait envie d'ajouter, de toute évidence, la nécessité de corriger Désiré de la dure manière, en le battant. À la manière d'Adhémar, quoi! Ou à celle de l'armée. À la seule et unique manière que le pauvre garçon avait jamais connue...

Elle se mit à pleurer, regrettant amèrement ses confidences. Elle n'avait cherché qu'à être rassurée pourtant. Comment aurait-elle pu prévoir une telle riposte de la part d'Alexandre?

«Je t'en supplie, mon petit Alexandre, ne te mêle pas de cela. Personne d'autre que toi n'est au courant ici. Fais-moi confiance. Je te jure, sur la tombe de mon mari, qu'à la moindre alerte, je vais bouger, avertir les autorités dans le but unique de protéger des innocents. Mais en attendant, laissons aller les choses. Je reste convaincue que mon fils a réglé ces problèmes-là et que tout est rentré dans l'ordre. Tu verras bien!

— Je ne suis pas d'accord avec ça, mais c'est ton affaire, Florence. Moi, j'habite à trois cents milles d'ici, j'ai ma famille, ma vie...

— Promets-moi de n'en parler à personne.

— Promis! Mais que je n'apprenne jamais que...
— T'en fais pas, le frérot. Je ne suis pas une imbécile tout de même!»

Ils reprirent leur chemin d'un pas lent sans plus prononcer une parole, chacun perdu dans ses pensées. La réaction d'Alexandre confirmait, pour Florence, la gravité de cette histoire. Mais pour le reste de sa vie, elle ignorerait d'où son mari tenait ses affirmations de la dernière nuit. Adhémar emportait son secret dans l'audelà, et Alexandre le transporterait à des centaines de milles de Mandeville... Le silence, de nouveau, accomplirait son œuvre.

Ils rentrèrent à la maison d'un pas traînant, et leurs traces sinueuses sur la neige trahissaient bien leur état d'âme. Pour Florence, les premiers charmes de l'hiver s'étaient écroulés comme un château de cartes. La beauté n'existait plus. En pénétrant dans la cuisine, elle réalisa que Désiré était reparti pour Montréal en compagnie d'Andréanne et d'Olivier. Et s'il fallait qu'il dorme chez eux?...

Tordue par les crampes, elle ne trouva le sommeil qu'à l'aube. L'idée que, cette nuit-là, Adhémar Vachon dormait paisiblement, enfoui sous une couche d'une blancheur virginale, revenait sans cesse la hanter, comme une obsession. Elle lui en voulut jalousement.

Le lendemain matin, elle regarda sans regret son frère partir vers son pays d'adoption qu'elle aurait voulu voir situé à l'autre bout du monde.

Chapitre 40

16 novembre 1954

*Mon fils a perdu son père, la semaine dernière, mais il
ne le saura jamais. Son père biologique, faut s'entendre! Car
l'autre, le Chauvin, mérite à peine l'appellation de père. Les
rapprochements entre le disparu et Olivier à cause des
ressemblances douteuses sont terminées. Finies les déductions
occultes menant à une évidence troublante. La vérité que
personne n'a jamais osé évoquer à voix haute vient d'être
enterrée sous une pierre tombale. Le modèle de comparaison
est mort, disparu. Parti chez le diable! En enfer! Puissions-
nous tous l'oublier. Amen!*

*Curieux que le père et le fils qui se souciaient peu l'un
de l'autre se soient revus la veille de l'accident. Le destin a
parfois de ces détours... Jamais, depuis les dix ans d'existence d'Olivier, il n'a été question, entre Adhémar et moi, de
la véritable origine de l'enfant.*

*Quel besoin avait-il, celui-là, la veille de sa mort, de
sonner à ma porte sans prévenir pour me reluquer encore une
fois? Je lui avais pourtant dit de ne plus revenir. Bien sûr,
quand il avait recommencé à me visiter, à l'époque où j'ai
ouvert mon magasin, il n'avait pas l'occasion de rencontrer
Olivier très souvent. Le petit était parti chez sa gardienne ou
chez son autre père. Je n'ai pas fait exprès pour recevoir cet
amant en présence de mon fils, cela va de soi tout de même!*

*Pourquoi fallait-il qu'Olivier soit retenu à la maison par
une mauvaise grippe, la semaine dernière, précisément ce
matin-là? Adhémar s'est mis à l'examiner attentivement et à*

le dévisager d'un drôle d'air. A-t-il été soudain frappé par la similitude, a-t-il reconnu son propre profil, sa bouche charnue, sa chevelure drue et abondante, ses épaules carrées? Et les yeux... surtout les yeux! A-t-il eu une prémonition de sa fin et décidé tout à coup de mettre les choses au clair?

Une fois Olivier dans sa chambre, il s'est mis à me harceler.

«Es-tu certaine, Andréanne, que ce garçon-là est vraiment le fils légitime de Laurent Chauvin?

— Qu'est-ce qui te prend? Pourquoi cette question-là tout à coup? Ça ne te regarde pas!»

Je me suis bien gardée d'en dire davantage. Mais, à lui, je pouvais difficilement mentir. S'il se mettait à insister avec des questions plus précises, je savais que je flancherais. Sans crier gare, il m'a violemment saisie par les épaules et a planté son regard dans le mien. Ce regard vert...

«Jure-moi que c'est lui, le père, Andréanne Coulombe, jure-le-moi!

— ...»

Mon silence s'avéra plus éloquent qu'un aveu brutal. Il a compris. Je l'ai vu serrer les dents en me jetant un regard acide. Puis il s'est empressé de rappeler Olivier dans la cuisine pour lui poser de curieuses questions.

«Dis-moi, Olivier, vois-tu souvent ton cousin Désiré?

— Des fois, il vient me garder ici.

— Se comporte-t-il toujours correctement avec toi?

— Bien... euh...»

Par intuition de sa fin prochaine, se pourrait-il qu'Adhémar ait eu l'idée, ce jour-là, de s'inquiéter pour l'avenir de cet enfant aux deux pères absents? Aurait-il éprouvé le souci de s'assurer, en Désiré, d'une présence masculine dans la vie de ce fils dont il n'avait jamais fait de cas? Je ne le saurai jamais. Et je ne comprends pas pourquoi Olivier refusa de répondre et se mit à bafouiller en rougissant. Je me suis même sentie dans l'obligation d'intervenir.

«Bien sûr que Désiré se comporte toujours gentiment, voyons donc! Ton fils est un jeune homme bien élevé.

— Je n'ai pas prononcé le mot gentiment, j'ai bien spécifié : correctement...

— Allons, Olivier, raconte à ton oncle de quelle manière tu t'amuses avec ton grand cousin quand il vient te garder, et à quel point tu t'ennuies de lui quand il reste un bout de temps sans venir. Parle-lui de ses trucs de magie, de ses énormes pyramides de cartes, des ponts qu'il construit avec ses doigts et une simple corde. »

Olivier a haussé piteusement les épaules.

« Ça fait longtemps qu'il n'est pas venu, maman! »

Je me suis sentie tenue d'expliquer à Adhémar que, récemment, depuis son admission au Grand Séminaire, Désiré déclinait souvent mes invitations et mes requêtes de gardiennage, car ses études le tenaient trop occupé. J'ai cependant évité de m'étendre sur la question et de tergiverser sur l'éloignement incompréhensible de Flo et de son fils, ces dernières années. Même le mois dernier, lors d'une visite impromptue à Mandeville, j'avais senti une certaine réticence de sa part pour nous offrir de rester à coucher, malgré la mauvaise température. La chambre de Nicole, nouvellement mariée, se trouvait pourtant libre et nous ne dérangions personne, en réalité. J'ai même constaté un vague soulagement sur son visage quand on nous a raccompagnés jusqu'à la gare le lendemain matin. À croire qu'elle ne veut plus nous voir!

Adhémar, assis en face d'Olivier dans la salle à dîner, n'a pas trop persisté avec ses questions et est retombé dans un mutisme étrange. Mais il continuait de tambouriner nerveusement la nappe du bout des doigts. Quelque chose le préoccupait de toute évidence. Après sa dernière gorgée de café, il s'est levé brusquement sans demander son reste et s'est dirigé en trombe vers la sortie. Je ne me doutais pas que je le voyais pour la dernière fois. Le lendemain, il perdait dramatiquement la vie sur le lac Mandeville.

À bien y songer, je n'ai jamais vraiment aimé cet homme-là, mais Dieu qu'il m'a attirée physiquement! Mais me voilà bien débarrassée! Il ne m'était rien, au fond. Rien d'autre qu'un amant occasionnel, un gai luron sans vergogne qui m'entraînait sur les pentes vertigineuses du plaisir défendu. Chacune de ses visites me foutait des remords et la trouille d'être découverte. Dieu aura-t-il pitié de son âme pécheresse? Et de la mienne? On se retrouvera sans doute dans la profondeur des ténèbres, lui et moi.

En attendant, voilà Florence libérée, elle aussi. Ma pauvre sœur... Déjà veuve à son âge! Enfin! son dégoûtant de mari a fini de la tromper et de la faire souffrir! Savait-elle qu'il était mon partenaire sexuel et qu'il venait encore, de temps à autre, jouer une partie de jambes en l'air avec moi?

Si, au moins, elle avait manifesté des doutes dès le début au sujet de la naissance d'Olivier... Si, au moins, elle m'avait questionnée franchement, ouvertement, une fois pour toutes... Si, au moins, elle s'était montrée méfiante, distante, glaciale... Je ne sais pas, moi! Quelque chose comme une attitude agressive, un comportement belliqueux, des allégations à mots couverts pour me faire réagir... Ou encore, une verte crise de jalousie. Une vraie! Elle aurait été justifiée de revendiquer ses droits et de me jeter la pierre, après tout! Une méchante dispute pour me blâmer, me reprocher, me condamner, me haïr... C'eût été plus facile à supporter, et cela m'aurait permis de lui demander pardon, et finalement de nous réconcilier. Au lieu de cela, rien ne s'est jamais dit... On a laissé pourrir la plaie sous le pansement du silence.

Ouais... c'est trop facile de jeter le blâme sur elle et de lui reprocher de ne pas avoir réagi! C'est moi, la sale garce! Moi seule... C'est moi, la coupable, la tricheuse, la véritable cause de tout ce mal! C'était à moi de tout lui avouer et de lui demander pardon. C'était à moi de mettre un terme définitif à cette situation ignoble. Ai-je jamais tenté de ramener les choses à la normale? Rien! Je n'ai rien fait, strictement rien, à part continuer de coucher avec son mari. La belle affaire! Je suis la plus dégoûtante de toutes les dégoûtantes! Même maintenant, je laisse lâchement subsister entre nous cet affreux non-dit, ce pitoyable silence, cette politesse trompeuse qui ressemble de plus en plus à de l'hypocrisie. *Un éloignement volontaire en train de dresser un mur infranchissable d'indifférence et de sécheresse... Dégueulasse!*

Les années passent et j'espère toujours qu'elle pardonnera. Mais comment pardonner quelque chose qui s'est poursuivi jusqu'à la semaine dernière et qu'elle ignore peut-être? Il aurait fallu que j'empêche son mari de jouer dans mes plates-bandes et lui fermer la porte au nez. Maintenant, tout est bel et bien fini. J'ai perdu mon amant et peut-être bien ma sœur par la force des choses. Notre relation redeviendra-t-elle jamais ce qu'elle a déjà été? Je crains que non! Durant les funérailles, sa froideur et son détachement envers moi l'ont démontré hors de tout doute. Rien ne se réglera facilement si jamais ça se règle.

Quelle pitié! Nos liens sont malades! Colite ulcéreuse du cœur, de l'amitié, de la tendresse fraternelle qui a uni autrefois les deux petites filles que nous étions et ne sommes plus. Celles qui travaillaient leurs gammes côte à côte dans le beau salon familial de Saint-Didace et rêvaient ensemble au brillant prétendant qui n'est jamais venu.

Un homme monstrueux nous a séparées et a semé le silence entre nous. Ah! tu peux brûler dans le feu éternel, Adhémar Vachon! Tu as fini de cracher ton venin sur nos vies! Puissions-nous, Flo et moi, et les fils que tu nous as donnés, trouver enfin un semblant de paix.

Au moins, eux le méritent. Pas moi.

Chapitre 41

Village au fond de la vallée,
Comme égaré, presque ignoré,
Voici qu'en la nuit étoilée,
Un nouveau-né nous est donné.

La directrice battait la mesure comme si elle avait voulu s'envoler. Face à elle, soixante figures la dévoraient des yeux. Elles provenaient toutes des villages environnants. Les voix montaient, douces et envoûtantes, et s'emmêlaient, se fusionnaient en une seule, puis se séparaient et s'éloignaient sur le contrepoint pour se retrouver plus loin, voix d'hommes et voix de femmes, à l'unisson. Florence s'émerveillait chaque fois de la beauté de ces chants. «Les humains sont capables de si grandes choses quand ils le veulent...» Au moment où le ténor entama le couplet de sa voix chaude et moelleuse, elle ne put retenir ses larmes et baissa subitement les bras.

C'est pour accueillir une âme,
Une fleur qui s'ouvre au jour,
À peine, à peine une flamme
Encore faible qui réclame
Protection, tendresse, amour.

Devant le désarroi de la directrice, le soliste s'arrêta net de chanter, et un grand silence envahit tout à coup le sous-sol de l'église. Se raclant la gorge comme si un graillon venait d'interrompre son envolée, le chanteur lança, d'une voix fondante :

« Madame Vachon, nous pouvons cesser l'exercice si vous le voulez. Vous semblez mal en point. Tout le monde peut comprendre que vous traversez une période difficile. Ce deuil, quelques semaines avant les Fêtes et peu après le mariage de votre fille... Et vous paraissez fatiguée. Pourquoi ne pas remettre la répétition à la semaine prochaine ?

— Non, non, mes amis, votre présence me fait du bien ! Excusez-moi, je vous en prie. Je ressens trop d'émotions contradictoires, ces temps-ci, voilà tout ! Plus que je peux en supporter ! Cette musique, ces mots, le timbre magnifique de vos voix, tout cela me bouleverse, me chavire le cœur.

— Bien sûr, cette chanson *Les Trois Cloches* évoque pour vous la tristesse du glas. Votre mari...

— Mais non ! Au contraire ! Ne vous inquiétez pas, une merveilleuse consolation vient aujourd'hui adoucir mon chagrin ! Voilà la raison de ma confusion. Je pleure parce que je... je vais devenir grand-mère ! Ma fille Nicole m'a annoncé la bonne nouvelle ce midi. Elle attend un bébé pour l'automne prochain. Je... je suis si contente, vous n'avez pas idée ! La joie de vivre me reprend, enfin ! Cette chanson... »

Cette fois, Florence éclata. Après une seconde d'étonnement, les chanteurs se mirent à l'applaudir à tout rompre. Puis on brisa les rangs et tous s'amenèrent pour entourer leur directrice, l'embrasser, lui serrer la main, la féliciter, émettre des vœux et des souhaits, formuler des prédictions loufoques ou gentilles.

« Je vous prédis une adorable gamine aux cheveux bouclés ! Et chanteuse en plus !

— Non, non, vous aurez un petit-fils beau comme son grand-père, eh ! eh !

— Et pourquoi pas des jumeaux? C'est de famille, non?»

Florence, honteuse d'avoir dévoilé un pan de sa vie privée, se sentait submergée par cette marée de chaleur humaine. Elle, la femme secrète et solitaire, elle qui avait vécu en silence chacun des événements de son existence, elle qui s'était toujours retenue de divulguer ses sentiments, même à ses proches, voilà qu'elle venait d'étaler devant toute la chorale son exaltation causée par la grossesse de sa fille. Enfin! un vent de fraîcheur et de renouveau allait dissiper le brouillard qu'était devenue sa vie. Comment ne pas se réjouir? Et pourquoi ne pas le dire? Dieu sait qu'elle en avait besoin!

La musique avait accompli son miracle. Il avait suffi d'un simple poème profondément humain chanté sur quelques accents berceurs pour que bascule son univers d'introvertie. Jamais elle n'avait éprouvé un tel appétit de vivre. Et voilà qu'on l'entourait, qu'on partageait son bonheur. Comment ne pas s'émouvoir jusqu'aux larmes? Elle goûtait ce moment de grâce comme l'égaré du désert se jette à corps perdu dans la source d'eau pure trouvée désespérément, et qui lui sauve la vie.

On reprit dans l'allégresse la mélodie popularisée par les Compagnons de la Chanson et, pour une fois, Florence laissa passer sans regimber quelques fausses notes et écarts de rythme et de nuance. Pas maintenant! Elle y verrait à la prochaine répétition. Cet après-midi, elle avait le cœur à la fête, la fête d'une naissance annoncée, certes, mais surtout la fête de sa propre renaissance. La fête de la résurrection.

Elle se garda bien de se laisser emporter par la mélancolie, au troisième couplet relatant la mort du *Jean-François Nicot* de la chanson. Tant pis pour les morts, les suicidés, les pédophiles, les sœurs tricheuses de tout acabit! Tant pis pour le glas de toutes les églises du monde entier! Ce soir, une grand-mère venait de naître, et la cloche sonnait en fortissimo dans son âme. Un événement nouveau et joyeux allait bouleverser sa vie et « *la petite flamme encore faible qui réclame protection, tendresse, amour* » de la chanson recevrait bien davantage de sa grand-mère, elle s'en faisait la promesse formelle.

Au sortir de l'église, plusieurs lui offrirent de la reconduire au lac dans leur voiture, mais elle refusa poliment. Elle avait envie de se retrouver seule. Une marche de quelques milles dans la neige lui ferait du bien. Rien ne pressait en cette fin d'après-midi. Les jumelles passaient la fin de semaine chez une copine, à l'autre bout du village. Désiré, Isabelle et la future maman accompagnée de son mari ne se pointeraient que le lendemain, après la messe du dimanche, pour un dîner de famille.

Elle resserra son foulard et enfonça son bonnet. En pressant le pas, elle arriverait à la maison avant la brunante, ferait une attisée dans le poêle à bois et réchaufferait un reste de soupe aux choux en guise de repas. Plus tard, elle travaillerait son *Étude* de Chopin sur le piano ou écrirait à Andréanne pour lui annoncer la bonne nouvelle. Voilà presque deux mois qu'elle n'avait ni parlé ni écrit à sa sœur. En fait, depuis sa dernière visite durant le temps des Fêtes, quelques semaines après les funérailles.

C'était préférable ainsi. Trop de choses les séparaient. Elle n'avait jamais été dupe des coucheries de sa sœur avec Adhémar et de l'évidente identité du père d'Olivier. Malgré tout, elle avait réussi à ne pas développer de rancune envers Andréanne. Elle favorisait plutôt, vaille que vaille, un semblant d'harmonie entre elles tout en maintenant les distances et en agissant comme si elle ne soupçonnait rien. À la vérité, qu'Adhémar ait couché avec elle ou avec une autre ne lui importait guère. Elle avait fait le deuil de cet homme bien des années avant sa mort. Par contre, elle s'était attachée à Olivier, ce pauvre petit sans défense. L'enfant n'avait rien à voir avec les errances de sa mère, ni avec ses tiraillements avec sa tante Flo. Il ne méritait pas qu'on le rejette.

Désiré avait tout gâché par ses gestes indécents. À partir de là, elle n'avait eu qu'une obsession : éviter que ces deux-là se rencontrent, à n'importe quel prix, même au détriment de ses rapports avec sa sœur. Protéger l'enfant pour ne pas abîmer son innocence, pour éviter qu'il ne devienne plus tard, à son tour, un être désaxé comme Désiré. Dieu soit loué, son fils coupable semblait avoir repris le bon chemin. Ses études au Grand Séminaire la rassuraient. « Allons, ma vieille, tout semble rentrer dans la bonne voie. Respire un peu, enfin ! Tu le mérites bien ! Et savoure la perspective de devenir grand-mère. »

Elle marchait d'un pied alerte dans l'air vif, et ses pas crissaient sur la neige durcie par le froid. Une voiture la doubla en douce et s'arrêta quelques pieds en avant. Elle reconnut la Morris Oxford du docteur Chevrier.

« Eh ! Florence, monte ! Je vais te reconduire ! »

Son ami Vincent ! Il ne manquait plus que lui à la plénitude de ce moment ! Elle s'assit prestement à ses côtés, un large sourire lui éclairant la figure.

« Ah ! "ma toi" ! Mais tu es rayonnante ! Je ne t'ai jamais vue aussi belle !

— Es-tu bien certain de ça, Vincent Chevrier ? Aurais-tu oublié la fraîcheur de ma prime jeunesse lorsque tu m'as vue la première fois ? »

Elle se mit à rire, mais le baiser qu'il déposa tendrement sur sa joue dura à peine quelques secondes de plus qu'il n'aurait fallu. Elle frissonna, prise de vertige. L'automobile se mit à avancer lentement.

« Hum... Mettons que j'ai une attirance particulière pour les jolies grands-mères !

— Quoi? Tu es au courant? Comment cela?
— Je l'ai même su avant toi, ma belle! Dès ce matin!
— Je ne comprends pas.
— C'est moi, le docteur, ne l'oublie pas!»

Évidemment! Comment n'y avait-elle pas songé? Vincent avait examiné Nicole en début de journée, et confirmé sa grossesse. Elle lui jeta un regard médusé. Non seulement cet homme merveilleux se trouvait son médecin et son seul ami, mais aussi son complice et son allié, et celui de toute sa famille. Quelqu'un plus près d'elle et des siens qu'Adhémar ne l'avait jamais été.

«Je suis tellement content pour toi, Florence, tu n'as pas idée...»

Mais oui, elle en avait une idée! Trop émue pour répondre, elle faillit se remettre à pleurer comme elle l'avait fait devant les chanteurs une heure plus tôt.

«Et, ce soir, je m'invite moi-même à souper chez toi, ma chère! Tu n'as pas le choix d'accepter ou non. C'est une ordonnance du docteur!
— Mais... il n'y a personne d'autre à la maison.
— Et après?»

Elle sentit son cœur bondir. Pour la première fois, ils se trouveraient seuls pour la soirée entière, et ce n'était pas sous le prétexte d'une leçon de solfège. Aucun ivrogne ne rôderait autour de la maison pour surgir à brûle-pourpoint, nul enfant ne viendrait les déranger. Elle faillit protester, mais elle n'avait pas le choix d'accepter ou de refuser, semblait-il.

«Regarde dans la boîte, sur le siège arrière. J'ai apporté un bœuf bourguignon fricoté cet après-midi par moi-même, de mes blanches mains, exprès pour toi, ma chère!
— Oh là là! Quelle gâterie!
— Attends! Ce n'est pas tout! L'autre boîte contient un magnifique gâteau au chocolat. Le premier de ma vie! Il est un peu raté, je le crains, car un côté n'a pas

levé. Mais qu'importe, la bouteille de champagne devrait nous aider à passer outre.

— Du champagne? Du vrai? Je n'ai jamais goûté à cela! Mais, Vincent, pourquoi tant célébrer? Il s'agit d'un fœtus pour le moment. À peine une petite fève de rien du tout. Mon petit-fils naîtra dans sept mois seulement. Tout peut arriver d'ici là...

— Nous avons bien d'autres choses à fêter ce soir, ma belle toi! Et c'est loin d'être fini! Une vie nouvelle commence aujourd'hui, Florence. Et pas uniquement pour toi. Pour moi aussi! J'ai pris des décisions, de sérieuses décisions.»

***

Florence se retourna sur l'oreiller et laissa patiner le bout de ses doigts sur la peau parcheminée de Vincent, à la naissance de la nuque. Elle avait l'impression de n'avoir vécu son existence entière que pour accéder à cette nuit même, ce moment divin où tout se transforme en absolu, où tout est permis, même la folie de croire en l'infini. La voix du soliste de la veille résonnait encore à ses oreilles comme un bruit de fond. «*Une cloche sonne, sonne...*» Une cloche venait de sonner dans son existence. Cette nuit... Ou plutôt la veille, avant même le premier verre de champagne.

Pour la première fois, Vincent mangeait en tête-à-tête avec elle. Jamais elle ne s'était permis de rêver à un tel moment. Ils avaient préparé le repas ensemble, comme deux amoureux. La soupe aux choux avait fait office d'entrée, et le pain de ménage cuit le matin même avait agrémenté l'excellent plat au vin apporté par Vincent. Le gâteau, cependant, s'était avéré si dur qu'on l'avait remplacé vivement, avec le fou rire, par les biscuits au gruau dénichés par Florence dans son garde-manger.

Mais avant le repas, dès leur entrée dans la maison, le médecin avait pris tendrement la femme dans ses bras. Au lieu de se raidir en évoquant gentiment son statut de femme mariée, elle s'était laissée couvrir de baisers, des baisers de plus en plus pressants, de plus en plus fougueux et dévorants. De plus en plus fous... Il l'avait portée sur le divan et avait entrepris de détacher sa blouse pour l'embrasser à la naissance des seins.

« Vincent, Vincent... Et si les jumelles arrivaient?

— Les jumelles dorment chez leurs amies, tu me l'as dit tantôt!

— Et si elles changeaient d'idée?

— Il fait noir comme chez le loup et il neige à plein-temps! Elles ne reviendront pas, voyons! Et puis, tant pis! Il est temps, pour leur mère, de se remettre à vivre. À vivre, Florence... Tes filles devront bien l'apprendre et l'accepter tôt ou tard! À seize ans, elles peuvent comprendre, non?

— Puisque tu le dis... »

Elle s'était laissée emporter par les caresses à la fois douces et avides de l'homme et avait bientôt perdu la notion du temps. Elle avait oublié à quel point la parfaite fusion des corps et des âmes pouvait rapprocher du sublime, de la plénitude totale. « Mon amour, enfin, enfin... Prends-moi, mange-moi, dévore-moi! Prends-moi toute, je veux n'être qu'à toi... »

Elle avait si peu connu l'extase dans sa morne existence. La première fois, c'était une vingtaine d'années auparavant, dans des circonstances semblables de noirceur, de saison froide, de porte verrouillée, de clandestinité et de fruit défendu. Avec la bourrasque qui hurlait à la fenêtre de la petite école, comme en ce moment. Était-ce donc son lot de n'avoir pas le droit de vivre ses amours à ciel ouvert? Et de devoir assaisonner son plaisir charnel d'une pointe de remords?

Plus tard dans la soirée, le champagne avait émoussé

sa conscience et délié les langues. Vincent avait préparé ses arguments. Une fois les corps temporairement repus et calmés, il avait annoncé sa décision de vivre son amour pour elle au grand jour.

«Je t'aime depuis tes dix-sept ans, Florence! Notre amitié pudique ne me suffit plus maintenant que tu es devenue veuve. Je te veux toute à moi.

— Mais, toi, Vincent, tu n'es pas libre, que je sache! Ta femme...

— Ma femme n'a pas quitté l'hôpital pour malades mentaux depuis bientôt trois ans. On la considère comme irrécupérable. Ma femme est folle, comprends-tu? Folle!»

Des larmes mouillèrent le beau visage de l'homme que la révolte décomposait.

«Elle est une morte vivante, ma femme! Mais dans mon esprit, elle est morte, aussi morte que ton crétin de mari! Au nom de quoi devrais-je vivre en reclus jusqu'à la fin de ma vie, tout seul au monde au fond de ma campagne? Au nom de la morale? Peuh! Que le diable emporte la morale! Je veux me rapprocher de toi. Je n'ai qu'une seule vie à vivre, moi! Qu'on me juge, qu'on me condamne de t'aimer, je m'en contrefiche! Je t'aime, ma Flo...

— Et tes filles?

— Mes filles approchent la trentaine et vivent leur vie de leur côté depuis des lunes. Que leur père mène une vie de célibataire, de curé, de mari fidèle, d'époux éploré ou de coureur de jupons ne changera stricte-ment rien à leur existence. À l'existence d'aucune autre personne d'ailleurs! Sauf la tienne et la mienne. Pour le reste de mes jours, je veux vivre près de toi, Florence. Avec toi, pour toi, par toi.

— Vincent...

— N'en as-tu pas assez de la misère, ma "petite toi"? Mille fois j'ai voulu tuer le type qui te faisait

301

souffrir, mille fois j'ai pris sur moi de me mêler de mes affaires. Mille fois j'ai tourné ma langue, mille fois j'ai serré les poings au fond de mes poches pour m'empêcher de le battre à mort, ce trou-de-cul, ce misérable, ce... Le temps des orages est terminé, crois-moi, bel et bien terminé. »

Les yeux remplis de larmes, Florence posa sa main sur les lèvres du médecin. Mais l'homme démonté en avait trop sur le cœur. Il s'était retenu depuis vingt ans, et le fiel coulait enfin de sa bouche, amer et douloureux. Jamais elle n'avait réalisé qu'il détestait autant son défunt mari.

« Ta colite ulcéreuse chronique, il en était l'unique responsable, j'en mettrais ma main au feu !

— Non, Vincent, tu te trompes.

— Quel mystère te mine donc, ma douce? Pourquoi te faire tant de mauvais sang alors?

— Pour bien d'autres raisons dont je n'ai pas envie de parler ce soir. Peut-être bien, entre autres, à cause d'un amour refoulé pour un certain docteur de mon entourage, qui sait? »

Elle se mit à le cajoler tout doucement, autant pour éviter qu'il ne pousse plus loin son interrogatoire que pour lui témoigner sa tendresse. Ses minauderies finirent par faire diversion et apaiser quelque peu la curiosité du médecin, le temps de faire l'amour de nouveau. Le champagne aidant, Florence replongea dans un monde d'une autre dimension, celui du délice et du plaisir sans réserve.

Mais le médecin se montrait coriace, et reprit ses allégations de plus belle dès qu'il retrouva ses esprits.

« Le rat, le salaud...

— Vincent, Vincent, laisse mon ex-mari tranquille. Il ne reviendra plus. Mieux vaut l'oublier. Laissons les morts pourrir avec les morts. Le pardon vaut toutes les rancœurs, j'en sais quelque chose!

— Bonne et douce Florence, tu es une sainte!

— Jamais de la vie! Que ferais-tu d'une sainte? Et grand-mère par surcroît! Quelle déprime! Tu prends des risques en me parlant d'amour, mon cher!»

Ils s'endormirent dans les bras l'un de l'autre, d'un sommeil léthargique, sans avoir pris de décisions concrètes. Ce fut aux premières lueurs du jour seulement que Florence retomba sur terre. Un autre homme dormait dans son lit, à la place d'Adhémar. Un homme marié... Fallait-il donc toujours tricher pour connaître le nirvana? Non! cette fois, elle ne trichait pas. Selon les règles morales de l'Église, oui, peut-être péchait-elle puisque son bien-aimé était le mari d'une autre. Mais pas selon sa conscience. Elle aussi avait droit au bonheur, elle aussi n'avait qu'une seule existence à vivre. Sur la table de chevet, un reste de champagne achevait de libérer ses bulles à la surface du liquide, au fond de la bouteille. Non, elle n'avait pas rêvé.

Elle reprit doucement ses caresses sur la peau de Vincent endormi à ses côtés. Quand il se réveilla, elle lui chanta, d'une voix à peine audible, le second couplet de la chanson des Compagnons.

Soyez une pure flamme
Qui s'élève et qui proclame
La grandeur de votre amour.

Après tout, elle aurait quarante ans au printemps. À cet âge-là, les jeunes grands-mères n'avaient-elles pas le droit de prendre un nouveau tournant pour refleurir dans un jardin inconnu? Le jardin du bonheur...

Chapitre 42

12 avril 1955

J'ai beau essayer de les convaincre du droit au bonheur de leur mère, Isabelle et Nicole ne veulent rien entendre. À leurs yeux, Florence a été l'épouse de leur père et devrait le demeurer jusqu'à la fin de ses jours pour cultiver son souvenir malgré tous ses malheurs passés. À moins qu'un veuf, un vrai celui-là, ne lui fasse la cour dans quelques années... Évidemment si Vincent se trouvait libre, elles verraient probablement les choses d'un autre œil. Mais un homme marié, oh là là! Leur mère «s'accoter» et vivre dans la décadence, vous n'y pensez pas! Quelle honte, quel scandale! Le jour où elle leur a annoncé, quelques mois après l'enterrement d'Adhémar, son départ pour un séjour d'une semaine à Québec en compagnie du docteur Chevrier, un tremblement de terre n'aurait pas davantage ébranlé les assises de la famille Vachon.

Seul Désiré s'est gardé d'émettre son opinion, lui, le futur prêtre, le seul qui aurait pu – ou aurait dû? – manifester une certaine réticence pour sauvegarder la bonne réputation de sa mère. Pourtant, l'exemple de leur père aurait dû élargir leurs limites de tolérance et donner quelques coups durs au sens moral de ces enfants-là! À tout le moins les inciter à une plus grande ouverture d'esprit!

De quel droit, grands dieux, ces petites saintes-nitouches se montrent-elles si sévères? N'ont-elles pas assisté aux mauvais traitements dont leur mère a fait l'objet pendant si longtemps? Bien sûr, une fillette ne peut réaliser la douleur de l'épouse qui voit revenir son mari empestant l'alcool et le parfum d'une autre femme, au beau milieu de la nuit. Mais elles ont grandi, que diable, les fillettes! L'école de la vie ne leur a-t-elle pas encore appris que les mots « joie » et « vertu » ne se concilient pas toujours? Je devrais leur raconter ma vie, tiens! Elles n'en reviendraient pas de constater comme leur tantine adorée est loin de s'être toujours conformée aux principes du droit chemin!

Tant mieux si Flo a réussi de main de maître, ou de main d'ange, devrais-je dire, à sauvegarder chez ses enfants des traces de respect et d'estime pour leur dévoyé de père. Mais de là à exiger d'elle la fidélité à sa mémoire et le refus catégorique d'un nouveau bonheur, fût-il marginal, il y a tout de même des limites! Des protestations de la part des jumelles, passe encore! Elles ont l'excuse de la jeunesse. Mais les deux grandes... franchement! Je serais bien curieuse de savoir si la puritaine Isabelle couche présentement avec son amoureux avant le mariage. Et si la vertueuse Nicole, enceinte jusqu'au cou d'un premier enfant, empêchera la famille après la naissance de trois ou quatre marmots, contrairement aux préceptes de l'Église! L'existence au quotidien et les règles du petit catéchisme sont deux entités fort différentes, elles le verront bien à la longue.

Florence ne devrait pas refuser les avances du beau docteur Chevrier. Cet homme m'a toujours paru bon et honnête. Généreux surtout. J'ai deviné son affection pour elle depuis longtemps. Sa façon de la regarder, de lui sourire, et aussi de prendre soin d'elle à sa manière et en douce. Pourquoi ces deux êtres blessés par la vie n'uniraient-ils pas leurs destins aujourd'hui? Ils pourraient se façonner un jardin tranquille au soleil, bien à eux, et sans nuire à personne.

Hélas! Si même leurs enfants se permettent de les montrer du doigt, qu'en sera-t-il des commères du village et de tout le canton? Ma sœur devra-t-elle renoncer à la direction de la chorale, et lui, à la pratique médicale dans les environs à cause des mauvaises langues, ces vipères à l'assaut de la moindre proie, ces sépulcres blanchis de l'Évangile? Doit-on refuser le paradis sur terre au nom de la respectabilité?

À mon grand plaisir, Flo a pris la bonne option et a finalement accepté la proposition de Vincent de partir en vacances avec lui dans la région de Québec. Ils verront bien, plus tard, à prendre une décision. Rien ne presse après tout!

J'ai aussitôt offert à ma sœur d'aller garder les jumelles dans la maison rouge durant son absence. Cela me permettrait, pour une fois, de décrocher du magasin pendant quelques jours. Et ça adonnait bien, car Olivier relevait justement de la coqueluche et devait s'absenter de l'école. Mais Florence a d'abord refusé mon offre avec obstination. La voisine pouvait superviser ses filles de loin, et les petites sauraient très bien s'organiser toutes seules. Finalement, à force d'insister, elle a fini par céder. Pas facile, ma sœur, quand elle a décidé de mettre quelqu'un au rancart! J'avais tant d'espoir que ce petit service de ma part nous rapprocherait, elle et moi... Peuh!

J'ai tout de même profité de mon séjour à Mandeville pour discuter avec les jumelles au sujet du veuvage de leur mère. J'ai bon espoir qu'elles se montrent désormais moins rébarbatives à la présence plus régulière et plus intime, dans leur vie, de celui qui les a mises au monde.

Désiré, lui, est venu en visite-surprise pour quelques jours de relâche. Il ne s'attendait pas à nous trouver là, Olivier et moi. En bon séminariste en apprentissage de la miséricorde et, je suppose, de la tolérance, il s'est gardé de commenter le départ de sa mère avec un homme marié.

Ce garçon me paraît de plus en plus bizarre. Je le sens tourmenté, songeur, ténébreux, alors qu'il devrait déborder d'enthousiasme pour sa nouvelle vocation et son engagement dans le sacerdoce. Au lieu de cela, il reste prostré dans son coin durant des heures. Il semble même porter, sur les choses et les gens, un regard fuyant et souvent vide de sens, au lieu de manifester une conscience sociale aiguisée, comme on pourrait s'attendre de la part d'un jeune séminariste. Je suppose que sa vie intérieure l'anime au point de l'isoler psychologiquement de son entourage. Je ne le vois pas autrement qu'en moine contemplatif, cet étrange fils d'Adhémar

Vachon! Tout le contraire de son père! Où donc est l'étudiant en philo joyeux et folâtre qui venait garder Olivier à la maison il n'y a pas si longtemps?

Au cours de cette fameuse semaine, seul Olivier a réussi à le ramener à la réalité à quelques reprises. Pendant de rares moments, nous avons reconnu le Désiré d'antan, et les deux cousins se sont retrouvés comme durant les années d'avant le séminaire: deux compères rieurs, le grand et le petit, débordants de vitalité et le regard rempli de malice. Deux ou trois fois, je les ai vus patiner sur le lac, puis partir ensemble tendre des pièges dans le boisé au flanc de la montagne.

Puisse mon neveu servir de modèle à Olivier et inculquer la stabilité, le sens de l'obéissance et de la docilité à ce fils déjà rebelle et indiscipliné qui commence sérieusement à me donner, parfois, des sueurs d'inquiétude.

Puisse, également, Florence trouver enfin le bonheur et redevenir ma sœur chérie d'autrefois.

Chapitre 43

Le garçon déposa la cafetière d'argent sur la table, puis s'inclina poliment.

«Tout semble à votre goût, madame?»

Bien sûr que tout s'avérait parfait! Comment eût-il pu en être autrement? Depuis quatre jours, Florence flottait et faisait office de Cendrillon transformée en souveraine dans un univers dont elle n'aurait jamais soupçonné l'existence. Vaisselle de porcelaine fine aux lustres de cristal, tapis de velours, fauteuils de brocart, foule élégante et raffinée, belles femmes couvertes de bijoux et de fourrures, et même cette musique vivante exécutée sur place par des musiciens en chair et en os, elle voguait sur un nuage.

Avec sa chevelure trop bouclée ramenée en chignon, son teint hâlé de paysanne, sa petite croix d'or héritée de sa grand-mère sur sa robe de rien du tout achetée au bazar de la paroisse l'an dernier, elle avait l'impression de détonner. Elle se sentait mal fagotée, rustaude, à part des autres. Le Château Frontenac de Québec ne lui convenait pas. Trop de luxe et d'ostentation. Et pourtant, elle ne pouvait s'empêcher d'apprécier chaque détail de cette richesse insolente et de ce bien-être, tout artificiel qu'il pût lui paraître. Elle comprenait Andréanne d'avoir naguère sacrifié sa vertu pour profiter de cette opulence. Pas elle! Pas Florence! Elle s'y trouvait mal à l'aise, avec le curieux sentiment de tricher. Là ne se trouvait pas sa place. Mais le regard de l'homme assis en face d'elle l'apaisait et la transformait en femme du monde belle et irrésistible, la princesse des mille et une nuits qu'elle n'avait jamais été. Et le prince se montrait si charmant...

« Vincent, je dois rêver !

— Cet univers ne me convient pas plus qu'à toi, Florence. N'oublie pas mon choix de demeurer, toute ma vie, un simple médecin de campagne. L'important, c'est de nous trouver ensemble, ici ou ailleurs. »

Sur la nappe de percale blanche, la main du géant caressait doucement la sienne, frémissante. Elle se contentait de lui sourire en silence. Bien plus que l'environnement, c'était cet homme, et lui seul, qui attirait son attention. Que de bonté, de gentillesse envers elle ! Elle n'avait pas été habituée à cela. Jamais on n'avait pris soin d'elle, jamais on ne s'était préoccupé d'elle à ce point. Grâce à lui, elle se sentait importante, séduisante même ! Au-delà de son seul et unique rôle de mère, elle devenait une femme. Une vraie femme désirable et désirée. Une femme adorée...

Depuis leur départ pour Québec, dix fois par jour elle devait se pincer pour s'assurer de ne pas rêver, pour ne pas se réveiller avec une marmaille affamée autour d'elle et un mari en état d'ébriété en train de battre son fils dans la cabane derrière la maison. Non, elle ne rêvait pas. Les nuits hantées par le souci du lendemain ne reviendraient plus. Dieu avait eu pitié d'elle : Adhémar Vachon avait débarrassé le plancher, les enfants commençaient à voler de leurs propres ailes. Depuis que Désiré écoulait ses jours au séminaire, elle se sentait soulagée. Elle s'était inquiétée pour rien, le problème de pédophilie tant appréhendé s'était résorbé de lui-même. Si jamais problème il y avait eu. Quoique...

Les doigts de Vincent glissaient sur sa paume glacée. On aurait dit qu'ils dessinaient des cœurs au creux de sa main. Si seulement cet homme n'était pas marié! Que faisait-elle là, dans ce lieu grandiose, avec l'époux d'une autre femme? Si merveilleux fût-il, cela n'excusait en rien le rôle de maîtresse qu'elle jouait bel et bien auprès de lui. Elle avait toujours blâmé le comportement de sa sœur, autrefois, et voilà qu'elle se trouvait en train de jouer le même jeu.

À la différence qu'elle aimait cet homme intensément et depuis toujours, alors que sa sœur n'avait rien éprouvé pour aucun de ses amants. Cet amour pour Vincent pouvait excuser bien des dérogations. Avec lui, elle rattrapait le temps perdu. Non pour les gâteries, le confort, ce voyage qu'il lui offrait, mais pour le respect qu'on ne lui avait jamais manifesté, pour la tendresse, l'écoute, la complicité. Et aussi pour contrer l'abandon dans lequel elle avait vécu, la détresse silencieuse, la solitude étouffante, tout cela à jamais rompu et dont le beau docteur était en train de la dégager. Si cet amour nouvellement émergé comportait une dimension sensuelle et même sexuelle, il avait d'abord pris naissance au fond des cœurs, par une amitié profonde et un attachement qui duraient depuis plus de vingt ans.

Après le décès d'Adhémar, il avait été question de déménager la famille à Montréal, à la grande joie des jumelles. Mais Florence avait finalement remis ce projet à plus tard. Elle avait toujours vécu dans la nature, et affronter la ville ne lui disait rien qui vaille malgré la présence d'Andréanne qui n'aurait pas demandé mieux que de voir débarquer les Vachon à quelques rues de son domicile. Mais l'offre de Vincent de lui vendre la maison rouge pour la somme symbolique de un dollar avait confirmé sa décision de rester à Mandeville, d'autant plus que le prix des logis dans la grande ville avait monté en flèche ces derniers temps. Non, Florence Coulombe finirait paisiblement ses vieux jours à la campagne, au pays de ses ancêtres, le seul qu'elle eût connu.

Elle disposait de peu de revenus à part l'allocation des jumelles, encore à la maison et à charge. Le curé lui glissait toujours, de temps à autre, une enveloppe bien garnie. Les cours de solfège et de piano en milieu scolaire s'avéraient une bénédiction du ciel pour arrondir les semaines, mais le cachet de directrice de la chorale ne lui rapportait à peu près rien. Les montants recueillis lors des concerts organisés ici et là étaient aussitôt réinvestis dans l'achat de partitions, la location de salles et le transport des chanteurs.

La proximité de son ami Vincent avait aussi interféré dans sa décision. Dès le lendemain des funérailles d'Adhémar, le médecin s'était montré plus assidu et plus empressé. Plus tendre aussi. Bien sûr, Florence n'avait pas prévu la reprise de son unique déclaration d'amour de jadis, tombée peu à peu dans l'oubli et effacée au fil des années par un sens moral trop aigu. Longtemps, elle avait rêvé de lui, mille fois elle l'avait attendu à travers le rideau de sa fenêtre. Puis elle s'était faite à l'idée : une relation amoureuse avec le docteur Chevrier ne pourrait jamais éclore au soleil. Mieux valait cultiver une belle amitié sincère qu'un amour occulte à moitié consommé.

Ce qui s'était passé lors de la soirée au champagne l'avait troublée et déstabilisée. Elle ne savait plus où elle en était. Et ce soir, dans la salle à dîner du Château, elle aurait dû nager en pleine euphorie. D'où lui venaient donc ce flottement, ces pincements au cœur?

« Je te trouve silencieuse, Florence, tout à coup.

— Je songe à ce qu'est devenue ma vie depuis quelques mois. Une masse informe et confuse d'indécisions et de toutes sortes de sentiments imprécis. Une cacophonie en mode majeur...

— Et moi, là-dedans? Existe-t-il une place pour ton docteur préféré?

— Toi, Vincent? Tu as de plus en plus la première

place! Et ça me fait peur, espèce de vieux sacripant d'amour!»

Ils pouffèrent de rire et se levèrent d'un seul trait, sans se concerter. «Belle façon d'évincer le sujet!» songea Florence.

«Dis donc, si on allait marcher sur la terrasse Dufferin? Il fait un temps superbe! À moins que tu ne préfères aller danser le swing et le fox-trot dans la salle de bal d'à côté?

— Oh! mon Dieu, non! Je te ferais perdre pied dès le premier cinq minutes!»

Il tombait une neige douce et fondante et, sous la lueur des réverbères, les flocons allumaient des paillettes sur le visage resplendissant de Florence. Resserrés l'un contre l'autre, les amoureux s'appuyèrent sur la rampe, au-dessus du précipice. De l'autre côté du fleuve, Lévis brillait de tous ses feux.

«Tu es la plus belle des grands-mères!

— Attends! Je ne deviendrai grand-mère qu'en septembre prochain!

— Que dirais-tu d'adopter à nouveau le statut de femme mariée avant celui de grand-mère?

— Quoi?

— Je rêve d'épouser une grand-mère, moi! Florence, accepterais-tu de devenir ma femme? J'ai déjà entrepris des démarches pour divorcer. Bien sûr, l'Église catholique refuserait de nous marier, mais on pourrait aller au civil.

— Je ne sais pas quoi te répondre, tu me prends tellement au dépourvu! Je ne doute pas de mon amour pour toi, mais...

— Mais quoi? Crains-tu que je ne puisse pas te rendre heureuse?

— Là n'est pas la question. Mais il y a ma famille, mes obligations... J'ai l'impression d'avoir les pieds coulés dans le béton! Laisse-moi au moins y réfléchir.

— Pas trop longtemps, "ma toi", pas trop long-temps! Je dépasse la cinquantaine, ne l'oublie pas. Dans quelques années, je prendrai ma retraite. Je ne veux plus rester seul, je n'en peux plus, et je ressens un besoin aigu de changement. J'y ai bien droit, je pense. J'avais songé à partir, je ne sais où. Partir au loin, très loin. Aller découvrir l'Europe et peut-être y rester, que sais-je... Mais maintenant que te voilà libre, cela change tout!

— Si tu partais, Vincent, je ne pourrais pas y sur-vivre. Et l'idée de te perdre me rend dingue. Mais j'ai des enfants, tu comprends?

— Nicole est casée, Isabelle possède un amoureux sérieux et n'habite même plus à Mandeville. Désiré écoule sa vie au séminaire. Restent tes jumelles. À seize ans, elles manifestent déjà une certaine autonomie. Je suis bien prêt à les adopter en attendant leur départ, moi!

— Que penseront tes patients? Et les gens de ma chorale? Et nos parents et nos amis? Un couple accoté... ou marié civilement, c'est du pareil au même pour la bonne société du Québec plus catholique que le pape!

— Ceux qui n'ont pas assez d'empathie pour comprendre et respecter notre choix n'auront qu'à aller au diable! Je pratique la médecine depuis trente ans dans cette région. Je n'ai jamais calculé mes heures ni mesuré ma disponibilité. Ils n'auront qu'à se chercher un autre médecin, ceux-là qui me jugeront. Bonne chance pour en trouver un aussi zélé et bienveillant que moi! Au pire, c'est ensemble qu'on apprivoiserait l'Europe. J'ai de l'argent de côté pour la retraite, tu n'aurais pas à te tracasser.

— Penses-tu vraiment que c'est cela qui m'in-quiète? Je t'en prie, Vincent, ne me parle pas d'argent dans un moment pareil. Tu sais bien que l'argent et moi, ça n'a jamais fait bon ménage!

— Justement, tu mérites mieux! Je prendrai soin de toi, ma "petite toi", je te couvrirai d'amour... et d'or!

— Oh! tais-toi, mon amour... »

Florence ferma les yeux. Cendrillon ne s'était-elle pas retrouvée en haillons sur le coup de minuit? Pourquoi ces larmes, ce soudain désarroi?

«Sois patient, Vincent. Donne-moi un peu de temps pour me ressaisir. Le changement me fait peur, j'ai croupi dans le même cloaque pendant si longtemps, à croire que je n'en sortirais jamais! Et voilà que tout à coup tu veux me transformer en princesse, à l'instar d'Adhémar. Je n'en possédais que le titre, crois-moi! Tout cela me déroute! Quant à mes enfants, je ne peux pas négliger leur opinion. Songe qu'ils se sont hérissés à la simple idée de ce séjour à Québec en ta compagnie. Mais ce sont eux qui m'ont gardée en vie jusqu'ici, et il m'est impossible de les balayer du revers de la main, bêtement et simplement. Je suis mère avant tout, Vincent.

— Oui, je comprends... Je vais t'attendre, Florence, aussi longtemps que tu voudras. Parce que je t'aime.»

Ils reprirent, enlacés, le chemin du Château, et leurs traces dessinèrent sur la neige un pas de deux, sur une double ligne parallèle sans cesse ponctuée de points d'arrêt dans une ronde de fougueux baisers.

Cette nuit-là, Florence rompit la barrière du silence au sujet de Désiré malgré sa crainte folle de voir Vincent réagir comme l'avait fait son frère Alexandre. D'une voix chevrotante et entrecoupée de sanglots, elle lui divulgua son terrible secret. Les confidences jaillirent en un flot qui emporta tout sur son passage: la consternation, la rage, la peur, les sentiments de culpabilité et, surtout, surtout, une grande part de déni, ce leurre générateur de faux espoir auquel elle s'accrochait désespérément quand l'évidence manquait de l'étouffer. Désiré ne pouvait être un pédophile, tout cela était le fruit de son imagination. Et Adhémar, dans ses méchantes allégations, la veille de sa mort, s'était royalement trompé!

Après l'avoir écoutée, Vincent se montra d'abord horrifié, à l'instar d'Alexandre, et cette attitude alarmiste affola Florence. Il s'agissait donc d'un problème grave, aussi grave qu'elle se l'imaginait. Le médecin avait exigé d'elle de tirer les choses au clair, de toute urgence.

«Même après tout ce temps?

— Même après tout ce temps! Surtout si Adhémar t'a laissé entendre que cela se produit encore. La vérité existe en dehors de toi, Florence, que tu la connaisses ou non. Et pour trouver des remèdes, il faut envisager le problème de front. Si ton fils est un pédophile, tu dois le savoir malgré toute l'horreur de la vérité. Et tu as le devoir de réagir.

— Tu oublies qu'il a maintenant vingt et un an!

— Justement, il doit se faire soigner, suivre une thérapie! Pense au danger couru par les enfants autour de lui!»

Protéger les enfants, elle n'avait fait que cela ces dernières années. Jamais Désiré ne s'était trouvé seul à seul avec Olivier. Elle y avait vu personnellement, même au détriment de sa relation avec sa sœur. Mais les autres enfants, les inconnus, les étrangers, elle n'y avait pas vraiment songé. Quels enfants d'ailleurs? Désiré vivait à plein-temps au collège. Bien sûr, il avait écoulé ses étés au camp de loisirs Orelda, employé comme moniteur. Mais personne ne s'était jamais plaint de lui. D'un autre côté, la perspective de la naissance d'un petit-fils ou d'une petite-fille ramenait ses appréhensions à la surface. Olivier avait peut-être grandi et pouvait maintenant résister et se défendre, mais qui sait si, avec un autre petit, Désiré ne se remettrait pas, dans quelques années, à peindre de nouveau la maison rouge, grimpé sur le premier barreau d'une échelle...

Vincent ne mit pas de temps à réaliser le profond désarroi de Florence. Elle sanglotait dans ses bras. De là provenaient ses crises de colite ulcéreuse. De toute évidence, elle évacuait inconsciemment ses craintes et ses pressentiments dans un cabinet de toilette.

En pressant plus intensément sur son cœur la femme brisée qui tremblait de tous ses membres, il eut le désagréable sentiment qu'une nouvelle responsabilité lui incombait : non seulement celle de l'amoureux dont la bien-aimée se trouvait en grave difficulté, mais aussi celle du médecin – et même celle de l'honnête citoyen – face à un danger menaçant pour les enfants.

Au cours de la nuit, il se releva, incapable de dormir, et jeta un coup d'œil par la fenêtre. Une neige ouatée enjolivait chacun des éléments du paysage et lui conférait un aspect féerique et irréel. La beauté à l'état pur... Trop de beauté! Et trop de pureté...

Il se demanda si son beau projet de vie avec Florence ne fondrait pas comme cette neige aux premiers rayons du soleil le lendemain matin.

Chapitre 44

À peine quelques jours après son retour de Québec, Florence reçut un appel téléphonique qui la plongea dans la stupeur.

« Madame Florence Vachon? Êtes-vous bien la mère de Désiré Vachon, né le premier août 1933, étudiant au Grand Séminaire de Montréal, et dont l'adresse permanente se trouve sur le rang du lac Mandeville, dans la paroisse de Saint-Charles-de-Mandeville?

— Oui, oui, il s'agit bien de mon fils. Que se passe-t-il?

— Veuillez, s'il vous plaît, vous présenter au service d'urgence de l'hôpital Notre-Dame de Montréal, rue Sherbrooke. Votre fils a eu un accident.

— Un accident? Mon Dieu! Est-ce grave?

— Il semble hors de danger maintenant, mais il serait préférable de venir le plus vite possible.

— Que lui est-il arrivé?

— Euh... Nous en reparlerons quand vous serez sur place. Dès votre arrivée, demandez à me rencontrer, je suis le docteur Réal Beaulieu, affecté aux soins intensifs. »

Aux soins intensifs! Florence mit un certain temps à rassembler ses esprits. Seule dans la maison, elle se mit à tourner en rond, incapable de s'organiser. Elle essaya en vain de rejoindre Isabelle ou Nicole, mais n'obtint aucune réponse. Les jumelles se trouvaient à l'école pour le reste de la journée. Avant de prendre le train pour Montréal, elle rédigea un petit mot à leur intention et le plaça bien en vue sur le coin de la table afin qu'elles ne s'inquiètent pas, ni de leur mère ni de leur frère.

Soudain, elle songea à Vincent. À cette heure-ci, avec un peu de chance, elle le trouverait encore à son bureau. Lui saurait communiquer avec l'hôpital et poser les bonnes questions. Au moins, il pourrait obtenir des explications précises pour la tranquilliser avant son départ. Il répondit avec empressement.

«Ne bouge pas! Je communique immédiatement avec ce docteur Beaulieu et je te rappelle aussitôt.»

Elle resta rivée à l'appareil qui s'obstinait à ne pas sonner. Une demi-heure plus tard, Vincent frappait à la porte sans l'avoir rappelée. À sa mine défaite et à l'amplitude du pli qui lui barrait le front, elle sut tout de suite qu'il se passait quelque chose de grave.

«Habille-toi, Florence, je t'accompagne à Montréal.

— Ah! Vincent, tu m'effrayes! J'ai peur tout à coup... Désiré est mort, n'est-ce pas?»

Elle se mit à trembler et à se tordre les mains, prête à s'écrouler.

«Non, il vit encore. Il est sauvé, je crois. Mais... je crains que ton fils n'ait voulu mourir, Florence...»

Dès son arrivée dans les corridors de l'hôpital, elle pensa suffoquer, saisie par les odeurs d'éther et de désinfectants mêlées à celle des parquets encaustiqués, ces odeurs porteuses de souvenirs qu'elle tentait d'enfouir chaque jour à grand-peine au fond de l'oubli. Les odeurs de sa dernière hospitalisation et des raisons qui l'avaient provoquée. Elle s'agrippa au bras de Vincent et se sentit soudain plus solide, plus rassurée. Peu importe ce qu'elle apprendrait dans quelques instants, Vincent se trouverait auprès d'elle pour la soutenir et la réconforter. Pour une des rares fois de sa vie, un ange gardien lui donnait la main.

Pourtant, quand elle découvrit Désiré gisant sur son lit, le teint blafard et les yeux cernés, les poignets enveloppés de langes blancs et un énorme pansement posé sur sa gorge, elle se sentit défaillir et manqua de s'écraser sur le plancher. Tentative de suicide. Son fils avait tenté de s'enlever la vie à l'aide d'un canif.

« Mon petit, mon tout-petit... Pourquoi ? Dis-moi pourquoi ? »

Le malade se contenta de battre des paupières et de détourner la tête. Des larmes roulaient sur ses joues d'une pâleur cadavérique. Mais rien d'autre que le goutte-à-goutte incessant du sang, entre la bouteille suspendue au-dessus du lit et la veine du bras immobile, ne vint meubler le silence entrecoupé par les sanglots convulsifs de la mère.

***

Désiré mit des semaines à se remettre physiquement. Florence n'eut pas le choix de séjourner chez sa sœur les premiers temps de son hospitalisation. Tous les après-midi, elle cheminait à pied jusqu'à l'hôpital, un sac de biscuits au beurre ou des carrés de sucre à la crème à la main. Comme si des sucreries allaient suffire à guérir les blessures de l'âme mille fois plus horribles que les coupures de la gorge et des poignets ! Illusions, foutaises que cela ! Comme si de lui cuisiner des friandises ou de lui tricoter des chaussettes allait changer quoi que ce soit à leur souffrance, ce désespoir du jeune homme, marqué au sceau du tragique, et la douleur de sa mère, aux allures d'un anéantissement total.

Existait-il un baume pour les sentiments de culpabilité des mères ? Pour celles qui avaient imposé à leur fils innocent un père inadéquat ? Pour celles qui n'avaient pas su compenser, remplacer, pondérer ? Pour celles qui s'étaient réfugiées dans le silence ? Existait-il une consolation, un calmant? À tout le moins une absolution? Un espoir?

Chaque jour, Florence avait envie de s'agenouiller devant Désiré pour lui demander pardon. Pardon pour ne pas avoir été à la hauteur, pour s'être laissé dépasser, surclasser par la méchanceté de l'ivrogne. Pardon pour ne pas être intervenue quand elle l'avait vu, il y avait six ans, se pencher vicieusement sur un petit garçon. Pardon pour n'avoir pas su comment réagir. Pardon pour n'avoir rien fait pour l'aider.

«Pardon, mon fils, suppliait-elle intérieurement. Tout est de ma faute. Je n'aurais pas dû! Te donner la vie m'a coûté si cher, si cher... Tu n'as pas le droit de détruire cette vie précieuse entre toutes. J'en ai payé le prix à chaque minute de mon existence auprès d'Adhémar Vachon, le comprendras-tu jamais? J'ai tout donné pour sauver ta vie: ma jeunesse et ma liberté, ma profession, mes chances de bonheur avec un homme intègre qui m'aurait véritablement aimée. Et, au fil des années, j'ai cru t'aimer assez. Je n'ai fait que cela, mon fils: t'aimer... et supporter mon méprisable mari! D'où t'est venue l'urgence de le rejoindre aux enfers? Depuis qu'il t'a débarrassé, depuis qu'il nous a tous débarrassés, n'as-tu pas senti un vent de fraîcheur et de liberté souffler sur nos jours? Une brise légère pour chasser les nuages qui nous empêchaient tous de voir le soleil? Pourquoi partir de cette manière sauvage et cruelle sans m'avertir? Sans me supplier de te retenir? Sans me tendre les bras, tes bras d'enfant, Désiré, tes bras de petit garçon, du petit garçon que tu es encore à mes yeux? Ne sais-tu pas que je t'aime, mon fils? Pourquoi ne pas m'avoir appelée à ton secours?»

Mais, au chevet de Désiré, Florence ne disait rien. Ces mots mille fois ravalés restaient prisonniers au fond de sa gorge et finissaient par s'enfoncer en elle jusqu'au creux de ses entrailles pour lui tordre les boyaux et lui donner mal au ventre. Combien de fois avait-elle traversé le parc Lafontaine en courant pour s'acheminer à la hâte dans la première toilette du premier corridor de la première entrée de l'hôpital? Diarrhées et coliques, saignements, le mal l'avait reprise de plus belle et lui menait la vie dure.

De son côté, le fils demeurait prostré, plongé lui aussi dans un mutisme farouche, le regard fixé sur la fenêtre. On aurait dit un oiseau enfermé dans une cage guettant le moment où s'ouvrirait la porte pour filer à grands coups d'ailes. Mais Florence, morte de peur, refusait de voir son fils s'envoler de nouveau. Pour aller où? Vers quel nid, quel refuge? L'ombre de la mort n'aguicherait-elle pas encore cet enfant perdu, au détour d'un chemin? Elle aurait voulu l'attacher, le tenir prisonnier de ses bras, de sa présence, de sa vigilance, pour éviter qu'il ne renouvelle son geste terrible.

«Tu ne vas pas recommencer, dis, tu ne vas pas recommencer?»

Désiré refusait de répondre et restait muet, enfoncé dans sa torpeur. Parfois, elle s'imaginait le voir osciller la tête de gauche à droite, légèrement, de façon à peine perceptible. Mais à la longue, à bien y penser, elle devait admettre que, non seulement Désiré ne lui répondait pas, mais il ne l'écoutait même pas! Enfermé dans sa bulle, il semblait habiter un univers connu de lui seul et auquel elle n'avait pas accès. Elle frémissait en songeant qu'il pouvait s'agir de l'antichambre de la folie, peut-être même celle de la mort. Elle prenait alors la main inerte dans la sienne et la caressait doucement, humblement, bien consciente que l'amour d'une mère ne suffit pas à cicatriser des blessures funestement infectées.

Elle ignorait combien de temps elle tiendrait encore, à ce rythme, mais elle se gardait bien de manifester son épuisement devant Vincent. Le médecin amoureux n'était pas dupe cependant et, de son bureau, il téléphonait chaque jour à Andréanne pour avoir des nouvelles «fraîches et franches» de la femme qu'il aimait. Elle lui répondait honnêtement et décrivait la mine déconfite de sa sœur, son manque d'appétit, ses visites interminables à la salle de bain au retour de l'hôpital, le sang resté dans la cuvette, le jour où elle avait oublié de tirer la chasse. Sans oublier de souligner le mutisme insupportable de Désiré.

Un soir, Vincent, accompagné des quatre filles de Florence, se pointa chez Andréanne. Nicole prit sa mère par les épaules et l'obligea à s'asseoir. Florence flaira immédiatement la conspiration.

«On est venues te chercher, maman. Tu es en train de te faire mourir. Un malade dans la famille, ça suffit, tu ne penses pas? Désiré va s'en remettre, tu vas voir. On est là, nous! Tante Andréanne, Isabelle et moi irons le visiter à l'hôpital à tour de rôle, chaque jour. Toi, tu pourras venir de temps à autre avec Vincent. Les jumelles en ont assez d'habiter chez les voisins, elles ont besoin de leur mère. Et avant longtemps notre frère va rentrer à la maison, et tu pourras le soigner toi-même. Il aura besoin d'une mère en pleine forme. Pour le moment, il se trouve en de bonnes mains avec les infirmières et les médecins, tu n'as rien à craindre. Nous insistons tous: tu dois revenir à Mandeville pour te reposer.»

En prononçant ces derniers mots, elle bigla du côté de Vincent. Évidemment, le médecin faisait partie de ce «tous». Un nouveau clan venait de naître et, l'espace d'une seconde, un rayon de lumière passa comme un éclair dans l'esprit de Florence: ses filles, toujours opposées à une idylle amoureuse entre leur mère et le docteur, venaient tout à coup de se rallier à lui.

Mais elle secoua la tête en signe de refus. Jamais elle n'abandonnerait son fils. Pas avant qu'il ne montre de meilleures dispositions. Pas avant d'être certaine qu'il reprenait goût à la vie. Vincent s'approcha.

«J'ai une proposition: Désiré sera transféré dès demain matin dans l'aile psychiatrique de l'hôpital. J'en ai eu la confirmation cet après-midi. Crois-moi, j'ai dû insister personnellement et faire pression pour lui obtenir cette thérapie malgré lui, car le coquin refusait obstinément.

— Quoi? Mon fils en psychiatrie? Mais il n'est pas fou, voyons! Qu'est-ce que c'est que cette histoire?

— Ton fils, Florence, a largement besoin d'aide psychologique après ce qui s'est passé. Et surtout pour les raisons qui ont provoqué ce qui s'est passé... Admets-le, au moins!»

De toute évidence, Vincent faisait référence aux confidences de Florence lors de leur voyage à Québec, mais il se gardait bien d'en parler devant les autres. Le ton était cependant impérieux et le regard, autoritaire.

«Il sera vu par un psychanalyste qui l'aidera à voir clair en lui et à se libérer de son mal de vivre. À régler ses problèmes, en autant qu'il veuille bien collaborer. Ensuite, et ensuite seulement, tu pourras t'occuper de lui, le couver et le minoucher à ta guise. Il s'agit d'une question de semaines après tout! Rien ne sert de te laisser mourir ici. En attendant, tu devrais retourner à Mandeville auprès de tes enfants et reprendre ton travail. Va te reposer et te calmer les nerfs, Florence, tu en as rudement besoin! Nous, on s'occupera du reste. N'est-ce pas que j'ai raison, Andréanne?»

Andréanne vint s'asseoir sur le côté du fauteuil et passa son bras autour des épaules de sa sœur. À ce rapprochement inusité, Florence se sentit frissonner.

«Tu sais, ma Flo, tu peux rester ici aussi longtemps que tu veux. Mais je te vois dépérir à vue d'œil. Prends un peu de recul et va récupérer à l'air de la campagne. Nous avons tous besoin de toi, tu sais! Je vais aller le visiter, moi, ton fils! Et tous les soirs si tu veux! Et, de temps à autre, je vais lui amener Olivier, ça va lui remonter le moral.»

Florence baissa silencieusement la tête. Pauvre Andréanne, si elle savait ce que Désiré avait fait à son fils, quelques années auparavant, elle ne tiendrait pas ce discours généreux! Et, pire, si elle savait quel indice effroyable elle-même avait découvert dans la maison rouge, après son retour de Québec... Adhémar avait sans doute eu raison : ces gestes, ces actes innommables semblaient se poursuivre encore, elle en détenait maintenant la preuve. Il n'existait plus de place pour le doute dorénavant. Qui aurait pu deviner la certitude affreuse qui venait de s'installer dans son esprit? Désiré n'avait pas tenté de se suicider pour rien! Le dégoût de soi-même peut certainement mener loin au-dessus du précipice...

Le fils haussa les épaules quand sa mère lui expliqua pourquoi elle acceptait la suggestion de la famille et espacerait ses visites à une ou deux fois durant la semaine.

«Marie-Hélène et Marie-Claire sont trop jeunes pour demeurer seules aussi longtemps. Je dois retourner à Mandeville, tu comprends, Désiré? Mais ne t'en fais pas, je viendrai aussi souvent que possible.»

On se dépêcha de rassembler les bagages de Florence avant qu'elle ne change d'idée, et tous s'entassèrent dans la voiture de Vincent pour rentrer le soir même à Mandeville. Seule la soudaine complicité du médecin et de ses filles consola quelque peu Florence. Allons! À quelque chose malheur est bon. Une petite lumière brillait à l'horizon, malgré tout. Le charisme et la gentillesse de Vincent finiraient bien par amadouer les plus réticentes à leur union. La confiance qu'il pourrait bientôt prendre une place officielle au sein de la famille sans trop de protestations venait de naître.

Ce soir-là, Florence dut se contenter, à la face de tout le monde, d'un amical baiser de son amant sur la joue. Elle aurait pourtant donné n'importe quoi pour s'endormir entre les bras de celui qui venait de prendre son lourd secret sur ses propres épaules. Le clin d'œil de l'homme, à la dérobée, au moment de la quitter, lui valut cependant tous les discours et tous les gestes d'amour, et acheva de la réconforter.

C'est donc en soupirant d'un nouvel espoir qu'elle franchit la porte de la maison rouge. Pour la première fois depuis des années, elle ne se sentait plus seule.

Chapitre 45

À la fin de sa thérapie comme patient interne, deux mois après sa tentative de suicide, Désiré annonça, au grand ébahissement de sa mère, qu'il ne rctourncrait pas au Grand Séminaire.

Quand il vint finalement se réinstaller à Mandeville pour la suite de sa convalescence, il n'était plus que l'ombre de lui-même. Peu loquace, il jonglait pendant des heures en se berçant devant la fenêtre, impassible, l'œil rivé sur le paysage. Florence le voyait parfois serrer les poings ou plisser le front, les joues enflammées, sans broncher. Folle d'énervement, elle ne savait où donner de la tête pour le sortir de son mutisme. Elle allait, venait, ouvrait la radio, la refermait, chantonnait, bavardait, commentait les dernières nouvelles. Comme si son avis sur les chansons à la mode ou d'interminables critiques sur les aléas de la température allaient changer quelque chose au moral de son fils! Elle n'en finissait plus de lui offrir une tasse d'eau chaude, un gilet pour couvrir ses épaules, une menthe pour faciliter la digestion. Mais rien ne semblait intéresser Désiré. À ces empressements zélés, il réagissait évasivement ou se contentait de pousser de bruyants soupirs d'agacement.

Elle n'en pouvait plus de l'observer sous le manteau, obsédée par la peur de le voir de nouveau attenter à sa vie. S'il fallait!... La nuit, quand elle l'entendait se lever et se diriger vers la cuisine, elle s'arrêtait littéralement de respirer. Pourquoi fouillait-il dans un tiroir? Cherchait-il un couteau? Et l'autre soir, quand il était sorti à l'extérieur par un froid sibérien, avait-il eu l'intention de se lancer sur la mince couche de glace du lac? Et pourquoi, cette autre fois, était-il descendu à la cave à trois heures du matin? Y avait-il caché une fiole de poison ou une corde pour se pendre? Et sa pédophilie, en était-il guéri définitivement après toutes ces semaines de traitement?

Florence sentait qu'elle allait perdre les pédales. Un jour, n'y tenant plus, elle éclata et se jeta spontanément dans ses bras.

«Dis-moi, dis-moi, Désiré, mon fils, mon amour, mon petit garçon, tu ne vas pas recommencer, dis? Tu ne vas pas essayer de te suicider encore? Parce que j'en mourrais, tu sais, ah oui, j'en mourrais!

— Mais non, maman. C'est fini tout ça. Je n'y pense même plus. J'ai réglé ce problème avec mon psychiatre. Tu t'en fais pour rien!

— Jure-le-moi!

— Je te le jure.»

Florence pleura amèrement, blottie pour la première fois de sa vie contre son fils, la tête appuyée dans son cou comme une petite fille inconsolable. «Mon fils...» Ce cou puissant, ces épaules carrées, charnues, solides, cette poitrine masculine, douce et chaude... Vivante! Non, il n'avait pas le droit de détruire cela. Dérouté, le jeune homme demeurait raide et muet, sans riposte pour la rassurer davantage. Ce débordement eut tout de même l'heur d'apaiser Florence. Elle poursuivit son interrogatoire. Le temps était venu, de toute nécessité, de vider la question et d'aller au fond des choses. Pour une fois, une seule fois. Elle ne pouvait plus reculer, il y allait de sa propre survie mentale.

«Explique-moi pourquoi, alors, tu ne retourneras pas au Grand Séminaire.

— Parce qu'on m'a mis à la porte, maman. Ce n'est pas le genre de choses dont on aime se vanter...

— C'est à cause de ta tentative de suicide? Ils ne connaissent donc pas le pardon, tes curés beaux parleurs? Et ils n'ont jamais entendu parler de la deuxième chance?

— Là n'est pas la question. On m'avait déjà renvoyé quelques jours avant ma décision d'en finir avec la vie.

— Je ne comprends pas.

— On s'est aperçu que je n'avais pas la vocation, voilà tout!

— Il a bien dû se produire quelque chose, un événement, je ne sais pas, moi. Il y a à peine quelques mois, aux funérailles de ton père, tu parlais avec entrain de la prêtrise devant tout le monde. Tu semblais avoir trouvé ta voie. Et voilà que brusquement, sans crier gare, tout tombe à l'eau.

— Je t'en prie, maman. Le Saint-Esprit m'a joué un vilain tour. Aussi simple que ça!

— Tu n'as plus la vocation?

— Je me suis trompé, voilà tout! J'ai bien le droit, non? Cesse donc de me poser tes sempiternelles questions! Je n'ai plus envie d'en parler! »

Elle lui avait tendu la perche et il ne l'avait pas saisie. Elle décida de jouer le tout pour le tout. L'heure de la vérité avait sonné, le point du non-retour. Elle avait trop souffert durant ces dernières années, elle se devait à elle-même d'élucider cette affaire, une fois pour toutes. Elle ne lâcherait pas prise tant que les cartes de son fils ne seraient pas toutes étalées sur la table, au grand jour. Toutes! Désiré devrait passer aux aveux, définir son plan, avouer ses bêtises, déterminer ses solutions, si elles existaient. À tout le moins interrompre les suspicions de sa mère, ses doutes morbides, sa méfiance, le guet inconditionnel et l'éloignement volontaire avec Andréanne et son fils, les tourments sans fin, le supplice de l'incertitude. Mettre un terme aux appréhensions qui l'empêchaient de dormir et la rendaient malade. Fini le silence! Elle n'en pouvait plus et voulait connaître la vérité, toute la vérité, aussi effroyable dût-elle s'avérer. S'ils avaient encore un bout de chemin à vivre l'un auprès de l'autre, Florence et Désiré Vachon devraient vivre à ciel ouvert. Et, enfin, jouer franc-jeu.

Elle s'en fut dans le tiroir de la commode quérir le fameux objet devenu une obsession dans son esprit. La preuve... Elle s'empressa de le brandir à bout de bras, tout près du visage du jeune homme. Il s'agissait d'une paire de caleçons d'enfant, de format dix ans.

«Est-ce à cause de cela que tu as voulu mourir, Désiré?»

De Québec, elle avait rapporté la ferme résolution de tirer les choses au clair. Au prochain congé de Désiré, elle allait lui parler calmement, en tête-à-tête, et lui poser des questions précises. Ils en riraient ensemble, sans doute, un peu gênés tous les deux. Et ce rire mettrait un terme à cette histoire d'horreur basée sur une vague impression et davantage le fruit de l'imagination débordante d'une mère plutôt que du comportement malsain du fils.

Mais les choses avaient tourné autrement. La tentative de suicide de Désiré avait perturbé ses plans et ramené les pires doutes à la surface. Elle ne s'attendait pas à découvrir une amorce de vérité en passant la vadrouille sous le lit de Désiré. Elle n'avait pas mis longtemps à deviner à qui le sous-vêtement de garçon appartenait. Durant son séjour dans la capitale, Andréanne et son fils étaient venus passer quelques jours à Mandeville, histoire de s'occuper des jumelles. Par hasard, Désiré s'était trouvé en congé pour quelques jours, lui aussi, de façon imprévue. Et Florence n'était pas là pour exercer sa surveillance. De là à tirer certaines conclusions, il n'y avait qu'un pas.

Elle s'était emparée du sous-vêtement et l'avait

longuement retourné entre ses mains, le cœur serré.
Pour quelle raison se trouvait-il là? Olivier avait-il
dormi seul dans le lit de son oncle? Ou avait-il fait une
sieste avec lui, à l'insu d'Andréanne? On n'enlève pas
sa petite culotte pour faire une sieste. Ce vêtement
faisait-il réellement partie de la vérité?

En l'agitant sous le nez de Désiré, et devant sa
réaction de panique, elle comprit que, durant toutes
ces années, son intuition féminine ne l'avait jamais
trompée. Le monstre entrevu dans ses fantasmes existait réellement. Pris au piège, Désiré tomba par terre,
le visage entre ses mains.

«Oui, maman, tu as tout deviné. Je suis une
ordure...»

Elle eut envie de le frapper, de le rouer de coups de
pied en crachant dessus, de le mordre avec l'intensité de
la douleur qui l'aveuglait et décuplait ses forces. Mais
l'effondrement, la vulnérabilité soudaine du jeune
homme ramassé là sur le plancher de la cuisine,
démuni, abattu, désespéré, les spasmes qui le tordaient
et, surtout, le regard désespéré qu'il lança sur elle
l'arrêtèrent net dans son élan. Elle y vit tant de détresse,
tant de désarroi, le bout de la souffrance, le fond du
baril. Le monstre lui faisait pitié, tout à coup, avec ses
poignets et son cou couverts de cicatrices. Des gifles, il
en avait reçu durant toute sa vie. Allait-elle prendre la
relève et le battre, elle aussi, avec haine et dégoût? Elle,
la dernière personne au monde susceptible de le
détester? En le frappant, elle le détruirait encore
davantage, sinon physiquement, du moins moralement.
Déjà qu'il se remettait durement d'une tentative de
suicide... Il ne resterait plus rien, alors, à Désiré Vachon
pour s'accrocher à la vie. Plus d'amour maternel
inconditionnel. Plus de lumière, plus de chaleur, plus de
sève. Et plus d'horizon.

Mais ses innocentes victimes, elles? Les petits

Olivier abusés sans vergogne n'avaient-ils pas le droit de vivre dans l'intégrité et la transparence, eux aussi? Elle s'approcha du garçon par-derrière. «Ou je l'embrasse ou je l'étrangle...» Elle passa ses bras autour de son cou. Les bras du pardon, raidis par l'intolérable, l'inacceptable. Les bras crispés d'une mère déroutée, dépassée par l'ampleur de la crise, mais mus, malgré tout, par un amour sans réserve pour son enfant. Les bras de la miséricorde...

Elle eut l'impression d'étreindre, en son fils, toute la souffrance du monde, là, par terre, sur le plancher. Alors elle se mit à pleurer silencieusement avec lui toutes les larmes de son corps. Soudain, à travers les persiennes, un rayon de soleil allongea démesurément l'ombre de ces deux êtres effondrés, fusionnés par la douleur en une seule et unique masse informe et tordue gisant sur le sol. Florence fut la première à revenir à la réalité.

«Pourquoi fais-tu ça, Désiré, pourquoi?

— Je ne sais pas, c'est plus fort que moi! À part à mon psychanalyste, je n'en ai jamais parlé à personne. J'ai tellement honte... Aide-moi, maman, aide-moi!

— Y a-t-il eu d'autres enfants que ton cousin Olivier?»

Le jeune homme se contenta de secouer la tête sans répondre. Elle eut envie de demander si lui-même avait été violé durant son enfance. Par qui? Adhémar? L'oncle Alexandre? Un professeur? Le voisin? Qui? Mais elle connaissait à l'avance certaines des réponses: oui son père avait violé sa paix intérieure et son droit d'enfant à la sérénité. Oui, il l'avait violenté outrageusement dans sa vie quotidienne. Il avait abusé de lui, sinon sexuellement, du moins physiquement. Et psychologiquement. Injustices, punitions imméritées, taloches inutiles... Oui, Adhémar l'avait maltraité, rudoyé, molesté. Oui, il l'avait détruit moralement. Peut-être n'avait-elle pas réagi assez fortement? Peut-être ne s'était-elle pas suffisamment interposée? Peut-être avait-elle une part de responsabilité dans cette affreuse histoire? Et puis, non! Devant le père, elle avait toujours pris la défense de son petit.

Mais que servait de fouiller le passé, on ne pouvait plus le recommencer! Mieux valait se retourner vers l'avenir.

«Dis-moi, Désiré, comment t'aider...

— Je l'ignore moi-même. Le psychiatre veut me voir poursuivre la thérapie comme externe. Ce sera long d'après lui.

— Mais vas-y, voyons! S'il existe une possibilité de salut de ce côté-là, tu ne dois pas hésiter!

— Ça coûte cher et je ne possède ni police d'assurance ni compte en banque. Je n'ai même pas d'emploi, tu le sais bien!

— Avec tes diplômes, tu ne mettras pas long à te trouver quelque chose d'intéressant, j'en suis certaine!

— Ouais, ça se pourrait...

— Commence par là: cherche-toi du travail! Il faut absolument te faire soigner, Désiré, c'est de prime importance. Tu ne peux tout de même pas vivre ta vie entière soumis à ce... à... cette cochonnerie! Pense aux ravages que ça peut causer. Sans oublier les risques d'emprisonnement si jamais on te dénonce. Oh! mon Dieu! Ce serait le comble! Que ce calice s'éloigne de nous! Prouve-moi que tu veux t'en sortir, Désiré, prouve-le-moi!

— Je voudrais mourir, maman.

— Non, non, ne me cause pas cette peine-là, j'en mourrais! Je ne pourrais pas la supporter. Parce que je t'aime, parce que je t'aime... Je veux que tu guérisses, que tu vives une vie d'homme ordinaire, une vie d'homme normal. Que tu vives enfin heureux, mon tout-petit, mon fils à moi...»

Désiré se garda de répondre, mais resserra très fort son étreinte. Ce simple geste rassura quelque peu Florence. Allons! Il existait tout de même une lueur d'espoir. Son fils allait guérir, redevenir normal. Comme pour corroborer son optimisme, une autre éclaircie de soleil vint égayer la cuisine et se jouer dans les violettes qu'elle cultivait, sur le rebord de la fenêtre. Sur le plancher, la silhouette informe se défit et se recomposa en deux êtres debout et face à face, se dévorant des yeux. L'heure de la vérité...

«Jure-moi de ne plus jamais toucher à un enfant.

— Pour le moment, je ne peux jurer de rien, maman. Tout cela me dépasse.

— Je te fais confiance, mon fils.»

***

À vingt et un ans, Désiré Vachon fit son entrée comme fonctionnaire dans les bureaux de l'Instruction publique de Montréal, situés dans l'est de la ville. Bien sûr, il débutait au bas de l'échelle, mais une belle opportunité de gravir rapidement des échelons s'ouvrait devant lui. Avant longtemps, il pourrait faire partie de l'équipe travaillant sur les nouveaux programmes de français et de philosophie enseignés dans les écoles. On lui avait d'abord offert un poste d'enseignant au début du secondaire, mais, motivé par la prudence, il avait refusé séance tenante, sans dévoiler ses véritables motifs. Selon ses dires, il n'aimait pas l'enseignement et le travail direct auprès des jeunes, sans plus. On ne lui posa pas davantage de questions.

Il avait aussi évincé l'offre d'Andréanne de l'héberger, et s'était trouvé une chambre, rue Mentana. Deux soirs par semaine, il se rendait chez le psychiatre de l'hôpital Notre-Dame avec la ferme intention de désamorcer définitivement ses instincts sexuels qu'il considérait lui-même comme barbares. Mais, au-delà de tout, il se cherchait une véritable raison de vivre. Les femmes ne lui disaient rien qui vaille, pas plus que les relations homosexuelles, d'ailleurs. Pour le moment, l'avenir, s'il en avait un, lui paraissait imprécis, perdu dans un brouillard fumeux que seule sa mère, avec son optimisme et sa confiance en lui, arrivait à dissiper parfois.

Chaque vendredi soir, Florence voyait revenir son fils de Montréal d'un œil scrutateur. Elle le trouvait pâle et morose, taciturne, et elle n'avait de cesse de le dorloter et de le questionner.

«Parle-moi de ton travail. Parle-moi de ton psychiatre. Raconte-moi ta semaine.»

Il haussait les épaules. Rien de tout cela n'avait d'importance.

Il sembla revenir à la vie seulement quand une autre crise intestinale ramena Florence à l'hôpital pour une quinzaine de jours. Cette fois, elle évita l'intervention chirurgicale de justesse. Le docteur Vincent ne la quitta pas d'une semelle, prêt à tout pour la ramener à la santé.

«Là, Florence, tu n'as pas le choix d'accepter. À ta sortie, tu vas venir vivre chez moi, avec moi, dans ma maison. Dans le Saint-Didace de ton enfance. Et que le diable emporte les qu'en-dira-t-on et ce qu'en pensera la populace! Tu feras office de secrétaire et d'infirmière, tiens! Là, ma belle, je suis sérieux. Je vais te soigner, te garder, prendre soin de toi. Je vais enfin t'aimer, ma Florence.

— Mais, Vincent...

— Laisse-moi t'aimer et prendre soin de toi, pour une fois, mon amour...

— Et mes enfants?

— Tes grandes ont déjà quitté et les jumelles ne demanderaient pas mieux que d'aller vivre chez leur tante, à Montréal. Elle offre de les prendre dans son magasin depuis des années.

— Et mon fils?

— Ton fils est assez grand pour prendre soin de lui. Trop le couver ne lui rend certainement pas service. Il doit cultiver l'autonomie.

— Non, non! Il a besoin de moi. Je suis la seule à le connaître réellement et à l'encourager. Je ne peux pas le quitter pour le moment, Vincent, ne me demande pas cela, pas tout de suite...»

Néanmoins, Désiré, ébranlé par la maladie de sa mère, vint confirmer les dires du médecin quelques jours plus tard. Il lui annonça son désir d'habiter à la ville en permanence, même les fins de semaine.

«Le temps est venu de sortir de dessous les jupes de ma mère, affirma-t-il avec un sourire en coin. Je dois moi-même établir ma place au soleil. Selon les conseils de mon thérapeute, il est temps de me prendre sérieusement en main et de vivre ma propre vie.

— En es-tu bien certain, Désiré?

— T'inquiète pas, m'man, j'ai cheminé depuis mon... ma... mésaventure! Et je vais continuer ma thérapie, compte sur moi! Je me sens mieux déjà, j'aime mon travail, et j'ai l'impression d'être en train de régler mes autres problèmes. Laisse-moi aller, je vais m'en sortir la tête haute, tu vas voir!»

Florence n'en revenait pas de ces belles phrases. Elle se demandait si elles venaient sincèrement de son fils lui-même, ou si elles ne représentaient pas plutôt un masque posé sur son désarroi. À moins qu'il ne s'agisse de l'écho du discours tenu par le psychiatre ou même des paroles de Vincent. Elle aussi se sentait d'ailleurs manipulée par le médecin toujours prêt à éliminer les soucis de l'esprit de sa belle. À vrai dire, cela ne déplaisait pas trop à la belle! À seulement y songer, elle se prenait à sourire.

Toutefois, à sa sortie de l'hôpital, elle refusa momentanément l'offre du médecin de s'installer à Saint-Didace.

« Donne-moi un peu de temps, Vincent. Je viens de vivre une année épouvantable et j'ai besoin de décanter tout cela. Quand je serai devenue grand-mère, on en reparlera, tu veux bien? C'est une affaire de quelques mois seulement.»

Le rire et l'exubérance de ses jumelles l'attendaient à la maison, «encore pour quelques temps», espérait-elle, de même que ses élèves de musique et les membres de la chorale. Le soir, elle retrouverait son piano avec délices. Et, parfois même, la quiétude silencieuse et bienfaisante de la maison rouge. Qui sait si elle ne se réapproprierait pas la paix perdue autrefois à l'âge de dix-huit ans?

Le bonheur proposé par Vincent viendrait plus tard, en son temps. Il saurait bien l'attendre! Pour le moment, elle n'éprouvait que le besoin viscéral de respirer à l'air libre pour exhaler le trop-plein d'émotions. Seulement cela. Parce qu'elle n'en pouvait plus.

Chapitre 46

9 septembre 1955

Quoi de plus émouvant qu'un poupon revêtu d'une robe de baptême, endormi dans son berceau? Une robe confectionnée par sa grand-mère, assemblée, cousue avec adresse et amour. Au lieu des fleurs traditionnelles, j'ai vu ma sœur broder des dizaines de petits cœurs sur la fine mousseline. « Pour que sa vie soit remplie d'amour! » affirmait-elle à ceux qui en faisaient la remarque. Elle a aussi tricoté elle-même le châle de laine soyeuse bordé d'une longue frange et a participé à la fabrication d'une grande partie du trousseau de bébé: les langes, les couches de coton, les draps et les couvertures, les robes de nuit. Il n'y a pas à dire, ce bébé était attendu avec fébrilité!

Après les événements bouleversants qui ont chambardé sa vie, ces douze derniers mois, Florence s'est accrochée à la venue de l'enfant comme à une planche de salut. Elle a sorti sa machine à coudre et ses aiguilles à tricoter et s'est même mise à jouer des berceuses sur le piano. Elle en a composé une très jolie d'ailleurs: L'Enfant du bonheur. Elle a surtout multiplié ses visites chez Nicole, ce qui a eu l'heur de rapprocher la mère et la fille. Bien sûr, le docteur Vincent ne s'est pas fait prier pour lui tenir lieu de chauffeur. À croire que le nombre de ses patients a soudainement décuplé du côté de Berthier!

Quand le moment d'accoucher est venu, Nicole a supplié sa mère de demeurer auprès d'elle. Quelle femme chanceuse! Ma sœur a eu le privilège d'assister à la naissance de son premier petit-fils. Charles Désautels a vu le jour par un beau matin ensoleillé, sous la haute surveillance du docteur Vincent Chevrier et la précieuse assistance de sa grand-mère profondément émue.

Quelques jours plus tard, les cloches ont retenti dans l'air vif de la campagne pour annoncer au monde la venue de la troisième génération des descendants de Camille et de Maxime Coulombe. Ah! si notre mère voyait ça! J'imagine sa fierté! Et notre père, donc!

Durant la réception qui a suivi la cérémonie religieuse, je me suis longuement attardée auprès du bébé ensommeillé dans un coin du salon pendant que la famille faisait la fête dans la salle à dîner. Comme c'est beau, un enfant tout neuf qui commence une vie! Ce duvet qui rappelle celui des anges, cette peau transparente plus douce que la soie, ce petit corps si frêle et néanmoins propulsé par une force de vivre incomparable...

Pourquoi donc faut-il débuter dans l'existence avec les yeux clos et les poings fermés, tellement innocent et déjà à la merci des autres? Et pourtant... Et pourtant la force de l'amour garantira sa survie jusqu'à son dernier souffle. L'amour incoercible et instinctif que le bébé inspire d'abord à sa mère et aux autres humains qui se penchent affectueusement au-dessus de lui. Puis, petit à petit, en même temps qu'il arrivera à marcher et à fonctionner par lui-même, il apprendra à aimer, il s'appropriera cet amour, source de vie, il l'intégrera en lui pour l'offrir lui-même à son tour. Cycle magique de la vie humaine, garant du bonheur. Qui, seul, rend l'existence vivable. L'amour...

Quelle faille, quel artefact malicieux a donc entravé les mouvements de mon cycle à moi? Durant ma jeunesse, je me suis adonnée hypocritement aux jeux de l'amour plus souvent qu'à mon tour, mais l'amour véritable, celui qui recrée le monde chaque matin et chavire l'âme jusque dans ses fibres les plus intimes, je l'ai si longtemps ignoré. Il n'est apparu que récemment avec Samuel, le beau violoniste porteur de ma libé-

ration, créateur de ma nouvelle joie de vivre. Enfin, enfin, la pureté, la luminosité, la fraîcheur...

Comment un homme aussi admirable peut-il s'intéresser à moi, la triste marchande de chapeaux, à la quarantaine usée et au cœur aride? Moi, la paysanne de jadis catapultée trop rapidement dans la jungle de la ville, celle qui s'est maladroitement débattue dans l'immoralité pour arriver à survivre? Mais est-ce là une excuse pour ma vie dépravée? Moi, l'ancienne fille de joie, la divorcée, la tricheuse, la menteuse, la piètre mère responsable d'un piètre fils? Moi, la sœur hypocrite, la voleuse de mari. Et moi, la tantine maladroite, la marraine inadéquate? Moi, la femme au cycle de vie débridé et infernal? En quoi ai-je réussi à toucher le cœur de cet homme sans pareil, cet artiste magnifique, profond et sensuel? Par quel miracle un être aussi pur a-t-il rebondi dans ma vie pour enfin remettre les choses à leur juste place, celle qu'elles auraient dû occuper depuis le tout début?

Quand il est entré dans ma maison avec sa valise d'accordeur de piano, j'ai tout de suite succombé à la douceur du regard de cet homme. Étrange, je n'avais pas envie de l'aguicher et me suis bien gardée d'user de mes tactiques de flirt. Il dégageait une telle probité, une telle transparence que je n'avais qu'une idée: rester moi-même, sans artifices, sans appâts et sans stratégie. C'est spontanément que je lui ai offert un café après l'accordage de l'instrument. Nous nous sommes mis à bavarder simplement.

« Le son de votre piano se marierait bien avec celui du violon.

— Vous jouez du violon?

— Mais oui, je suis violoniste et non pianiste, mais il faut bien gagner sa vie, alors j'accorde les pianos. »

Deux heures plus tard, nous entamions ensemble nos premiers duos d'amour, lui au violon, moi au piano. Samuel...

Hier, debout à côté du berceau du petit Charles, Samuel est venu me trouver et a pris ma main sans rien dire. Ce silence, plus éloquent que le plus précis des discours, m'a effrayée. Non, mon amour, je ne te donnerai pas un enfant. Si tu veux rattraper le temps perdu et t'assurer une descendance, il te faudra choisir une femme plus jeune et plus hardie, plus confiante en l'avenir. On s'est trop souvent servi de moi, jadis, on m'a trop de fois laissée lâchement tomber pour que perdure encore le goût de me prolonger et de fonder une autre famille. J'en ai déjà assez avec mon vaurien de fils! Et puis je n'y crois plus, vois-tu, malgré ce que j'éprouve pour toi, le premier, le seul véritable amour de ma vie! Samuel, mon beau, mon grand... Un amour qui répare mes blessures et me donne envie de jouer des sonates. Mais j'ai atteint l'âge de devenir bientôt grand-mère, mon pauvre chéri, pas celui de procréer de nouveau! Je veux bien te consacrer le reste de mon existence et jurer de t'aimer jusqu'à mon dernier souffle, mais ne me demande pas de te faire un enfant, je t'en prie, je ne pourrais pas.

Le petit Charles, avec ses instincts d'ange, a-t-il entendu nos silences? Ou voulait-il protester à sa manière sur mon refus intérieur d'accéder à ta demande muette de lui procurer une petite cousine? Il s'est mis à hurler.

Florence a aussitôt ressurgi et s'est emparée du bébé pour le porter à sa mère. De voir ma sœur resplendissante serrer sur sa poitrine son petit-fils avec tant d'empressement a éveillé en moi de vieux sentiments de jalousie que je croyais à jamais disparus. Une envie aussi vive que celle éprouvée autrefois quand un beau garçon aux yeux verts lui faisait patte douce sans même un regard pour moi.

J'ai saisi la main de Samuel et l'ai pressée de toutes mes forces comme si cette étreinte silencieuse suffisait à tout effacer. À son regard surpris et interrogateur, je me suis contentée de cligner des yeux. Viens, mon amour, j'ai toute une vie à rattraper...

Chapitre 47

5 février 1964

Olivier a encore fait des siennes hier. On l'a arrêté chez Eaton's pour le vol d'une paire de gants. Quel besoin avait-il de piquer une paire de gants, celui-là, quand il a les poches bourrées d'argent et peut s'en payer des dizaines? Il n'en porte jamais, de toute façon! C'est à n'y rien comprendre. Mon fils semble l'être le plus étrange de la terre. Au seuil de la délinquance. Un voyou! Ses comportements bizarres me déroutent depuis son enfance. Pourquoi cette agressivité envers moi? Il joue au beatnik devant sa gang de parasites, ces pouilleux vêtus de noir, et il s'évade dans les bars pour fumer de la drogue, disparaît souvent pendant deux ou trois jours. Puis, quand il revient, il se montre intraitable envers moi, voire enragé. Qu'a-t-il donc à me reprocher autant?

On dirait qu'il porte un masque, un masque de dur et de révolté. Pourtant, je sais qu'au fond, sous la carapace, il reste un être fragile et sensible. Je l'ai entendu pleurer trop de fois la nuit, dans le refuge de sa chambre, sans jamais daigner me donner d'explications. Pourquoi donc reste-t-il englué de la sorte dans ce silence malsain? Effrayant! Je suis là pour lui, moi! Je l'ai toujours été!

Hélas, à cet âge, les jeunes ne se gênent pas pour évincer leurs parents du revers de la main. Nous ne connaissons rien, nous ne valons rien, nous n'avons plus aucun droit et autorité sur eux. Ils n'ont qu'une idée en tête: gérer eux-mêmes leur propre vie. De vrais experts pour se mettre les pieds dans les plats! Encore chanceux que son pseudo-père l'ait encore tiré d'affaire lors de ses deux derniers vols. Des larcins, bien sûr, mais du grappillage tout de même! Quand un procureur se mettra à les additionner, la sentence s'avérera peut-être plus sérieuse qu'une simple amende. Si Laurent Chauvin arrêtait de lui fournir autant d'argent aussi, Olivier cesserait peut-être de se sentir doté de tous les pouvoirs, capable de tout acheter y compris les filles et... sa maudite dope. Quand on peut tout se procurer trop facilement, on va chercher ailleurs les sensations fortes. Je suppose que le vol à l'étalage en représente une pour lui...

Oh! mon Dieu! Où ai-je manqué dans mon devoir de mère? Qu'ai-je fait pour mériter un fils aussi mal en point? Aucun travail, aucun projet, aucun idéal ne le préoccupe. Rien devant lui! Aucune ambition, rien! N'a même pas réussi à terminer sa neuvième année à l'école. S'en contrefiche! Préfère vivre dans la rue, pour ne revenir ici que sporadiquement au milieu de la nuit. Quand il revient! Il passe à côté de moi comme à côté d'un meuble. Pire, il considère Samuel comme un intrus, un minus incapable de faire autre chose que de jouer «du violon plate» et de prendre trop de place dans la maison.

Heureusement, Samuel plane au-dessus de cela et reste hors d'atteinte. Depuis dix ans, il demeure pour moi un soutien incomparable. Cet homme exceptionnel a transformé ma vie. Je l'adore! Sans lui, je voguerais sans doute à la dérive, comme mon fils, sur un océan de nostalgie.

Les filaments qui me relient à ma famille s'étirent et s'atténuent de plus en plus. Je ne vois plus guère les miens qu'aux grandes occasions, à Noël ou à Pâques. Mon frère échoué aux États-Unis ne vient plus, n'écrit même plus. Florence, elle, semble heureuse et fort accaparée avec ses cinq petits-enfants et son beau docteur. Ses filles Nicole et Isabelle s'occupent de leur famille respective. Marie-Hélène, la jumelle expatriée à Vancouver pour suivre un cours de dessinatrice de mode, donne peu de nouvelles à sa vieille tante. L'autre, Marie-Claire, toujours célibataire, vient faire un tour de temps à autre à mon magasin. Visite de politesse, sans plus. Quant à Désiré, il est devenu le neveu invisible. Évidemment, il a bien d'autres chats à fouetter avec son travail que de s'occuper de la tante gâteau de son enfance. Olivier et lui se sont perdus de vue depuis longtemps. Parfois, je me prends à regretter ses visites d'autrefois, à l'époque où il venait garder mon fils. Ils faisaient une belle paire, tous les deux! Comme les deux frères qu'ils sont en réalité.

Ah oui! n'eût été de Samuel, devenu mon conjoint officiel même si nous vivons ensemble hors des liens du mariage, ma vie aurait pris une tournure affligeante ces dernières années. Quand il joue pour moi des solos de Bach sur son violon, on dirait qu'il emporte mon âme dans des sphères inconnues, si loin de mon commerce et de ma maison, ces seuls et uniques havres de mon existence. Maintenant, je comprends mieux ma sœur qui s'est tant accrochée à «sa» musique classique, celle qui l'a toujours maintenue à flot, selon ses dires.

Cette musique n'a rien à voir avec mes airs populaires, plus joyeux et superficiels. L'autre jour, nous avons fait un saut jusqu'à la maison rouge, Samuel et moi, ce qui nous arrive de moins en moins souvent, faute d'invitations pressantes et sincères de la part de Florence. Faut croire que Vincent et le reste de la famille suffisent à combler ses besoins affectifs. L'amitié d'une sœur ne semble guère lui importer... Toujours est-il que Samuel avait apporté son violon et qu'ils se sont mis à jouer des duos, elle sur notre vieux piano familial qui sonne un peu la tôle, et lui sur son archet.

Je les ai vus soudain devenir complices, envolés ensemble dans une dimension n'appartenant qu'à eux seuls. C'est fou, je me suis sentie exclue, moi la silencieuse auditrice. Au moins si Vincent s'était trouvé là, il aurait pu partager l'audition avec moi. Mais non, il fallait qu'il se trouve parti visiter un malade.

C'est alors que les effluves malodorants d'une jalousie du temps passé sont, une fois de plus, remontés à la surface. J'ai failli m'en prendre à cette pauvre Florence qui s'évertuait religieusement sur son piano. Je l'aurais griffée! «Bas les *pattes, vilaine! Autrefois, tu as eu pour toi les yeux verts, c'est à mon tour maintenant de posséder le séduisant musicien. Tu auras beau lui jouer toutes les sonates du monde, il est à moi, uniquement à moi!»*

Évidemment, je me suis bien gardée de dire quoi que ce soit, me contentant de la résolution secrète de ne plus revenir à Mandeville seule avec Samuel.

Vais-je donc écouler ma vie entière à prendre ombrage de ma sœur?

Chapitre 48

Agenouillée au milieu de son jardin, Florence sarclait la terre d'une main experte. Arracher ce qui est laid et envahissant, éliminer les herbes folles et nuisibles, bref, faire place nette... Si seulement on pouvait manipuler aussi facilement les terreaux de la réalité!

Vêtue d'une vieille chemise à carreaux et abritée sous un large chapeau de paille, elle avait conservé les allures naturelles d'une femme du terroir. Si de nombreux fils d'argent striaient ses cheveux en bataille, son beau visage basané restait lisse et ouvert. La cinquantaine lui allait bien. Loin de l'abîmer, les dix dernières années animées d'un bonheur paisible l'avaient enfin épanouie.

Rien dans son regard ou son attitude ne laissait transparaître le terrible secret qui l'habitait encore, cependant, et venait parfois hanter ses nuits. De savoir son neveu Olivier en train de mal tourner éveillait en elle d'affreux sentiments de culpabilité. Pouvait-il s'agir du contrecoup des agissements passés de Désiré? Pourtant, l'enfant abusé n'avait jamais dévoilé la vérité.

À l'époque de la tentative de suicide de son fils, elle aurait dû parler, le dénoncer pour protéger le gamin et le faire soigner, lui aussi. Peu importent les conséquences. Mais quelles conséquences! Olivier aurait probablement pris une tangente plus normale, certes, mais Désiré, une fois sa dépravation au grand jour, aurait disposé d'une raison de plus pour attenter de nouveau à ses jours sans se rater, cette fois. Et qui sait si la police n'aurait pas mis le grappin sur lui pour l'incarcérer durant quelques années. Non, elle avait bien fait de garder le silence. Désiré s'était engagé de lui-même sur la voie de la guérison par une thérapie intensive, et cela avait donné de bons résultats. Le problème semblait réglé depuis des années. Pourquoi donc s'en faisait-elle encore de temps à autre? D'où provenaient ces relents de crainte qui la rongeaient et qu'elle ne partageait avec personne, pas même avec le docteur Vincent, son seul et unique confident?

À trente-deux ans, Désiré paraissait définitivement aguerri. Il s'était maintenant taillé une place enviable dans la société malgré son statut de vieux garçon, et il pouvait marcher la tête haute. Toutefois, il maintenait l'attitude renfrognée et solitaire, neurasthénique de sa jeunesse. Même sa mère ignorait sa véritable orientation sexuelle. Jamais elle ne l'avait vu fréquenter une femme, ce qui l'inquiétait outre mesure. Ni un homme d'ailleurs! Homosexuel, son fils? Avec le père coureur de jupons qu'il avait eu? Allons donc! L'hérédité ne pardonne pas! De toute manière, cela valait mieux que la pédophilie.

Malgré tout, elle le soupçonnait d'entretenir de nouveau des relations pour le moins marginales ou illicites. Pour quelles raisons, sinon, boirait-il autant de bière quand il rentrait à la maison le soir? À moins que l'alcoolisme n'ait été transmis à travers les gènes d'Adhémar, elle n'entrevoyait pas les véritables motifs pour lesquels il avait tant besoin de cette béquille. Quel mal de vivre minait donc son fils? Et s'il avait hérité de son père un goût immodéré pour l'alcool, qu'en était-il de son attirance pour la gent féminine? Pourquoi Désiré ne tombait-il pas amoureux d'une jeune femme? Et pourquoi était-il revenu vivre à Mandeville, un bon matin, sans crier gare? Avait-il besoin de protection?

Certains jours, il disparaissait subitement avec sa

voiture et ne rentrait que le lendemain sans fournir d'explications. Bien sûr, à son âge, il n'avait pas à rendre compte de ses allées et venues à sa mère. Jamais Florence n'aurait osé lui poser des questions sur sa vie sexuelle ou ses fréquentations à l'extérieur. Cela ne la regardait nullement et ces sujets-là demeuraient tabous.

D'autre part, s'il se montrait secret et distant, il ne lésinait tout de même pas lorsqu'il s'agissait de lui rendre de menus services, et Florence lui en savait gré.

«Tu fais un excellent bâton de vieillesse, mon fils!

— Mais voyons! Tu n'es pas vieille, sa mère!

— Malheureusement, ça s'en vient tout doucement.»

Quand il était revenu habiter à Mandeville, elle ne lui avait pas refusé le gîte. Mais ce retour avait quelque peu menacé sa paix dans le cocon douillet qu'était devenue la vieille demeure.

Elle ne s'était jamais mise officiellement en ménage avec le docteur Chevrier, ainsi qu'il le lui avait proposé après le décès d'Adhémar. Le geste suicidaire de Désiré avait tout chambardé. Obnubilée par son fils, incapable de se tourner vers aucun autre projet immédiat, Florence s'était néanmoins appuyée sur l'amour de Vincent pour reprendre goût à la vie. Le temps s'était étiré à son insu, mais à la longue une relation amoureuse stable et marginale s'était développée. Chacun y trouvait à la fois sa part d'affection et de liberté.

Si le divorce du médecin n'avait pas pris de temps à être prononcé au civil, l'annulation religieuse, elle, tardait encore à venir après presque dix ans d'attente. Ancrés chacun dans des régimes de vie fort différents, ils renoncèrent, après y avoir songé sérieusement, à une union civile que non seulement la société puritaine dans laquelle ils vivaient aurait réprouvée, mais que leurs enfants respectifs auraient considérée d'un œil réprobateur.

Au bout du compte, Vincent renonça à l'idée de

finir ses jours en Europe et choisit plutôt d'aimer Florence en catimini, feignant aux yeux de tous de poursuivre une relation amicale qui semblait durer depuis toujours avec la famille. Pour les habitants du canton, le docteur Chevrier restait simplement l'ami et le protecteur de madame Vachon comme il l'avait été de tout temps, rien de plus.

Dans l'intimité de la maison rouge, l'ami se métamorphosait en amant chaleureux et délicat. Si le doute régnait dans la population, il se trouva peu de mauvaises langues pour déblatérer sur ce genre de relation condamnée par l'orthodoxie. La maladie mentale de madame Chevrier maintenant connue à la ronde, de même que la lenteur incompréhensible des procédures de l'Église suffirent à minimiser tout écart aux règles de la morale. On s'habitua à voir la voiture du médecin stationnée au bord du lac, deux ou trois soirs par semaine. On ne posait pas de questions non plus quand Florence s'absentait, à l'occasion, de l'exercice de la chorale pour partir en congé durant quelques jours. «Sans doute chez l'une de ses filles», avait-on l'habitude de conclure sans ignorer pourtant que le vieux médecin de la région prenait lui aussi, comme par hasard, ses vacances en même temps.

Le retour de Désiré avait chambardé les habitudes du couple d'amoureux. Après quelques années dans les bureaux du département d'Instruction publique de Montréal, le jeune homme avait accepté son transfert dans un poste d'inspecteur dans le secteur de Lanaudière. Sa fonction consistait à visiter les écoles des environs pour rencontrer chacune des classes et vérifier le travail des enseignants. Poste de prestige et fort bien rémunéré, la fonction exigeait toutefois de nombreux déplacements. En établissant ses quartiers généraux à Mandeville, il pouvait se transporter facilement vers les différents villages dans sa nouvelle Chevrolet automatique.

Il ne mit pas de temps, cependant, à réaliser que sa présence nuisait à l'intimité de sa mère et de Vincent. Qu'à cela ne tienne! Il décida alors d'occuper définitivement le vieux chalet délabré tenant par miracle encore debout sur la plage.

« Voilà l'occasion rêvée de le rénover sérieusement. Qu'en penses-tu, sa mère?

— Je ne possède aucun budget pour cela, pauvre toi!

— T'en fais pas, m'man! Je m'en charge entièrement, et je vais même te payer un loyer.

— Allons donc! Il n'en est pas question! Tu es chez toi, ici!

— Teut! Teut! Cette fois, c'est moi qui décide! »

Désiré avait mis deux étés complets à retaper la vieille cambuse. Il avait reconstruit les planchers, isolé les murs et la toiture, installé un système de chauffage central adéquat pour l'hiver.

À vrai dire, les chèques mensuels de son fils ne manquèrent pas de soulager Florence d'un fardeau, les allocations familiales ayant cessé depuis longtemps, évidemment. Bien sûr, Vincent veillait au budget, mais elle se montrait toujours réticente à accepter les générosités de son amant.

Le bruit d'une voiture s'engageant abruptement dans l'entrée tira Florence de ses réflexions. Elle se releva péniblement au-dessus du jardin en se frottant le dos. On avait beau dire, une certaine raideur trahissait son âge malgré tout. Elle reconnut la vieille bagnole de Vincent, mais la silhouette d'un passager à ses côtés suscita sa curiosité. Elle poussa un cri de joie en regardant descendre Charles, l'aîné de ses petits-enfants. Le garçon faisait la joie de sa grand-mère depuis dix ans et, sans le savoir, il l'avait réconciliée avec la vie par sa seule existence. D'autres petits-enfants étaient venus combler le cœur de Florence par la suite, mais elle éprouvait un attachement particulier pour celui-là, le premier, le plus beau et le plus attachant. Le bambin lui rendait bien son affection et adorait venir passer quelques jours à Mandeville chez sa grand-mère chérie. Ce jour-là, rien n'avait été planifié à l'avance, il s'agissait d'une surprise.

« Charlot! Vincent! Quel bon vent vous amène? Peut-on m'expliquer comment ce bout d'homme se trouve assis dans la voiture du vieux médecin de la place?

— Imagine-toi qu'on m'a appelé pour une urgence à Berthier. Par un pur hasard, la maison du malade se trouvait directement en face de celle de ta fille Nicole. Comme je dois y retourner demain matin, j'ai pensé que cela te ferait plaisir de nous recevoir à souper, Charles et moi. J'ai donc sonné à sa porte et fait part de mon projet à cet enfant qui ne s'est pas fait prier pour accepter de m'accompagner. Avec la permission de sa mère, naturellement! Et, au cas où tu n'aurais rien à nous mettre sous la dent, nous avons apporté quelques victuailles.

— Vincent, tu es un amour! Tu sais tellement me faire plaisir...

— Je reviendrai le reprendre demain matin pour le ramener chez lui. »

Même s'il sous-entendait aller dormir chez lui une fois le garçon endormi, Florence savait bien que l'homme resterait à coucher et la comblerait d'amour. Chaque jour, elle bénissait le ciel d'avoir placé sur sa route cet être sans pareil. Elle se retint de lui sauter au cou devant l'enfant trop jeune pour comprendre, et se contenta d'un tendre baiser sur le coin de la barbe bien taillée, devenue presque blanche.

« Dis donc, mon beau Charles, viens-tu m'aider à nettoyer des haricots? Que dirais-tu si on faisait un bœuf aux légumes pour notre cher docteur? »

Le garçon ne demandait pas mieux et accepta avec enthousiasme. Vincent réprima un sourire et s'empressa d'ouvrir le coffre de sa voiture.

« Ce ne sera pas nécessaire de vous lancer dans l'art culinaire, les amis! Voilà deux pâtés au poulet, une fesse de jambon, deux pommes de laitue, une douzaine d'épis de maïs, un sac de pommes de terre et un énorme pain au lait, sans parler des beignes au miel.

— Dieu du ciel! Où as-tu pris tout ça?

— Un vieux médecin de campagne sait se débrouiller, eh! eh! J'ai toujours mes amis fermiers et fermières dans les environs, tu le sais bien!

— Tu en apportes beaucoup trop, Vincent! On ne pourra jamais venir à bout de tout ça!

— Ton sacripant de fils et toi en aurez pour la semaine, ma chère! Et puis... des fois qu'il me prendrait le goût de revenir... Oh! j'oubliais! J'ai aussi apporté une bouteille de vin d'Alsace qui n'est pas piqué des vers. Faute d'aller vivre en Europe, il faut bien que l'Europe vienne à nous de temps à autre! Je vais la mettre au frais. »

Florence poussa un soupir. Comment pourrait-elle éprouver l'ombre d'un regret d'être devenue la « vieille » maîtresse d'un tel homme? Au nom de quelle morale ridicule? Bien plus que son amant, Vincent était l'homme de sa vie, celui qu'elle aurait dû épouser à l'âge de dix-huit ans, celui qui l'aurait rendue heureuse, l'aurait soutenue pour élever leurs enfants, l'aurait comblée d'amour et d'attention. Mais la vie en avait décidé autrement. Dieu merci, elle prenait enfin sa revanche sur son destin.

En réalité, elle ne se considérait pas comme sa maîtresse mais comme sa femme, sa vraie femme. Si jamais il décidait d'aller finir ses jours ailleurs, ainsi qu'il en avait toujours rêvé, elle savait qu'elle le suivrait n'importe où. Le médecin dépassait la soixantaine et, avant longtemps, il prendrait sa retraite. Ressortirait-il ses plans de voyage dans les vieux pays? Le moment ne semblait pas loin où tous deux devraient prendre une décision, une décision qui chambarderait peut-être la vie sédentaire de Florence. Mais elle se sentait prête. Personne au monde ne devrait hésiter à faire des pas vers le bonheur, si difficiles soient-ils. Tant pis pour les enfants s'ils se mettaient à protester comme autrefois, tant pis pour Désiré, tant pis pour le reste de l'univers. Cette fois, ce serait son tour à elle de mettre le cap sur le septième ciel, envers et contre tous.

« Eh! grand-maman, tu es dans la lune!

— Oh! excuse-moi, mon trésor! Je rêvais que je redevenais jeune tout à coup!

— Vas-tu ajouter quelques carottes? J'adore les carottes!

— Bien sûr! Où avais-je la tête?

— Tiens! mon oncle Désiré qui revient du travail. »

L'automobile passa en trombe à côté de la maison rouge et fila directement sur le bord du lac, près du chalet. Le conducteur s'était contenté d'une vague salutation de la main sans même ralentir. Le bambin, en reconnaissant la voiture de son oncle, vint immédiatement se coller contre le flanc de sa grand-mère sans dire un mot, dressé comme un petit animal sur le qui-vive.

Florence sourcilla devant cette soudaine et étrange réaction. Dieu du ciel! Y avait-il anguille sous roche entre Désiré et l'enfant?

C'est à ce moment précis que s'écroula Vincent Chevrier, les poings serrés sur sa poitrine, à la recherche de son souffle.

Chapitre 49

20 mai 1965

Les funérailles de Vincent Chevrier se sont révélées des plus pathétiques. La disparition tragique et trop subite du médecin de famille dévoué depuis quarante ans dans le voisinage a ébranlé toute la communauté. L'église était bondée, à partir des jeunes qu'il avait mis au monde jusqu'aux plus vieux qu'il avait aidés par ses soins vigilants à se rendre à un âge aussi avancé. On fit appel au chœur des Mandevillois pour chanter le service funèbre, mais ma pauvre sœur, trop bouleversée, a demandé à être remplacée à la direction. Elle a préféré rester en retrait au milieu de la nef, pitoyable amante anonyme, abandonnée là, le cœur secrètement déchiré, reniflant en silence.

Pourtant, si quelqu'un dans cette assemblée méritait qu'on lui offre des condoléances, c'était bien elle! Elle perdait le seul être qui lui eût jamais apporté un peu de bonheur. Mais nul ne s'approcha d'elle. On oublia qu'au delà de la suspicion et des ragots de quelques mauvaises langues, ces deux-là avaient été ouvertement de grands amis depuis toujours. Même mes quatre nièces et leur frère ne jugèrent pas bon de perdre un avant-midi de travail pour accompagner leur mère à l'église. D'ailleurs, à part Désiré, aucune de ses filles n'avait vraiment approuvé la relation amoureuse occulte de leur mère. Pourquoi se déranger pour faire des adieux à un homme dont le statut d'amant ternissait celui de bienfaiteur et de médecin de famille?

Mais le hasard fait bien les choses. Le sort a voulu que

j'appelle Florence la veille de l'enterrement pour lui demander un renseignement. Elle m'a alors appris l'affreuse nouvelle avec un sanglot dans la voix. Je n'ai pas hésité à lui offrir de venir la chercher avec ma voiture à Mandeville, le lendemain matin, pour l'accompagner au service religieux à Saint-Didace, dans l'église de notre enfance. Tant pis pour les clientes éventuelles du magasin en quête d'un joli chapeau, ce jour-là. Elles auraient à se confronter aux charmes inexpérimentés mais persuasifs de mon beau Samuel déguisé momentanément en vendeuse!

Durant le service, je remarquai que Florence n'avait d'yeux que pour les deux filles de Vincent et leur mère au regard perdu. Elles avaient jugé bon de faire sortir l'ex-madame Chevrier de l'hôpital psychiatrique pour la circonstance. Malgré son divorce, elle restait toujours, à leurs yeux, la femme de leur père. Malheureuse égarée, démente, qui comprenait à peine ce qui se passait à l'avant de l'église... La folle réalisait-elle qui se trouvait dans le cercueil? Pouvait-elle se douter que quelque part, dans l'assemblée, dissimulée derrière une colonne, gémissait celle qui s'était emparée du cœur et du corps de celui qui fut son mari? Avait-on clairement expliqué à cette femme que son époux avait renoncé à elle officiellement? Que s'il n'allait plus la visiter le dimanche, c'était pour l'amour d'une certaine Florence? Quand la malade mentale au dos courbé se mit à pleurer bruyamment, plus haut et plus fort que les autres, je sentis ma sœur pâlir.

J'insistai pour la faire sortir de l'église avant qu'elle ne s'effondre. Avant, surtout, qu'elle n'ait à affronter la foule qui défilerait derrière le convoi et s'accumulerait sur le perron. Il faisait un temps splendide. Machinalement, nous nous sommes dirigées vers le cimetière, en direction du terrain familial. Mais, tout à coup, Florence s'est arrêtée net et a littéralement pivoté sur place.

«Ramène-moi à Mandeville, Andréanne. Laissons les morts avec les morts! La vie ne se trouve pas ici... Et puis, j'ai mal au ventre!»

Chapitre 50

N'eût été de la présence quotidienne de Désiré et de la visite dominicale de ses filles et de leurs familles respectives, Florence aurait pu plonger dans la déprime profonde. Mais le temps, ce silencieux allié des hommes, parvient toujours, dans sa marche inexorable vers le lendemain, à niveler les aspérités, combler les vides et tempérer les douleurs. Tirant sans cesse en avant, tendu vers l'avenir et la survie, il enfouit dans le coffre de l'oubli le souvenir des bonheurs anciens autant que celui des blessures qui ont fait chanceler ou trébucher le voyageur.

Florence se releva vaille que vaille et trouva d'abord refuge dans les méandres nostalgiques des nocturnes de Chopin. Jamais elle n'avait passé autant d'heures sur son piano, le dos voûté et le regard emporté vers quelque havre obscur pendant que ses doigts martelaient le clavier comme bat le pouls d'une douleur lancinante. Dans son oreille intérieure, la voix chaude du disparu la berçait encore. Puis, elle se remit à sarcler son jardin et à tricoter des vêtements d'hiver pour les petits. Chaque semaine, elle envoyait à Alexandre, son frère américain, et à Marie-Hélène, toujours à Vancouver, des lettres banales et trop courtes, écrites sur un ton neutre, mais à tout le moins fidèles et régulières.

Vincent lui manquait. À ce moment-là seulement, elle prenait une conscience aiguë de la place qu'il avait occupée dans son existence, non seulement par sa présence physique, mais surtout par la tendresse, la chaleur, la sécurité aussi qu'il représentait pour elle. À cause de cet amour, elle avait l'impression que rien de grave n'aurait pu l'atteindre au point de l'anéantir. Même la tentative de suicide de Désiré n'avait pas réussi à la jeter complètement par terre. Son protecteur n'avait jamais failli à lui tendre la main. Il avait veillé sur elle et avait su guérir les plaies, surtout celles du cœur. Et il lui avait apporté, à sa façon, le rayon de soleil essentiel à la survie dans l'univers nébuleux où elle avait dû évoluer depuis son mariage avec Adhémar. C'était lui aussi qui avait guidé Désiré vers la thérapie. Auprès de Vincent Chevrier, Florence avait réussi à refleurir malgré tout.

Maintenant, la solitude réintégrait ses quartiers généraux. C'en était fait des appels téléphoniques chaleureux à toute heure du jour, des visites à l'improviste, des soupers en tête-à-tête arrosés de vin, des nuits d'amour... Oh! il lui arrivait bien, à l'occasion, de passer quelques jours chez l'une ou l'autre de ses filles, mais le plus souvent elle refusait les invitations et préférait «emprunter» – c'était sa manière de le dire – l'un des petits pour un jour ou deux. Leur fraîcheur et leur insouciance réussissait à animer l'espace désertique laissé par l'absent. Enfin la maison se mettait à vibrer et à résonner de cris joyeux!

Charles, l'aîné, ne se faisait jamais prier pour séjourner chez sa grand-mère. Une belle complicité existait entre la femme et le garçonnet, et Florence avait le sentiment de se réapproprier de manière plus sereine le temps pas si lointain où elle-même élevait misérablement sa famille. L'enfant la suivait pas à pas dans la maison, l'aidait à plier les vêtements, à couper les légumes ou à balayer le perron. Il babillait sans arrêt et cela faisait sourire la grand-mère armée de patience. Ensemble, ils allaient cueillir des pousses de fougères et des fraises sauvages dans les sous-bois. On les vit même à la pêche sur le bout du quai, devant le chalet de l'oncle Désiré. Florence lui apprit aussi à jouer quelques chansons sur le piano. Grâce à ce bout de chou, la grand-mère se replongeait dans la littérature pour les jeunes, et dévorait avec un plaisir renouvelé les histoires de l'éléphant *Babar* et *Les Aventures de Tintin*.

Parfois, elle passait la main sur la chevelure ébouriffée de l'enfant, et ressentait une bouffée d'attendrissement pour ce gamin plein d'entrain. Enfin quelque chose de beau, de net, de pur occupait une place concrète dans son existence. Celui-là, au moins, elle pouvait l'aimer au grand jour. « Charlot, mon soleil... » Mais les mots restaient informulés et la grand-mère se contentait de déposer un baiser timide sur la joue barbouillée.

« Eh! grand-maman, tu me chatouilles!

— Petit coquin, va! »

Un soir, pourtant, le garçon refusa net l'invitation de Florence au téléphone à venir passer la fin de semaine à la maison rouge.

« Si ton père accepte de te reconduire ici, vendredi prochain, on pourrait se lever tôt le lendemain matin et aller taquiner la truite, qu'en penses-tu? On en préparera une platée pour ta mère.

— ...

— J'ai aussi déniché un duo facile qu'on pourrait jouer ensemble sur le piano. Tu vas l'adorer! Et puis... l'eau du lac est encore chaude, tu pourras certainement te baigner avec ton oncle Désiré.

— ...

— Charles? Que se passe-t-il? Tu ne veux pas venir chez grand-maman?

— Non.

— Mais voyons, je ne comprends pas! Te sens-tu malade? Y a-t-il d'autres activités organisées ailleurs?

— Non, je ne veux pas y aller, c'est tout.

— Ah! bon, passe-moi ta maman, s'il te plaît. »

Le garçon déposa le combiné sans même dire au revoir, et le bruit produit dans l'écouteur résonna plus durement au cœur de Florence qu'à son oreille.

«Nicole? Charles refuse mon invitation, je n'en reviens pas! S'est-il produit quelque chose?

— Je ne sais pas. Je le trouve bizarre depuis un certain temps. Il reste isolé dans un coin, ne parle plus, ne rit plus, ce qui est contraire à ses habitudes. Tu le connais!

— Mon Dieu, tu m'inquiètes...

— Écoute, maman, je vais le questionner plus sérieusement et essayer d'en savoir davantage. Je te rappelle, d'accord?»

Deux heures plus tard, Florence vit la voiture de Nicole franchir l'entrée à toute vitesse et se diriger directement vers le chalet sans s'arrêter devant la maison. La conductrice n'eut même pas un regard ou une salutation pour sa mère assise sur la galerie. Il se passait quelque chose de grave, à coup sûr! Florence ne mit pas de temps à deviner, le cœur serré.

Dieu du ciel! Elle ne s'était pas trompée! Désiré, encore une fois... Quelle horreur! Ainsi donc, les appréhensions morbides et insensées dont elle n'était jamais arrivée à se débarrasser complètement ressurgissaient et, cette fois, s'avéraient des réalités. La foudre venait de s'abattre de nouveau sur son existence, elle n'en douta pas un instant.

Sur le coup, elle aurait voulu s'écrouler sur le plancher, à l'instar de Vincent, et aller le rejoindre, séance tenante, là où on ne souffre plus. Là où on n'a plus à supporter l'insupportable. Là où l'évidence ne fait plus mal, où l'affreux sentiment d'impuissance propre à l'humanité se trouve pulvérisé en même temps que la vie elle-même. Là où les mots «secret» et «silence» n'existent plus.

Tôt ou tard, cela devait arriver, l'heure de vérité

venait de sonner une fois de plus. Elle s'était méfiée pourtant, mais pas encore assez! Si elle avait candidement cru son fils guéri par la thérapie de jadis, elle s'était royalement leurrée. Belle naïve! Et malgré sa surveillance vigilante, malgré ses mille précautions pour éviter qu'il ne se trouvât seul en présence des enfants, le salaud avait dû réussir à abuser de Charles. À tout le moins à l'effaroucher. Le garçon venait probablement de dévoiler la vérité à sa mère lors de l'interrogatoire à la suite de leur conversation téléphonique. Voilà pourquoi il refusait de revenir à Mandeville. Et Nicole, prise de panique, folle de rage, n'avait pas hésité une seconde à venir confronter son frère.

«Non, mon Dieu, pas ça! Pas Charles aussi! Non, non, je ne veux pas! Olivier autrefois et maintenant Charlot... C'est affreux! Désiré est devenu dingue! Mon fils est complètement fou, au secours quelqu'un!» Elle devait rêver. Elle allait se réveiller bientôt et rien de tout cela n'aurait existé. Tout allait rentrer dans l'ordre et elle comprendrait qu'il s'agissait d'un cauchemar. Elle pourrait respirer enfin, enfin. Tout cela était de sa faute, elle avait l'imagination trop fertile.

Et puis, non, elle ne rêvait pas! La voiture de Nicole se trouvait réellement stationnée près du chalet. Quelle affaire! Tout cela était bel et bien la conséquence terrible de son lâche silence... Elle aurait dû mettre Désiré à la porte dès ses premiers soupçons au sujet d'Olivier, elle aurait dû le faire arrêter, le traduire devant les tribunaux. Mais existe-t-il une seule mère au monde assez courageuse pour appeler les policiers et faire enfermer son fils, son malheureux enfant déjà détesté par son père avant même sa naissance? Cet être bafoué, battu, rejeté? Ce fils détraqué... Ne l'avait-on pas suffisamment détruit, n'avait-on pas suffisamment empoisonné son enfance et sa jeunesse pour qu'il daigne maintenant rendre la pareille à des petits êtres sans défense? De combien d'autres enfants encore s'était-il approprié l'innocence?

Elle sentit monter la colère, une colère blanche, titanesque. Le vicieux! Le pervers! Un déchet! Il ne valait pas mieux que son père! Un cochon, elle avait mis au monde un cochon, un véritable cochon! Ou pire, un démon... Elle aurait dû se faire avorter à l'époque.

Et ce pauvre Charlot, qu'avait bien pu lui faire Désiré, avec ses gestes démentiels de dévoyé sexuel? Dire qu'elle le croyait guéri... Comment admettre qu'il avait abusé de son petit-fils lors de sa dernière visite? Cela n'avait pas de sens! Quand, mais quand donc avait-il fait ça? Elle avait beau essayer de se rappeler un moment d'inattention de sa part, un oubli, une distraction, une négligence, elle ne trouvait aucune faille. Le prédateur avait patiemment guetté sa proie. En rénovant le chalet, il avait bâti son antre, son lieu machiavélique d'indécence et de tripotage. Ah! la canaille s'était montrée plus rusée que sa mère! Dire qu'il lui payait un loyer! Quelle imbécile elle était! On ne règle pas ce genre de problèmes avec de la surveillance! Encore moins avec des illusions! Même pas avec des traitements psychologiques, semblait-il...

Elle aurait dû le tuer et l'envoyer retrouver son père aux enfers quand Adhémar lui-même, la veille de sa mort, avait confirmé ses doutes sur la pédophilie de leur fils. C'était tout ce qu'il méritait! Et autrefois, devant la réaction exacerbée d'Alexandre sur le sujet et celle tout aussi prompte de Vincent, quelques mois plus tard, elle avait si peu réagi. Elle s'était comportée comme une irresponsable. Une femme faiblarde et sans volonté. La reine des autruches, tiens! Maintenant elle aurait sans doute à le payer très cher.

Et pourtant, cette cure avec le psychiatre... Elle y avait mis tant d'espoir. Trop d'espoir! Désiré semblait s'être remis à bien fonctionner. S'il avait récidivé dernièrement, elle aurait dû le sentir. Une mère, ça perçoit tout, ça devine tout! Il aurait suffi d'un regard fuyant, d'une attitude insolite, d'un geste inusité pour pressentir qu'il se passait peut-être des choses condamnables. Une mauvaise mère! Elle n'avait été qu'une mauvaise mère et une mauvaise tante! Et maintenant, une mauvaise grand-mère... Presque quinze ans déjà qu'elle vivait aux aguets et gardait ce secret, telle une lame sur la pointe du cœur, et cette crainte éperdue qui lui rongeait les entrailles.

À cette heure, elle comprenait la véritable raison pour laquelle son neveu Olivier s'était toujours montré aussi agressif. Enlisé dans son silence, le pauvre garçon n'arrivait pas à vivre normalement, et il était devenu délinquant à cause d'elle. Elle le savait depuis toujours, elle aurait dû parler, révéler la vérité, si effroyable fût-elle. «Désiré, Désiré, pourquoi as-tu fait ça? Et vous, mes pauvres petits, me pardonnerez-vous jamais?»

Quel monstre avait-elle donc mis au monde? Quelle bévue, quel délit, quelle faute suffisamment grave durant sa jeunesse lui avait mérité un tel fléau? Certes, elle avait couché à quelques reprises avec Adhémar avant leur mariage. Rien de plus. Aux yeux de Dieu, cette faute suffisait-elle pour l'accabler d'une telle sentence? La sainte paix, la connaîtrait-elle seulement dans la tombe? Elle avait pourtant cru au pardon, elle avait mené une vie honnête malgré la misère dans laquelle l'avait maintenue son mari. Et sa relation hors-mariage avec le bon docteur n'avait nui à personne, à ce qu'elle sache! Elle l'aurait bien épousé, celui-là, si seulement l'Église avait accordé le divorce! Pourquoi alors cette autre épreuve non méritée? Cette punition hors de proportion? Elle avait cru en un Dieu infiniment bon mais n'avait connu qu'un Dieu vengeur. À tout le moins totalement indifférent. «Ah, Vincent! Où es-tu? Aide-moi, mon amour, aide-moi!»

Couchée sur le banc de la galerie et recroquevillée en

position fœtale, Florence tremblait de tous ses membres. Une douleur foudroyante lui traversa le ventre comme un coup de poignard. La colite ulcéreuse, cette sournoise jamais complètement guérie, refaisait cruellement surface. Tant mieux! Elle allait enfin mourir, en finir une fois pour toutes avec cette vie abominable. Finies les batailles, la solitude, la peur. Fini l'écœurement, finie la honte. Finies la dissimulation qui ronge l'âme et les angoisses étouffantes. Finie la détresse. Elle allait disparaître et ne plus exister. Ne plus souffrir enfin. Plonger une fois pour toutes dans le silence éternel.

Des cris aigus émanant du chalet la tirèrent de sa prostration. Vite, il fallait intervenir! Le frère et la sœur étaient peut-être en train de s'entretuer. Elle se releva péniblement et accourut vers eux, en trébuchant.

Effectivement, Nicole frappait de toutes ses forces sur Désiré à grands coups de chaise. L'homme agenouillé, le visage ensanglanté, tentait de se protéger la tête avec ses mains, mais il ne réagissait pas, comme s'il prêtait le flanc au châtiment. L'espace d'une seconde, Florence entrevit son petit Désiré innocent battu par son père. Terrassé par la peur, il ne bronchait pas non plus... Cette vision déclencha chez elle un revirement brutal. Elle prit instinctivement sa défense.

« Nicole, arrête! Arrête! Ça suffit!

— Toi, la mère, mêle-toi pas de ça! Savais-tu que mon frère est un beau dégueulasse?

— Calme-toi, Nicole, tu ne régleras rien de cette manière.»

Soudain, Nicole s'arrêta brusquement de frapper et se tourna vers Florence. Elle la dévisagea avec des yeux exorbités. Une idée venait tout à coup de germer dans sa tête, une idée ahurissante, déconcertante, horrible. Le bout de l'horreur. Une idée que Florence devina aussitôt.

«Ne me dis pas, maman, que tu étais au courant! Je

n'arrive pas à y croire! Tu savais que mon frère est un pédéraste et tu ne l'as jamais dit? Et tu as laissé Charles courir ce danger?

— Il s'agit d'une maladie mentale, Nicole...

— Maudite vache! Ça, je ne te le pardonnerai jamais! Quelle sorte de sans-cœur es-tu donc? Laisser faire ça à des enfants! Je n'en reviens pas! Tu ne mérites même plus le titre de mère!»

La jeune femme approcha son visage et enfonça ses ongles dans les avant-bras de sa mère. Florence sentit l'haleine de sa fille sur sa peau glacée. Cette odeur chaude aux relents de haine, elle ne l'oublierait jamais et en garderait un souvenir précis pour le reste de ses jours.

«Eh bien, ton fils chéri a abusé de Charles, la dernière fois qu'il est venu ici, si tu veux savoir. Ah! Christ!

— Ça, je ne le savais pas! Je t'en fais le serment sur la tête de tous mes petits-enfants. Et j'aurais voulu ne jamais le savoir, crois-moi! J'ai toujours surveillé pourtant...

— Tu as surveillé? Tu as surveillé quoi? Espérais-tu régler les problèmes de mon frère seulement en le surveillant? Quelle stupidité! Ah! vous allez me le payer, toi pis Désiré! Maudits écœurants! Vous allez me le payer très cher! Merde!»

Elle cracha par terre et repartit en trombe en oubliant de refermer la porte. Pendant ce temps, Désiré n'avait pas bougé. Florence, complètement abattue, se pencha et le prit dans ses bras. Le fils et la mère demeurèrent là, prostrés, immobiles et muets, face à face. Combien de temps dura le silence? Ni l'un ni l'autre n'aurait su le mesurer. Un silence taché de sang, aux dimensions infinies du néant. Il ne leur restait plus rien à dire ni à faire.

La mère se ressaisit la première.

«Désiré, Désiré, pourquoi as-tu fait ça? Je te croyais guéri.

— Je l'ai été, maman, je l'ai été pendant des années, je t'assure!

— Veux-tu dire que tu n'avais touché à aucun enfant depuis... ton séjour à l'hôpital et la thérapie, il y a plus de dix ans?

— Je te le jure sur ce que j'ai de plus cher.

— Qu'as-tu de plus cher dans ta misérable vie, mon pauvre enfant?

— Toi, maman. Toi seule... »

Florence ravala ses larmes, désarçonnée. Pourquoi ces paroles de confiance en cet instant précis? Comment condamner ce pauvre bonhomme complètement subjugué qui la regardait en tremblant comme le plus faible des êtres?

« Alors, pourquoi, pourquoi as-tu recommencé?

— C'était à la fois si délectable et si affreux, cette peau tendre et délicate. Si pure. Je n'ai pas pu résister, ce fut plus fort que moi. J'avais bu et j'ai perdu le contrôle.

— Ton père aussi buvait... Tu es pourtant bien placé pour connaître le mal que l'alcool peut causer. Cela ne te fait donc rien de semer la désolation sur ton chemin?

— Ne dis pas ça, maman, je t'en prie, ne dis pas ça! Pauvre Charlot, qu'est-ce que je lui ai fait! Je me déteste pour cela, si tu savais! Je suis malade, je suis complètement malade. Tu aurais dû me laisser mourir quand...

— Tais-toi! Tu vas retourner en thérapie. Si tu as tenu bon pendant dix ans, ça devrait marcher encore. Il y a de l'espoir, non? »

Désiré ne répondit pas. Le calme envahit la pièce, plus pesant qu'une masse de béton. De l'autre côté du lac, le soleil atteignit l'horizon en barbouillant le ciel et la surface de l'eau aux couleurs du feu. Ou plutôt celles du sang. Sur les murs, les ombres informes prenaient des allures de spectres. Les spectres primitifs de la détresse infinie.

Quand la lumière disparut de la pièce, Florence se dirigea à tâtons vers la maison rouge tapie dans l'obscurité, avec l'impression que le reste de ses jours s'écoulerait dans une noirceur encore plus grande.

Son fils la laissa partir sans dire un mot.

Chapitre 51

12 juin 1965

Tard hier soir, quand Nicole, en état de choc, m'a raconté au téléphone ce qui venait de se passer à Mandeville entre elle et Désiré, les aveux, la crise, la volée de coups, la confession muette de Florence, j'ai tout simplement perdu le nord. Qui sait si la clé de l'énigme sur les délits répétés et inexplicables de mon Olivier ne se trouve pas là... Désiré aurait-il pu aussi abuser de mon fils, autrefois, à mon insu? Ce qu'il a fait à Charles, il aurait tout aussi bien pu le faire à Olivier. Sait-on jamais avec ces cinglés-là?

J'ai donc décidé de tenter le tout pour le tout et d'interroger mon fils lui-même avec insistance, dès son retour. Ma nièce Nicole venait peut-être d'allumer une lumière dans mon esprit. Il m'incombait maintenant de suivre la piste et de tirer les choses au clair.

Cette nuit-là, l'attente s'est avérée longue et angoissante. J'ai gardé le nez collé contre la fenêtre du salon dans l'expectative d'entendre enfin le martèlement de ses pas sur le trottoir, ces mêmes pas sautillants, ce même claquement de talons qui caractérisaient la démarche d'Adhémar. Ah! tout ce qui m'est passé par la tête pendant cette attente cauchemardesque. Peur, colère, refus, négation, révolte, déni, et surtout espoir, un espoir fou de voir mes appréhensions fichées par terre. Je suis passée par la gamme de toutes les émotions. Et toujours ce maudit silence étouffant qui vous poignarde la poitrine et vous donne envie de crier alors qu'aucun son ne veut sortir. Charles abusé par son oncle, je n'arrivais pas encore à y croire! S'il fallait que mon neveu ait jadis touché à Olivier, je ne répondrais plus de mes actes. Chose certaine, je ne m'en remettrais jamais.

À trois heures du matin, les pas attendus sont enfin venus, traînants, sans rythme. De toute évidence, Olivier avait bu ou consommé de la drogue, car il tenait à peine sur ses pieds. Au fond, c'était préférable ainsi. Les barrières, si elles existaient, ne tiendraient pas très longtemps.

Elles tombèrent en effet. Le secret, si longtemps retenu, déferla comme un raz-de-marée, mon fils hurlant les faits plutôt qu'il ne les racontait, et moi, hurlant ma rage. Si l'enfer existe quelque part, il doit ressembler à cet instant précis, cet espace ténébreux où le désespoir a arrêté le temps dans sa course vers la lumière.

Mon fils titubant s'est écroulé dès mes premières questions, comme s'il avait retenu ce flot démentiel depuis des années. Il a tout avoué, tout raconté, de la première à la dernière fois. Toutes les fois. Il se rappelait tout. Cela a commencé quand il avait quatre ans. Quatre ans! Comment cela peut-il être possible? L'âge de la pureté, de l'innocence... Le monstre l'a consommé comme de la chair fraîche, il a abusé de son corps, l'a profané, sali. A exigé de lui des gestes innommables sous la menace de l'abandonner et de ne plus l'aimer, de dévoiler leur secret d'amour. La belle affaire! Il lui présentait les choses comme normales et usuelles dans toutes les familles, le finaud! «Leur secret entre hommes» devint alors de grande valeur, à sauvegarder à tout prix.

Comment ne m'en suis-je pas doutée? Je m'en remettais à ma sœur, moi, quand il allait à Mandeville! Dire que Désiré est venu ici, plus tard, garder mon fils durant des années! Le bon petit étudiant en philosophie et plus tard en théologie, tellement fiable, candide et plein de gentillesse, venait violer mon enfant pendant que moi, la naïve, j'allais m'amuser l'esprit tranquille! Pas l'ombre d'un doute ne m'a effleurée en aucun temps. Et je le payais pour ses services de gardiennage, voilà le comble!

Le rat! Il me donne envie de vomir! Mon neveu est un

minable de la pire espèce, le plus vil, le plus dégoûtant des hommes. Le suppôt de Satan! Pouah! Il mériterait d'être castré sur la place publique, puis pendu jusqu'à ce que mort s'ensuive! Désiré Vachon, un pédophile! Je n'en reviens pas encore! Quelle ignominie! Et le salaud a fait ça à mon fils pendant des années, jusqu'à son entrée au séminaire... L'horreur!

Pourquoi, pourquoi Olivier n'a-t-il jamais rien dit? Pourquoi s'est-il enfermé dans ce silence terrifiant qui masquait une réalité encore plus terrible? La peur? La honte? La crainte des représailles? En grandissant, il a bien dû réaliser que ces actes-là n'étaient pas normaux... Ah! le salopard tenait bien sa victime! Je voudrais tuer ce chacal, le briser entre mes mains!

Tout a cessé au moment de la tentative de suicide de Désiré. J'aurais dû m'en douter: on n'attente pas à ses jours pour un simple renvoi du séminaire. Quand je pense que je l'ai plaint, mon pauvre neveu à la vocation manquée! Je lui cuisinais même du sucre à la crème quand il se trouvait à l'hôpital, je me rappelle. À partir de ce moment-là, semble-t-il, il a cessé de harceler Olivier. Il le fuyait même. Et le petit ne comprenait pas pourquoi. Moi non plus d'ailleurs! J'acceptais mal ses refus de venir garder. Quelle dupe j'ai été!

Olivier a alors commencé à se montrer rude et indiscipliné à l'école, inattentif même. Maintenant, je comprends mieux son désarroi et son mal de vivre alourdi par son terrible secret, un secret trop accablant sur ses frêles épaules d'enfant et, plus tard, d'adolescent. Maintenant, à vingt ans, mon fils est en train de devenir une loque humaine, sans but et sans projet. À l'évidence, il cherche l'oubli dans l'alcool et la drogue et ne réussit à se valoriser que dans les sensations fortes. Auprès de sa gang de voyous. Dieu sait si un jour il réussira à mener une vie sexuelle normale. Ah! quelle affaire!

Pourquoi ce silence destructeur? Et ma sœur était au courant, selon les dires de mon fils. Ça dépasse la mesure! La chienne s'est bien gardée de m'avertir. Pour quelle raison? Pour sauver la face? La sienne ou celle de son gars? En défilant ses souvenirs, Olivier s'est rappelé la présence de Florence sur le bord de la fenêtre alors que l'obsédé sexuel se trouvait dans l'échelle en train de peindre la maison. Il le... il lui... Ah! le monstre! Je n'ose même pas évoquer ces images tant elles éveillent en moi des envies de les assassiner tous les deux, mon neveu et son hypocrite de mère pour son silence crasse. Ma sœur complice... Florence Vachon complice... Est-ce possible? Je n'arrive pas à y croire! Olivier avait remarqué que sa tante les regardait à travers la vitre et, comme elle n'a pas réagi à ce moment-là, il s'est imaginé que ce genre de chose n'avait rien de répréhensible. C'était rien que pour rire, Désiré ne cessait de le lui répéter. Une vraie cochonnerie!

Mon pauvre petit, qu'est-ce qu'on t'a fait? Me pardonneras-tu jamais d'avoir été une mauvaise mère, de n'avoir rien vu, rien deviné? De n'avoir pas su te protéger? Existe-t-il au monde un moyen de tout recommencer, de tout reprendre à zéro? Et ce pauvre Charles, quand j'y pense... Si innocent!

Les choses n'en resteront pas là, j'en fais le serment solennel. Désiré Vachon n'est pas sorti du bois, sa mère non plus! Elle a beau être ma sœur, elle ne va pas s'en tirer aussi facilement! Et puis, non! Elle n'est plus ma sœur! Je la renie! L'accord tacite, ça se paye selon la loi! Olivier Chauvin est peut-être l'enfant naturel d'Adhémar Vachon, mais son père officiel et légal reste le riche industriel Laurent Chauvin. Père indifférent s'il en est, mais qui n'est certainement pas intéressé à voir le nom de son fils, et le sien propre par ricochet, terni par les actes dégueulasses d'un vulgaire cousin, neveu de son ex-femme.

Justice sera rendue dans cette histoire scabreuse, qu'on se le tienne pour dit! Pour mon ex, s'offrir les meilleurs avocats de la ville constituera la moindre des choses.

Chapitre 52

Deux jours après l'affrontement entre Nicole et Désiré dans le chalet, deux policiers se présentèrent à la maison rouge. Florence leur ouvrit en retenant son souffle.

« Monsieur Désiré Vachon, s'il vous plaît.

— Il habite dans le chalet sur la plage, juste en face. Mais il se trouve actuellement au travail.

— Où travaille-t-il? Peut-on le rejoindre là-bas?

— Il est inspecteur dans les écoles de la région. J'ignore quel village il visite aujourd'hui.

— Il travaille dans les écoles, vous dites? Auprès des enfants? »

Le soupir à peine perceptible que poussèrent les agents tout en conservant leur visage impassible n'échappa pas à la femme. L'un d'eux tournait et retournait une enveloppe scellée dans ses mains. Il sembla hésiter quelques instants puis la remit dans sa poche.

« C'est bon. Nous allons revenir plus tard. Au revoir, madame! »

Florence se rongea les sangs jusqu'au retour de son fils qu'elle attendit dehors, sur le perron. Désiré la trouva fébrile et passablement énervée, au bord de la panique.

« Ils sont venus pour t'arrêter, j'en suis sûre! Ta sœur Nicole a dû leur raconter ce qui s'est passé avec Charles. Voilà deux jours que je l'appelle sans réussir à lui parler. Elle refuse tout contact avec moi. Andréanne aussi d'ailleurs. Plus personne ne veut me parler. Si c'est pas une honte d'étaler ainsi nos problèmes de famille jusque dans les bureaux de la police! Ils vont te mettre en prison, Désiré. J'ai peur...

— Mais non, puisqu'ils apportaient une enveloppe, tu l'as dit toi-même. Ils venaient simplement me la porter. Cesse donc de t'en faire de la sorte!»

Florence arpentait la galerie de long en large en se tordant les mains.

«Je suis certaine qu'il s'agit d'un avis de comparaître. Ils vont te juger, te condamner, t'enfermer...

— Avoue, maman, que je le mérite largement. Écoute-moi bien: dans toute cette horreur, il existe tout de même une bonne nouvelle.

— ...

— Branche-toi là-dessus. Tout d'abord, je suis allé, ce matin, remettre ma lettre de démission comme inspecteur dans les écoles de la région.

— Tu appelles ça une bonne nouvelle?

— Laisse-moi finir! Je me suis ensuite rendu à Montréal pour rencontrer le psychiatre qui s'était chargé jadis de ma thérapie à l'hôpital Notre-Dame. Il accepte de me reprendre dès cette semaine. Il m'a parlé de techniques récentes, de nouvelles approches, de rencontres de groupe. Je lui ai tout raconté et il affirme que l'espoir existe pour moi, vu mon abstinence durant toutes ces années. C'est positif, ça, non?»

Florence, assaillie par les crampes, ne put entendre la suite, obligée de courir à la salle de toilette.

Quelques heures plus tard, Désiré reçut, tel qu'anticipé, une sommation officielle de se présenter pour une enquête préliminaire au poste de police du district dès le lendemain matin. On avait formellement porté plainte contre lui. Pas une plainte, mais deux. L'une provenait de la sœur du suspect, dame Nicole Coulombe-Désautels, de Berthier, pour attentat à la pudeur sur son fils Charles âgé de dix ans. L'autre plainte fut émise par le père d'Olivier Chauvin, Laurent Chauvin de Montréal, pour abus sexuel sur son enfant, de l'âge de quatre ans jusqu'à l'âge de dix ans.

Cette nuit-là, ni Florence ni Désiré ne fermèrent l'œil avant l'aube.

**

L'enquête dura quelques semaines qui parurent une éternité à Florence. Dès le début, Désiré plaida coupable afin d'éviter de pousser dans l'engrenage judiciaire ceux dont il avait brisé l'intégrité et de les obliger à revivre, en cour, les détails scabreux de ces histoires qu'il valait mieux oublier.

Ce genre d'affaire ne mit pas de temps à s'ébruiter dans la région. Si les quotidiens montréalais et trifluviens ne portèrent pas grande attention à ce fait divers, les petits journaux locaux, eux, avides de sensationnalisme, ne manquèrent pas de déblatérer à pleines pages sur les agissements d'un certain Désiré Vachon, membre actif de la communauté de Mandeville et des environs. Bientôt, deux autres victimes se joignirent aux plaignants et portèrent des accusations d'agression sexuelle contre l'ancien animateur du camp Orelda. Ces faits remontaient à l'été 1950, quelque quinze ans auparavant, alors que les garçons se trouvaient pensionnaires dans cette colonie de vacances de Saint-Gabriel-de-Brandon.

Florence pensa perdre l'esprit. Sa sœur et ses filles avaient coupé tout contact avec elle. Dès le lendemain de la sommation, elle abandonna ses cours de piano et de solfège et démissionna comme directrice de la chorale. Pas question d'étaler ses déboires familiaux sur la place publique! Elle n'aurait pu supporter d'être montrée du doigt ou d'entendre chuchoter dans son dos. Elle se garda de sortir de chez elle de crainte de croiser des regards accusateurs et nettement hostiles. La mère du pédophile... Même ses plus proches la condamnaient, qu'attendre alors des voisins et des étrangers sinon la répugnance, le dégoût, la condamnation! Le rejet à l'état pur!

Mieux valait se retirer la tête haute pendant qu'il en était encore temps. Elle s'isola donc complètement entre les murs de la maison rouge. Ce repli soudain s'avéra cependant plus difficile à supporter qu'elle ne l'aurait cru. Florence Vachon n'était pas faite pour une telle solitude.

À la longue, elle devint un pitoyable robot au regard vide, et seuls les gestes rituels du quotidien répétés machinalement comme un automate laissaient croire qu'elle avait gardé un semblant de goût de vivre. Elle se remit à nettoyer, astiquer, frotter comme si le fait de laver des murs et des planchers la lavait elle-même de toute cette souillure.

Déchirée par sa rancœur envers Désiré, la honte d'être sa mère et le sentiment de culpabilité de n'avoir rien révélé, tourmentée par la hantise de l'avenir, meurtrie par la fuite de ses autres enfants, elle n'eut pas le choix de remplacer désespérément le Dieu vengeur qui l'habitait depuis quelque temps par le Dieu de son enfance, celui qui pardonnait «cent sept fois sept fois». Là se trouvait sa seule rédemption. Elle se mit à le prier à voix haute comme une démente, à longueur de journée, dans la maison vide. «Tu le sais, mon Dieu, que je n'ai rien fait de mal. Pourquoi tant me punir? Quand je songe à ces pauvres enfants violés, ça me donne la nausée. Ou pire, ça déclenche la diarrhée! Et mon misérable fils... Reste-t-il un espoir pour lui, un espoir de pardon mais surtout de guérison? S'il fallait qu'on le condamne à la prison, je ne pourrais pas le supporter. J'aurais trop honte! Pitié, mon Dieu...»

Elle s'effondrait alors et braillait toutes les larmes

de son corps. Désiré la trouvait endormie sur le divan du salon, en plein jour, les cheveux épars, des larmes séchées sur la figure. Sa mère semblait en train de devenir folle.

« Relève-toi, maman, tu vas encore te rendre malade. »

Maladroit, il posait sur elle une main froide et pesante, et ce simple contact suffisait à régénérer Florence. Elle y voyait une manifestation malhabile d'affection et de tendresse filiales. Bien sûr, Désiré ne savait comment exprimer ses états d'âme. Mais elle sentait qu'il souffrait lui aussi. Elle le devinait agité, tendu à l'extrême et mort de peur à la pensée du sort que le juge lui réservait. De toute évidence, les regrets et un profond désarroi le torturaient. Il avait passablement maigri et affichait un teint cireux. Elle ne pouvait supporter son regard muet de chien battu. Les repas invariablement silencieux qu'elle prenait en sa compagnie étaient loin d'améliorer les choses. Ni l'un ni l'autre n'avait d'appétit et n'osait regarder l'autre en face.

Mais au delà de tout, plus fort que la colère et plus profond que le dégoût, un ardent sentiment de pitié habitait la mère pour cet homme fou, ce fils dément. Son fils... Si seul depuis son premier jour de vie.

Non, elle ne l'abandonnerait pas, quoi qu'il arrive.

Chapitre 53

Vint finalement le moment fatidique de prononcer la sentence tant redoutée. Devant le juge, Désiré se montra sincèrement repentant et bien décidé à tout entreprendre pour se libérer définitivement de ses penchants vicieux. Malgré son unique récidive avec son neveu Charles, ses dix années d'abstinence – ce qui restait néanmoins à prouver, selon le juge –, la thérapie reprise de nouveau de sa propre initiative de même que son rôle de seul soutien de sa mère jouèrent en sa faveur. On ne le condamna pas à la prison mais à trois cents heures de travaux communautaires. De plus, il se trouva dans l'obligation formelle, avec preuve à l'appui, de poursuivre une cure prolongée suivie d'une période de probation. Défense absolue lui fut imposée de se retrouver seul en présence d'un enfant.

Florence poussa un soupir de soulagement. Désiré conservait sa liberté, et son image ne serait pas ternie par l'incarcération. Le vent avait tourné, l'espoir, le vrai cette fois, restait permis.

Désiré mit cependant un certain temps à dénicher un nouvel emploi et éprouva du mal à organiser son temps. Les heures de travail communautaire, comptées une à une, entravaient nécessairement sa marge de manœuvre. Au début, il participa bénévolement à la construction d'un aréna pour les jeunes de Saint-Charles-de-Mandeville. Le travail physique lui faisait du bien et le délivra, à la longue, d'un poids moral insoutenable. Il rentrait harassé, fourbu, vidé, et réussissait à fermer l'œil à l'instant même où il se jetait sur son lit. Mine de rien, il commença à se reconstruire.

Une fois l'aréna terminée, on l'aiguillonna sur la création d'une bibliothèque régionale. Ce ne fut pas là une punition. Au contraire, il y mit tant d'intérêt et d'ardeur que, tranquillement, sans trop s'en rendre compte, on finit par passer l'éponge sur ses erreurs passées. Petit à petit, on recommença à le considérer comme un citoyen ordinaire, actif et dévoué.

De fil en aiguille, il finit par obtenir, comme travailleur autonome, un poste de correcteur de manuscrits pour une maison d'édition montréalaise de matériel scolaire et de livres de contes pour enfants. Il effectuait une grande partie de ce travail à la maison et profitait de ses rendez-vous à la clinique de la grande ville pour rendre visite à l'éditeur.

En accord avec Florence, il ferma le chalet pour regagner ses quartiers généraux dans le grenier de la maison rouge. «Il n'est pas bon que l'homme vive seul», avait-il argué à sa mère, mais elle savait qu'au fond, c'était elle qu'il ne voulait pas laisser seule, tout en se protégeant lui-même contre toute tentation éventuelle d'y entrer en compagnie d'un enfant. Il aménagea donc, dans l'espace adjacent à sa chambre, un bureau de travail. Elle s'empressa d'y suspendre de nouveaux rideaux de dentelle et de garnir les meubles de napperons de guipure, plantes vertes et bonbonnières. Même le vieux toutou de Désiré réintégra sa place sur le dessus de la commode! L'optimisme était revenu, il fallait l'empoigner à pleines mains pour qu'il perdure.

Depuis le début de l'enquête, Florence n'avait revu aucun membre de sa famille. Seul son frère Alexandre lui écrivait, bien que rarement, d'Albany, avec de vagues promesses de venir faire un tour «un de ces jours». Marie-Hélène, quant à elle, toujours étudiante en design à l'autre extrémité du pays, mettait un temps infini à répondre plutôt sèchement aux lettres empressées de sa mère.

De tous les autres, elle ne recevait plus de nouvelles. Ce rejet cruel la rendait littéralement malade. Elle se languissait de ses filles, et surtout de ses petits-enfants. Ils avaient dû grandir pendant tous ces mois. La plus jeune, à sa dernière visite, était sur le point de marcher. Quand donc était-ce? Une éternité s'était écoulée depuis ce temps. Des siècles et des siècles de noirceur...

Elle aurait tout donné pour pouvoir parler avec son petit Charles, s'assurer elle-même qu'il n'avait pas été trop traumatisé, tenter de lui expliquer, de le consoler, de le rassurer... Rien! On lui fermait toutes les portes, lui raccrochait au nez quand elle téléphonait. On lui retournait même ses lettres non décachetées.

Mais elle continuait de s'acharner, écrivait encore, appelait encore, harcelait, quémandait, suppliait en se disant qu'un jour, on aurait peut-être pitié d'elle et lui pardonnerait son silence ignoble de jadis. D'autres fois, elle se mordait les lèvres et serrait les poings de rage. Ses filles n'avaient pas le droit de l'évincer de la sorte. Elle était leur mère, après tout! C'est elle qui les avait mises au monde, les avaient allaitées, bichonnées, lavées, nourries, bercées, élevées pendant des années et des années. Elles n'avaient pas le droit de couper les ponts aussi sauvagement et de la priver de ses petits-enfants. Elle ne le méritait pas. Oui, elle avait fauté, oui, elle s'était montrée naïve, oui elle aurait dû tout dévoiler dès la première bêtise de Désiré. Oui, elle méritait leur colère, mais pas leur haine. Pas cette séparation radicale, cette absence totale, ce mutisme affreux. Ce silence... N'importe qui peut se tromper. Ne leur avait-elle pas appris à pardonner quand elle accueillait leur père devant elles, au retour de ses escapades?

Inlassablement, à tous les jours, elle barbouillait des pages et des pages et allait les porter au bureau de poste en étouffant ses sanglots. Elle passait devant l'église, comme autrefois quand elle amenait son bébé dans le traîneau, et, comme autrefois, elle entrait sur la pointe des pieds. Mais il n'y avait plus de petit dans le traîneau, il n'y avait même plus de traîneau!

Et elle n'avait plus envie de toucher l'orgue d'une main fébrile sous l'oreille attentive du curé dissimulé derrière une colonne, elle n'avait plus envie de rien, de rien d'autre que de pleurer. Pleurer durant l'éternité. Elle se sentait vieille maintenant. Oh! si vieille... Elle avait mille ans, elle avait souffert la souffrance de mille années de rupture.

Alors, la tête entre les mains, recroquevillée sur le prie-Dieu du dernier banc, elle demandait ardemment que survienne un miracle, que la lettre d'amour qu'elle venait de déposer encore une fois à la poste soit enfin ouverte et lue par Nicole, ou par Isabelle, ou par Marie-Claire, ou par Andréanne... Une fois, au moins, une seule fois pour que ses enfants sachent qu'elle les aimait encore, qu'elle les aimait tellement...

Un jour, n'y tenant plus, elle prit la décision d'aller frapper directement à la porte d'Andréanne. Plus mature et plus expérimentée que ses filles, sa sœur comprendrait mieux, l'aiderait peut-être. Il le fallait, il le fallait... Demain matin, elle allait prendre le train vers Montréal et surprendre sa sœur à son magasin. Elle n'aurait pas le choix d'accepter de lui parler. Ensemble, elles videraient la question une fois pour toutes. On ne peut pas recommencer le passé, mais on peut construire l'avenir. Florence était incapable de rester isolée, coupée des siens... Pourquoi ne pas se redonner la main et marcher de nouveau côte à côte, bravement, malgré les faiblesses et les erreurs de chacune? Andréanne n'avait-elle pas déjà triché sans l'avouer, elle aussi? Pourquoi donc personne d'autre qu'elle-même ne possédait cet amour familial inconditionnel capable de surmonter tous les obstacles?

Oui, demain, demain matin... C'est à ce moment précis qu'emportée par ses pensées, elle laissa échapper sa tasse de café qui éclata en mille miettes sur le plancher. Prise de vertige, elle dut s'accrocher au comptoir de la cuisine pour ne pas s'écrouler, les entrailles traversées par une douleur insupportable. La colite...

Tard ce soir-là, à son retour de la ville, Désiré trouva sa mère confuse, étendue sur le divan du salon, pâle comme une morte. Empressé de connaître la raison pour laquelle elle ne se trouvait pas dans son lit, il eut du mal à la ramener à la réalité. Elle finit par jeter sur lui un regard vitreux en désignant, d'un geste de la main, la salle de bains.

« Maman, maman, qu'est-ce qui se passe?

— Amène-moi à l'hôpital, j'ai peur de mourir.

— Comment ça? Es-tu malade?

— J'ai saigné par le rectum toute la journée. Cet après-midi, ça pissait comme une fontaine, ça ne voulait plus s'arrêter. Je pense que j'ai perdu connaissance. J'ai tellement mal au ventre, tu n'as pas idée...

— Demain matin, nous irons à l'hôpital à la première heure.

— Non, tout de suite! Cette fois, c'est grave, je le crains. »

On opéra Florence le surlendemain après lui avoir transfusé plusieurs litres de sang. Ablation d'une partie du côlon.

On tenta de consoler la malade en lui affirmant qu'elle avait échappé belle au sort qui attend certains patients dans la même condition: elle n'aurait pas à se servir d'un sac pour recueillir ses matières fécales, pour le reste de ses jours. Belle consolation, en effet, mais la malade s'en contrefichait! La présence des siens auprès d'elle représentait le seul réconfort qui aurait pu lui redonner l'envie de ne pas mourir.

Désiré avait bien essayé de contacter sa tante Andréanne et sa sœur Nicole pour leur apprendre le mauvais état de santé de sa mère, mais sans succès. Comme à l'accoutumée, il s'était buté à un mur. On ne voulait rien entendre, et on fermait l'appareil téléphonique dès les premiers accents de sa voix. À croire qu'on les avait biffés à jamais de leur existence! Si cette situation persévérait, ces sans-cœur devraient en effet rayer le nom de leur mère de la liste des vivants...

Tout cela n'était pas sans replonger l'homme dans ses sentiments de culpabilité. Non seulement il avait violé l'innocence de jeunes enfants, mais il avait brisé la vie de sa mère. La tentation de noyer sa déchéance dans l'alcool et la drogue se faisait de plus en plus menaçante. Et pourquoi pas la mort? Sa mère avait raison de se laisser mourir, cette chienne de vie n'en valait plus la peine. Il avait manqué son coup, lors de sa première tentative de suicide, mais à la deuxième, si jamais il décidait de faire le grand plongeon dans la délivrance, il n'échouerait pas. Oh que non!

Mais le maigre et pitoyable sourire avec lequel sa mère l'accueillait le soir, sur son lit d'hôpital, suffisait à le ramener à de meilleures intentions. Il ne l'abandonnerait pas, lui. Pas comme l'avaient lâchement fait les autres. Il n'en avait ni le droit ni le courage. Il se devait de vivre pour elle, pour en prendre soin, pour lui sauver la vie, lui qui l'avait pratiquement détruite. Pour lui montrer qu'elle restait précieuse pour quelqu'un, pour l'assurer que ce quelqu'un, si minable fût-il, l'aimait et avait besoin d'elle. « Ne t'inquiète pas, maman, je ne te laisserai jamais... » Étouffé de remords, il lui en faisait mentalement la promesse, à cœur de jour et de nuit.

Un soir, découragé devant le silence de Florence, il décida de risquer le tout pour le tout et composa le numéro de téléphone de sa sœur Marie-Hélène, à Vancouver. N'ayant pas été mêlée de près aux événements, peut-être accepterait-elle de lui parler, qui sait? Elle, au moins, serait en mesure d'avertir les autres de la situation précaire de leur mère.

Chapitre 54

21 octobre 1965

On vient d'enlever quatorze pouces d'intestin à ma sœur et elle ne va pas bien, paraît-il. Se laisse mourir à l'hôpital Notre-Dame... Et c'est Marie-Hélène, ma nièce de l'autre bout du pays, qui vient de me l'apprendre! Quelle absurdité quand on sait que je demeure à quelques rues de cet hôpital! Franchement, cette bouderie a assez duré... Ma sœur est au seuil de la mort, je ne vais tout de même pas la laisser partir toute seule! Ah, Seigneur! Ma pauvre Flo...

Je n'en peux plus de retenir ce pardon qui veut jaillir de mon cœur comme un éclat de lumière. Demain, j'irai la trouver. Pourquoi continuer à lui jeter la pierre? N'ai-je pas péché contre elle, moi aussi? Ne me suis-je pas approprié son mari pendant certaines périodes de sa vie? Tant de fois... trop de fois! Et, depuis vingt ans, n'ai-je pas continué à la tromper effrontément sur le véritable géniteur de mon fils?

Hier, Olivier se trouvait à jeun, justement. J'en ai profité pour avoir une conversation sérieuse avec lui. Au début, il a cherché à changer de sujet et même à fuir. Mais j'ai insisté, posé les vraies questions, mis les véritables cartes sur table. En voulait-il réellement à Désiré? Se sentait-il prêt à lui pardonner, lui aussi, et à lui redonner son estime et sa confiance?

Ses réponses m'ont déroutée. Non, il n'entretient pas d'aversion profonde pour Désiré. Au contraire, l'affection qui les unissait autrefois semble intacte. Le problème de pédophilie de son grand cousin lui inspire plutôt de la pitié. Oui, il a toujours adoré sa tante Flo et souhaite bien la revoir un jour.

Oui, il aimerait reparler de tout ça avec eux pour vider l'abcès, une fois pour toutes. Pour comprendre, accepter, recommencer à neuf. Pour changer de vie lui aussi, quoi! À l'instar de Désiré, il aimerait suivre un traitement thérapeutique... Oh là là! cela n'est pas tombé dans l'oreille d'une sourde! Je vais y voir!

Mes nièces, quant à elles, ont systématiquement refusé de m'écouter. Leur instinct maternel a pris le pas sur leur amour filial, je suppose. Elles n'ont qu'une idée en tête: protéger leurs petits contre le violeur. S'encouragent mutuellement dans leurs craintes et leur rancune. Comme si ma sœur avait elle-même donné Olivier et Charles en pâture! Tant que Désiré habitera à Mandeville, elles refuseront tout contact. Dieu sait si elles reviendront un jour... Je crains qu'il n'existe pas grand espoir de réconciliation de ce côté-là. Pardonner à leur mère, peut-être, mais à leur frère, ça, jamais! Tant pis pour elles et tant pis pour Florence! C'est le prix qu'elle devra payer pour son refus d'abandonner son fils.

Mais moi, je n'ai pas encore dit mon dernier mot. Cet après-midi, je vais appeler le petit Charles, à Berthier. Je sais que le mercredi sa mère se fait remplacer à la maison par une gardienne. Eh! eh! j'ai mon plan! Un merveilleux plan...

Chapitre 55

Un soir qu'il se trouvait au chevet de sa mère, toujours prostrée et muette sur son lit d'hôpital, Désiré vit la porte s'entrouvrir lentement. Il réprima un cri et bondit sur ses pieds en voyant Andréanne et Olivier pénétrer à petits pas dans la chambre. Son appel à Vancouver avait donc porté fruit!

Les deux visiteurs n'eurent d'abord de regard que pour Florence endormie, branchée sur une infinité de tubes et de fils. Immobiles au pied du lit, ils la dévisageaient sans dire un mot. Seule la respiration bruyante et irrégulière de la malade remplissait l'espace. La vie se trouvait là, palpable et tangible, dans ce souffle fragile, pour dire au monde que l'espoir restait permis et que demain disposait d'une autre chance.

Imperceptiblement, avec une lenteur infinie, Andréanne et Olivier en larmes se tournèrent vers Désiré. Spontanément, sans même y réfléchir, il s'approcha d'eux et ouvrit tout grand ses bras. Sa tante et son cousin s'y jetèrent sans hésitation, d'un seul élan. Le silence, cette fois, ne dura qu'une seconde et ne tarda pas à se remplir de sanglots et d'éclats de voix brisées par l'émotion. Florence, croyant rêver, ouvrit de grands yeux effarés devant Désiré qui se jetait à genoux.

«Ah! pardon, ma tante. Pardon, Olivier, pour mes bêtises. Je t'aimais beaucoup, tu sais, je t'adorais même! Pour moi, tu incarnais l'innocence et la pureté. Et je pouvais enfin exercer une certaine domination sur quelqu'un, moi qui n'avais connu que les injures et les railleries de mon père. Mais je ne te voulais pas de mal, tu peux me croire... J'étais désaxé, incapable de me maîtriser, j'avais perdu la tête. Je ne savais pas ce que je faisais. J'ignorais pourquoi ces pulsions épouvantables m'assaillaient, devenaient plus fortes que moi, me rendaient fou à lier. Maintenant, je comprends mieux, j'apprends à me contrôler... Je regrette le mal que je t'ai fait. Je ne mérite même pas que tu me regardes et que tu m'écoutes. Mon pauvre, pauvre Olivier... Quel être ignoble tu dois voir en moi!»

Agenouillé au beau milieu de la chambre, Désiré sanglotait à gros bouillons, la tête entre ses mains, la face contre terre. Olivier s'approcha et lui tendit la main.

«T'en fais pas, cousin, moi aussi j'ai commis des choses répréhensibles dans ma vie. Ma mère l'ignore, mais j'ai volé pour me shooter de la drogue, et pas seulement des paires de gants! Et cela ne me rend pas fier de moi, crois-moi! Mais on devrait tirer un trait sur tout ça. Si on s'aidait au lieu de se haïr?

— Oui, tu as raison! Je reviens de si loin, si tu savais! Mais t'en fais pas, pour le reste de mes jours, je vais demeurer aux aguets et me méfier de moi-même. Plus jamais je ne toucherai à un enfant, plus jamais, tu m'entends? J'aimerais mieux mourir! La thérapie me fait réaliser bien des choses et me donne au moins des forces...»

Désiré releva instinctivement la tête, comme s'il voulait jeter un regard sur une autre perspective et se redonner une nouvelle fierté. Andréanne tourna les yeux vers sa sœur et posa la main sur l'épaule de chacun des deux hommes. Puis, elle prit une grande respiration.

«Mes deux grands, écoutez-moi bien. Puisque l'heure de la vérité a sonné, moi aussi j'ai un aveu à vous faire: vous êtes non seulement des cousins mais aussi des demi-frères. Votre père, à tous les deux, était

Adhémar Vachon. Comme vous voyez, moi aussi j'ai des choses à me faire pardonner...»

Les deux garçons bondirent sur leurs pieds, abasourdis, et ne virent pas la malade sourciller et ébaucher un faible sourire. Elle se mit à murmurer, d'une voix rauque à peine audible:

«C'est pardonné depuis longtemps, ma sœur. En fait, depuis le jour de la naissance d'Olivier.

— Comment ça? Tu le savais?

— Bien sûr! Je suis crédule parfois, mais pas dans toutes les situations! Disons que j'ai d'abord eu des doutes qui ont été confirmés plus tard par la binette du bébé.

— Et tu n'as rien dit?

— Ma pauvre Andréanne... N'étais-tu pas suffisamment embourbée dans tous tes mensonges et tes histoires de mariage? Protester et pousser les hauts cris n'aurait rien changé sinon t'empoisonner la vie. J'ai choisi de me taire pour ne pas gaspiller tes chances de bonheur.

— Flo, je t'adore! Ah! ces silences... Qu'on en finisse donc avec les saisons d'orages et qu'on vive enfin à ciel ouvert et en paix, le temps qu'il nous reste à vivre. Et moi, Florence, je voudrais qu'il t'en reste encore, du temps. Beaucoup de temps! Des milliers de jours à la grande clarté... Guéris, ma grande sœur, je t'en prie, guéris! Ne te laisse plus mourir...»

La malade émit un léger signe de tête affirmatif et chercha à l'aveuglette à saisir la main d'Andréanne qui, au contact de l'extrémité glacée et tremblante de Florence, réprima un frisson.

«Tu as un bon bout de chemin à rattraper à ce que je vois, ma Flo!»

Obnubilées par leur conversation, elles ne remarquèrent pas les deux hommes qui se dévisageaient silencieusement dans l'autre coin de la chambre. Même profil, mêmes yeux verts, même chevelure bouclée, même beauté, même démesure... Olivier se montra le plus surpris.

«Ah bien! mon vieux... Je n'en reviens pas! Je ne suis pas le fils de Laurent Chauvin! Pour ce qu'il m'a manifesté d'affection, celui-là, je ne perds pas grand-chose!

— Moi, j'avais des doutes, rétorqua Désiré. On a trop souvent parlé de ta ressemblance avec mon père.»

Ils ne mirent pas de temps à s'empoigner vigoureusement.

«Vieux frère, va!»

Olivier, une fois remis de ses émotions, sortit une enveloppe de son gilet et la tendit à la malade.

«Voici une lettre à ton nom, ma tante. À la demande de ma mère, j'ai fait, ce matin, la route de Montréal jusqu'à Berthier pour aller la chercher expressément pour toi. Ton petit-fils Charles l'a écrite en secret en présence de sa gardienne, hier soir, et il me l'a remise en mains propres dans la cour de récréation de l'école primaire, cet avant-midi, à l'insu de sa mère. Elle est adressée *"À ma grand-maman chéri"*. Veux-tu que je te la lise?»

Cette fois, Florence ouvrit grand les yeux et tenta de se redresser sur ses oreillers. Olivier ajusta ses lunettes et se mit à lire d'une voix étranglée.

Ma cher grand-maman,
Je m'ennuit boucoup de toi, tu sais, mais maman ne veut plus que j'aye chez toi. Elle dit que mononcle Désiré ma faite trop de bizous. Moi, je dit que c'est pas grave. Quand je serai grand, je prendrai l'autobus et j'irai te voir à tout les samedis, parce que je t'aime boucoup, boucoup. Géris vite, ma belle grand-maman.
Ton petit-fils qui t'aime,
Charles

DISTRIBUTEURS EXCLUSIFS

Distributeur pour le Canada et les États-Unis
LES MESSAGERIES ADP
MONTRÉAL (Canada)
Téléphone : (450) 640-1234 ou 1 800 771-3022
Télécopieur : (450) 640-1251 ou 1 800 603-0433
www.messageries-adp.com

Distributeur pour la France et autres pays européens
HISTOIRE ET DOCUMENTS
CHENNEVIÈRES (France)
Téléphone : 01 45 76 77 41
Télécopieur : 01 45 93 34 70
www.histoire-et-documents.fr

Distributeur pour la Suisse
TRANSAT S.A.
GENÈVE
Téléphone : 022/342 77 40
Télécopieur : 022/343 46 46

Dépôts légaux
Bibliothèque nationale du Canada
Bibliothèque et Archives nationales du Québec, 2006